Recomendaciones

«Que las minorías creativas son el futuro de la iglesia lo ha dicho Joseph Ratzinger varias veces. Pero ¿de qué tipo de "creatividad" se trata? Amor Crucificado es, sin duda, una minoría, una pequeña comunidad como otras. Pero su "creatividad" no es fruto del esfuerzo organizado de varios cristianos. Su "creatividad" brota toda de su capacidad de "recibir" lo que el Señor Jesús les ha dado: un camino hacia la unión con el amor salvífico de Dios. Para quien se atreve a creer que Jesús con su Cruz y Resurrección no solo nos ha salvado del pecado, sino que desea transformarnos; para quien se atreve a creer que Jesús no solo cura nuestras heridas, sino que las hace fuente de luz uniéndolas a las suyas; para quien se atreve a creer que Jesús no solo quiere que le conozcamos por la fe, sino que desea acogernos en su Corazón, *El Camino* será un descubrimiento a la medida de sus expectativas. Y aún más».

Padre Gabriel Ascencio, LC, Ph.D.
Profesor de Filosofía

«Esta obra ofrece bellas reflexiones sobre cómo unirnos cada vez más al Corazón de Jesucristo. Los testimonios y las reflexiones nacidas de la oración nos acercan a Cristo. Es una herramienta para crecer en la vida espiritual y para entender la fuerza y la profundidad de la maternidad espiritual».

Deb Bauer Ph.D.

«*El Camino Sencillo de Unión con Dios* es una extraordinaria fuente de inspiración para mí. Contiene tanto un muy profundo contenido teológico como una guía inspirada a la vida espiritual. Me ha ayudado enormemente como lectura espiritual y en mi vida de oración. He encontrado, a través de casi cada una de sus páginas, material que podría interpretar como si se dirigiese precisamente a mí, para que lo reflexione y rece sobre cómo mejorar el camino de mi vida y mi relación con Jesucristo. Su énfasis y sus palabras profundamente sabias y compasivas sobre nuestra comunión con los diferentes aspectos del amor de Dios presentes en la Cruz, son de importancia decisiva para nuestra necesidad personal de rendirnos y convertirnos a la verdad de nuestra fe, que es contraria a muchas distorsiones de la misma. Se lo recomiendo a cualquier persona interesada en tomar en serio el camino para la auténtica felicidad y la paz».

Doctor Antonio Lopez, Ph.D.
Profesor de Filosofía y Teología

El Camino Sencillo de Unión con Dios

ISBN: 978-0-9972664-1-2

Para comprar este libro o para más información:
www.amorcrucificado.com
Libro e información en inglés: www.lovecrucified.com

Cubierta: Pietá, jardín del santuario de Nuestra Señora de la Leche, San Agustín, Florida, EE. UU.
Foto: Padre Jordi Rivero.

El Camino Sencillo de Unión con Dios

Para aquellos que desean responder a la sed de Cristo:
«Súfrelo todo Conmigo, no siendo ya dos, sino *Uno* en Mi sacrificio de amor».

El Camino Sencillo de Unión con Dios es el manual de formación espiritual de la
Comunidad Amor Crucificado.
www.AmorCrucificado.com

Por una Madre de la Cruz con un Misionero de la Cruz

El Camino fue consagrado a la Inmaculada Concepción
en la gruta de Nuestra Señora de Lourdes, Francia,
el 16 de abril de 2016.

Primera publicación en español: 13 de mayo del 2017, centenario de la Virgen María en Fátima
Impresión #1 en Colombia: octubre del 2017
Impresión #7 en USA: 19-6-2022, Solemnidad de Corpus Christi

ARCHDIOCESE OF MIAMI

Office of the Archbishop

Decree

THOMAS G. WENSKI

by the grace of God and favor of the Apostolic See
Archbishop of Miami

The text *"The Simple Path to Union with God"* has been carefully reviewed and found free of anything which is contrary to the faith or morals as taught by the Roman Catholic Church.

Therefore, in accord with canon 824 of the *Code of Canon Law*, I grant the necessary *approbatio* for the publication of *"The Simple Path to Union with God."*

This *imprimatur* is an official declaration that this text is free of doctrinal or moral error and may be published. No implication is contained therein that the one granting this *imprimatur* agrees with the contents, opinions or statements expressed by the author of the texts.

Given in Miami, Florida, on the 12th day of October in the Year of our Lord two thousand eighteen.

Archbishop of Miami

Attestatio et Nihil Obstat

Cancellarius

CANCELLARIUS
ARCHDIOECESIS MIAMIENSIS

9401 Biscayne Boulevard, Miami Shores, Florida 33138
Telephone: 305-762-1233 Facsimile: 305-757-3947

ÍNDICE

Prólogo

La obra del Espíritu Santo en las almas a lo largo de la historia está bien documentada en la literatura mística; sin embargo, es difícil para muchos creer que el mismo Espíritu está haciendo maravillas entre nosotros hoy. Nuestros tiempos se caracterizan por la impiedad; no obstante, la poderosa presencia del Espíritu Santo se hace evidente de muchas maneras: el Concilio Vaticano II, una cadena de grandes papas, apariciones marianas, movimientos, nuevas comunidades, santos extraordinarios, entre otros.

Dios continúa actuando por medio de sus instrumentos favoritos: los pequeños y desconocidos. Uno de estos es una esposa y madre que en esta obra llamaremos «Madre de la Cruz» (MDC), pues así llamamos a las mujeres de nuestra comunidad. Ella comenzó, en el año 2006, a confiarme los mensajes que recibía del Padre, de Jesús y de la Santísima Virgen. Estos mensajes no son locuciones ni apariciones, sin embargo, son distintos a sus propios pensamientos. Los recibe sobre todo durante la adoración eucarística.

Ella venía a recibir mi dirección espiritual, pero las palabras que el Señor le daba me retaban a entrar con todo mi corazón en el amor crucificado de Jesús como alma víctima y llevarle muchas almas víctimas. Así comenzó, en el año 2008, la Comunidad Amor Crucificado.

El Camino Sencillo de Unión con Dios se basa en los mensajes del Señor, según los vivimos en la comunidad. *El Camino* nos ha ayudado a profundizar en las Sagradas Escrituras, el Magisterio de la Iglesia, las enseñanzas de los papas y de los santos. *El Camino* también nos ha llevado con gran gozo a experimentar la vida en el Espíritu Santo como víctimas de amor, unidos a Jesús Crucificado. El Señor nos pidió que se publicase y se compartiese con todos. Pido al Señor que sea también para ti un camino de gracia.

Padre Jordi Rivero, Misionero de la Cruz

Reconocimientos

El Camino Sencillo de Unión con Dios es el fruto del amor de Dios revelado en Jesús crucificado y resucitado. Es una gracia recibida durante nuestros encuentros eucarísticos diarios. Nuestra Santísima Madre ha guiado cada paso de nuestro esfuerzo para ponerlo en práctica en nuestra vida oculta y ordinaria.

Con profunda gratitud reconocemos el apoyo de nuestros hermanos y hermanas de la Comunidad Amor Crucificado. Algunos de sus testimonios aparecen en *El Camino* como muestra de que no se trata solo de ideas, sino de verdades que transforman vidas en Cristo. Estamos muy agradecidos también a todos los que ayudaron a editar el manuscrito.

Sobre las revelaciones privadas

El Catecismo de la Iglesia Católica enseña:

> A lo largo de los siglos ha habido revelaciones llamadas «privadas», algunas de las cuales han sido reconocidas por la autoridad de la Iglesia. Estas, sin embargo, no pertenecen al depósito de la fe. Su función no es la de «mejorar» o «completar» la Revelación definitiva de Cristo, sino la de ayudar a vivirla más plenamente en una cierta época de la historia. Guiado por el Magisterio de la Iglesia, el sentir de los fieles (sensus fidelium) sabe discernir y acoger lo que en estas revelaciones constituye una llamada auténtica de Cristo o de sus santos a la Iglesia[1].

El propósito del *Camino Sencillo de Unión con Dios* es precisamente este: ayudar a vivir más plenamente en nuestro tiempo la revelación que ya Cristo entregó a su Iglesia.

Dios continúa hablando a través de hombres y mujeres humildes para despertarnos al amor que Él nos reveló en la Cruz. La importancia de estos mensajes es mayor en tiempos como los nuestros cuando los que viven la fe sufren grandes pruebas.

San Pablo nos enseña a estar abiertos al Espíritu y, al mismo tiempo, a no dejarnos engañar: «No extingan la acción del Espíritu; no desprecien las profecías; examínenlo todo y quédense con lo bueno. Cuídense del mal en todas sus formas» (*1 Ts* 5, 19-22).

---

[1] *Catecismo de la Iglesia Católica*, N° 67.

Introducción

La nueva vida que recibimos en nuestro bautismo es como una pequeña semilla destinada a crecer hasta la plenitud de la vida en Cristo. El propósito de nuestro tiempo en la tierra, entonces, es dedicarnos a este crecimiento a lo largo de un camino de transformación continua. Este es el camino al Calvario donde participamos en el sacrificio de amor de Cristo al Padre y en la vida de la Santísima Trinidad. San Pablo describe este camino como una carrera en la que nos debemos dar del todo: «Por Él, he sacrificado todas las cosas, a las que considero como desperdicio, con tal de ganar a Cristo y estar unido a Él» (*Flp* 3, 8-12).

Hablando por medio de una Madre de la Cruz, Nuestro Señor nos ha llamado a ascender al Calvario con Él y a conquistar la oscuridad:

> *Estoy haciendo nuevas todas las cosas... Vive en el poder de Mi amor crucificado. La oscuridad no prevalecerá, la Luz conquistará las tinieblas. Sé Mi luz en el mundo... La fuerza oculta conquistará las tinieblas de Satanás, pero Mi fuerza oculta debe intensificarse y crecer. Dios hará grandes cosas por medio de Su remanente santo de almas víctimas*[2]. *Es hora de que Mis mensajes se publiquen. Debes estar dispuesta a ser Mi voz y ascender al Calvario siendo* Uno *Conmigo para ser crucificada. Es esta obediencia a Mi Voluntad la que hará nuevas todas las cosas en la unidad del amor de la Santísima Trinidad. Oren y respondan como Uno* (9/8/12).

[2] Ver cap. 6, «alma víctima».

Las palabras del Señor: «Hago nuevas todas las cosas[3]», se aplican a cada uno de nosotros. Se cumplen a medida que ascendemos al Calvario y nos unimos con Él en la Cruz. Este es *El Camino Sencillo de Unión con Dios*. Él necesita que cada uno de nosotros, su fuerza oculta, su resto santo, crezca, ore y responda como *Uno*. Así se vence a Satanás y se hacen nuevas todas las cosas.

Parece increíble que Dios necesite de nosotros, pero es verdad. Desde el principio de los tiempos, Dios Padre ha querido que el sacrificio perfecto de Su Hijo se completara a través del cuerpo de Cristo, la Iglesia (cada uno de nosotros)[4]. San Pablo nos dice que el sacrificio de nuestra vida se convierte en el poder de Dios al hacerse *Uno* con el sacrificio de Cristo. Este sacrificio es el «mensaje de la Cruz»[5].

«El poder de Dios» podría parecernos como algo mucho más allá de nuestro alcance. Pero recuerda, el propósito de nuestro tiempo en la tierra es buscar la unión con Dios, ser *Uno* con el Corazón de Cristo. Recuerda también que no peregrinamos solos. Todos los que respondan al llamado de Dios a unirse con Él en la Cruz, serán parte del resto santo. El Espíritu Santo y Nuestra Santísima Madre estarán con nosotros, consolándonos y guiándonos por el camino de unión, que es verdaderamente sencillo, pero estrecho y difícil.

Una vez tomada la decisión consciente de decir «sí, mi Señor, voy a amarte y a ser tu víctima, unida a Ti, la Víctima perfecta», nuestra nueva vida en Cristo se llena de fuego, empezamos a ver la rebeldía de nuestra carne que nos tenía atados al pecado, entonces nos sometemos a Jesús para que pueda tomar plena autoridad sobre nosotros. Con este acto de sumisión, actuamos como nos exhorta san Pablo: «Vistámonos con la armadura de luz [...], revístanse del Señor Jesucristo» (*Rm* 13, 12-14). Las palabras de la santa misa,

---

[3] *Ap* 21, 5.

[4] Cf. *Col* 1, 24.

[5] Cf. *1 Co* 1, 18, "El mensaje (Palabra) de la Cruz" es Cristo mismo quien revela el poder de Dios, que nos amó hasta dar su vida, Amor Crucificado, vencedor sobre todo mal.

«por Cristo, con Él y en Él», se hacen realidad en nuestra vida cotidiana.

Esta nueva vida no viene exenta de dolor y sufrimiento, nuestras dificultades no desaparecen. *El Camino Sencillo de Unión con Dios* es el camino estrecho de la Cruz. **Por esa razón tenemos que unirnos a María y, por medio de nuestra consagración, dar nuestro «sí» en unión con su «sí».** Ella, modelo perfecto, nos lleva al pie de la Cruz para formarnos en la verdadera humildad y arrepentimiento.

Una vez que nos rendimos y verdaderamente somos dóciles, el Espíritu Santo nos conduce al costado traspasado de Nuestro Señor. Esta vía nos lleva al Sagrado Corazón de Jesús para ser allí consumidos en el fuego del Espíritu Santo. A medida que damos nuestro «¡sí!» al Padre, el Espíritu nos convierte en Jesús Crucificado y nuestro sufrimiento se convierte en gracia para el mundo. Esta nueva vida nos llena de la alegría y la felicidad que todos los corazones desean poseer.

1. Yo soy el camino —Diario de una MDC

Jesús: *Si Yo soy el camino, eso significa que el camino ya ha sido establecido para ti. Solo hay un camino que te conduce al abrazo del Padre para toda la eternidad. Yo he venido para que conozcas el camino. El camino es sencillo, pero también desconocido y oculto*[6]*. Todos aquellos que desean encontrar este camino lo encontrarán, pero son pocos, hija Mía, los que lo encuentran y, menos aún, los que avanzan en él*[7]*. Es una tortura constante para Mi Corazón y el de Mi Madre, ver tan pocas almas en este camino que abrí para vosotros y allané con Mi Preciosa Sangre.*

---

[6] Sin la luz del Espíritu, el camino del Señor es «desconocido y oculto». Cf. 1 Cor 2,6-10.

[7] Cf. *Mt* 7, 14 «Pero es angosta la puerta y estrecho el camino que lleva a la Vida, y son pocos los que lo encuentran».

Yo soy el camino. Mírame, sígueme. Yo soy el Cordero inocente del Padre que se abandona a ser sacrificado para que tengas vida. Yo soy pobre y humilde, nacido de padres santos muy sencillos. Soy puro, el Cordero sin mancha. Soy perfectamente obediente a la voluntad del Padre. Yo soy la belleza porque vivo y permanezco en la luz del Padre con el Espíritu Santo. Yo soy el Amor, Amor encarnado.

El Espíritu Santo te llevará por Mi camino a la vida eterna... Hija Mía, hay un CAMINO SENCILLO, porque tu Dios es sencillo y conoce tu debilidad. Estabas en un camino hacia Mí, pero un camino muy difícil y complicado, lleno de peligros porque es el camino de tu propia voluntad. Cuando me diste tu fiat en Medjugorje[8]*, entraste en Mi camino. Ahora ya sabes por experiencia la diferencia entre estos caminos. Mi camino es sencillo, seguro, lleno de consuelo, de paz... te lleva a la transformación interior de tu mente y de tu corazón. Cuanto más profundo entres en Mi camino, más fácil se hace tu caminar* (12/12/11).

---

[8] En el 2006, cuando el Señor me pidió ser su alma víctima.

Cómo leer y vivir «El camino sencillo de unión con Dios»

El Camino no es un libro como otros que leemos de corrido. Es necesario meditarlo despacio, en pequeños segmentos y volver a él con frecuencia, solo así le permitimos al Señor llevarnos a fondo a Su mensaje. Dios nos ha dado *El Camino* para prepararnos a ser sus testigos, mártires y guerreros para estos «tiempos decisivos». El Señor, desde hace años, nos ha estado diciendo «preparaos» para la «batalla feroz a la que han de enfrentarse». Sin embargo, Él no nos deja solos. Como padre amoroso, Él viene a prepararnos.

El Camino se ha de vivir y no solo leer. Por medio del Camino, Jesús nos está purificando, sanando y revistiendo con la armadura de Dios para la gran batalla en que hemos entrado. Por medio del Camino, Jesús nos llama a vivir su Palabra y entrar en su Corazón. El Señor nos está haciendo sus «hostias vivas» para que su luz irradie a través de nosotros y penetre la oscuridad que nos rodea.

El Camino no es lineal, no dejamos etapas atrás cuando avanzamos. El Camino es un todo orgánico que el Espíritu Santo va integrando y haciendo vida en nosotros. Cada enseñanza de Nuestro Señor ha de grabarse en nuestros corazones. Esta es una gracia que Dios nos dará, pero debemos estar dispuestos a trabajar duro, meditando El Camino diariamente y viviéndolo con perseverancia.

Monseñor Ron Sciera escribió este mensaje a sus hermanos sacerdotes:

> Hermanos en Cristo: *El Camino Sencillo de Unión con Dios* no es un periódico espiritual, ni una reflexión teológica. ¿Qué es?
>
> Se trata de un «camino», de una «vía rápida» para entrar en el fuego del Sagrado Corazón de Jesús, donde habita el Espíritu Santo. Es una respuesta a la oración si queremos sanarnos de las heridas que hemos enterrado porque nos

resultan demasiado dolorosas o porque nuestro orgullo no nos deja ver nuestra realidad.

El Camino es como un viaje, es una forma de vivir nuestra vida diaria UNIDOS A CRISTO. Muchos sacerdotes ya están familiarizados con El Camino y están ASOMBRADOS (yo soy uno de ellos) de la sanación que ha traído a sus vidas y la facilidad con que son liberados del egoísmo, de las impurezas, del orgullo, del espíritu de control y de todos los demonios que nos acechan, que nos avergüenzan, que nos confunden, que juegan con nuestros sentimientos y emociones.

Estos demonios tienen un objetivo: robarnos nuestra libertad en Cristo y la fe que con Él podemos caminar sobre las aguas. Sí hermanos, esa es la fe que Cristo quiere darnos, pero preferimos la comodidad y la seguridad de quedarnos acobardados en la barca, buscando excusas para nuestras debilidades en vez de tomar la mano de María Santísima y aprender a caminar con ella como lo hizo Jesús.

Tienes que «comerte» *El Camino Sencillo de Unión con Dios* como Ezequiel se comió el "rollo" en presencia de Dios[9].

[9] Cf. *Ap* 10, 9; Ez. 3, 1-3.

Parte Primera
El Camino de Unión

El amor debe ser una pasión

Al comenzar El Camino, debemos saber cuál es la meta: Jesucristo. Él es «el Camino, la Verdad y la Vida»[10]. Dios nos creó para ser amantes y solo podemos serlo si somos *Uno* con Cristo en su pasión. Su pasión es amor divino vivido en la fragilidad humana hasta las últimas consecuencias, en su sufrimiento y su muerte. Este amor es el poder y la sabiduría de Dios, que en la Cruz derrotó a Satanás para siempre.

Si no entramos en la pasión de Jesús, aún podríamos parecer buenas personas, pero no estaríamos plenamente vivos. El amor apasionado no le niega nada a Dios, más bien expande el corazón y siempre quiere darse más. Cristo se revela a estas almas en profundidades inimaginables. Se convierten en iconos de Cristo. Nada las puede separar del Amor. La Cruz es para ellas una oportunidad de amar aún más.

Pocos tienen el valor para vivir este amor. Hay que permitirle a Cristo desmantelar nuestras fantasías sobre Dios, sobre la religión y sobre nosotros mismos. Hay que permitirle que nos muestre en verdad quiénes somos, que toque nuestras heridas y vaya profundo hasta descubrir pecados que hemos escondido tras justificaciones y excusas. Hay que dejarse llevar de la mano de María hasta la Cruz y penetrar con ella el Corazón de Jesús. A los pocos que perseveran en este Camino les llamamos «santos». La vocación cristiana es ser uno de ellos.

---

[10] *Jn* 14, 6.

**Nuestra Señora llena de gracia,
enséñanos a ser vulnerables**

Capítulo Uno

Caminamos con el Espíritu Santo y María

1–A: Nueva vida en el Espíritu Santo

Vemos la transformación que obra el Espíritu en aquellos en cuyo corazón habita. Fácilmente los hace pasar del gusto de las cosas terrenas a la sola esperanza de las celestiales, y del temor y la pusilanimidad a una decidida y generosa fortaleza de alma. —San Cirilo de Alejandría[11].

[11] *Comentario al evangelio de San Ju*an, Oficio de lectura, jueves de la VII semana de Pascua.

El Espíritu Santo despierta mi alma por un Misionero de la Cruz

Cuando era estudiante de universidad mi madre me invitó a un grupo de oración. Me quedé asombrado de lo que encontré allí: las personas hablaban con Dios, lo alababan y le expresaban su amor y gratitud. Alguien compartía una palabra del Señor, otro la confirmaba con la Biblia. Por primera vez en mi vida vi a cristianos orando unos por otros imponiendo manos. Los que venían con cargas en su corazón encontraban paz y fortaleza en el Señor. Se podía ver en sus rostros el gozo de haberse encontrado con Cristo.

A medida que asistía al grupo de oración, crecía en mí la experiencia de la acción del Espíritu Santo. Ya lo había recibido de niño en mi bautismo y confirmación, pero, igual que san Pablo le dijo a Timoteo que reavivase el don de Dios que había recibido[12], ¡yo también necesitaba revivirlo! La gracia principal que recibí fue una toma de conciencia del amor, la majestad y el poder de Jesucristo. Todo lo que había aprendido en la Iglesia tomó vida: la Eucaristía, la Biblia, la Virgen María… Con esta gracia recibí también el deseo de responder a Su amor y traerle tantas almas como me fuera posible. Entonces un día, mientras oraban por mí, supe que el Señor me estaba llamando al sacerdocio.

¿Por qué no había tenido antes una experiencia de Dios y de comunidad de esta manera? Crecí en una familia católica practicante y asistí a escuela católica. Yo practicaba mi fe con sinceridad, sin embargo, algo faltaba. No sabía que Dios deseaba tener una relación íntima conmigo, más profunda que cualquier historia de amor. Sabía por los Hechos de los Apóstoles y por las vidas de los santos que el Espíritu Santo había hecho maravillas y que actuaba en las vidas de los cristianos de otras épocas, pero nuestra cultura, incluso mi experiencia en círculos cristianos, me hacía creer que semejante interacción con Dios ya no era posible.

El Papa Benedicto XVI abordó la importancia del encuentro de fe con Cristo:

---

[12] Cf. *2 Tm* 1, 6.

No se comienza a ser cristiano por una decisión ética o una gran idea, sino por el encuentro con un acontecimiento, con una Persona, que da un nuevo horizonte a la vida y, con ello, una orientación decisiva [...] Y puesto que es Dios quien nos ha amado primero[13], ahora el amor ya no es solo un «mandamiento», sino la respuesta al don del amor, con el cual Dios viene a nuestro encuentro... El cristiano es una persona conquistada por el amor de Cristo y movido por este amor... pero esta iniciativa, lejos de limitar nuestra libertad y nuestra responsabilidad, más bien hace que sean auténticas y las orienta hacia las obras de caridad[14].

Cuando le conté a mi párroco cómo el Espíritu estaba obrando en mi vida y mi vocación al sacerdocio, lo descartó todo diciendo que era emocionalismo y que no duraría. Hoy día tengo más de treinta y cuatro años de ordenado y todavía encuentro que la mayoría de las personas no conocen al Espíritu Santo y no esperan que cambie sus vidas. Comprendo su escepticismo porque yo también veo el peligro de la emotividad y de la fascinación con experiencias religiosas, pero no puedo desacreditar la verdadera obra de Dios a causa de los abusos. La pregunta para mí fue: «¿Es esto obra del Espíritu Santo?, y si lo es, ¿cómo le respondo?»

---

[13] Cf. *1 Jn* 4, 10.
[14] Mensaje de cuaresma, 1 de feb de 2013, w2.vatican.va.

EL ESPÍRITU HABLA POR MEDIO DE LOS PAPAS

Los Papas, especialmente desde el Concilio Vaticano Segundo, han insistido en que, para vivir una auténtica vida cristiana, necesitamos tener una relación íntima con Cristo y vivir bajo el poder y la dirección del Espíritu Santo. Dios, en su infinita misericordia, está irrumpiendo en nuestro mundo secularizado y se está manifestando poderosamente. Primero, porque nos ama y quiere que entremos en una relación íntima con **Él y, en segundo lugar, porque solo con Su poder podemos atraer a otros hacia Él.**

¡Los Papas nos exhortan urgentemente a responder! El Papa S. Juan XXIII, en el documento de convocatoria del Concilio Vaticano Segundo, expresó su intención y sus esperanzas de esta manera:

> Repítase así ahora en la familia cristiana el espectáculo de los Apóstoles reunidos en Jerusalén después de la ascensión de Jesús al cielo, cuando la Iglesia naciente se encontró unida toda en comunión de pensamiento y oración con Pedro y en derredor de Pedro, Pastor de los corderos y de las ovejas. Y dígnese el Espíritu divino escuchar de la manera más consoladora la oración que todos los días sube a Él desde todos los rincones de la tierra: **«Renueva en nuestro tiempo los prodigios como de un nuevo Pentecostés, y concede que la Iglesia santa, reunida en unánime y más intensa oración en torno a María, Madre de Jesús, y guiada por Pedro, propague el reino del Salvador divino, que es reino de verdad, de justicia, de amor y de paz. Así sea»**[15]**.**

El Concilio Vaticano Segundo renovó nuestro entendimiento de la absoluta necesidad del Espíritu Santo en la vida de la Iglesia y en cada fiel[16]. Los Papas posconciliares insistieron en esto. El Papa S.

---

[15] Constitución Apostólica *Humanae salutis*, 25 de dic. de 1961, w2.vatican.va.

[16] *Lumen Gentium*, 12.

Pablo VI, ante la creciente disidencia y confusión en la Iglesia, nos recordó que lo que más necesitamos es recibir de nuevo el fuego del Espíritu Santo:

> **¿Qué necesidad, primera** y última, advertimos para esta nuestra Iglesia bendita y querida? ¿Qué necesita realmente? Lo debemos decir, temblorosos y en oración, porque es su misterio, es su vida: es el Espíritu, el Espíritu Santo, animador y santificador de la Iglesia, su aliento divino, el viento de sus velas, su principio unificador, su fuente interior de luz y de energía, su apoyo y su consolador, su manantial de carismas y de cantos, su paz y gozo, su prenda y preludio de vida bienaventurada y eterna.
>
> **La Iglesia tiene necesidad de un perenne Pentecostés**: necesita fuego en el corazón, palabra en los labios, profecía en la mirada... necesita volver a sentir... la voz orante del Espíritu que, como enseña san Pablo, ocupa nuestro lugar y ora en nosotros y por nosotros «con gemidos inenarrables», e interpreta las palabras que nosotros solos no sabríamos dirigir a Dios (cf. *Rm* 8, 26-27) [...] ¿No escucháis? La Iglesia tiene necesidad del Espíritu Santo. Del Espíritu Santo en nosotros, en cada uno de nosotros, en todos nosotros juntos, en nosotros-Iglesia[17].
>
> Quisiéramos nosotros hoy, no solo poseer inmediatamente el Espíritu Santo, sino también experimentar los efectos sensibles y prodigiosos de esta maravillosa presencia del Espíritu Santo dentro de nosotros[18].

El Papa S. Juan Pablo II habló con frecuencia sobre la poderosa renovación que estaba ocurriendo en la Iglesia y su efecto transformador en los fieles:

---

[17] Audiencia general, 29 de nov. de 1972, w2.vatican.va.
[18] Homilía de la solemnidad de Pentecostés, 18 de mayo de 1975.

El Consolador ha donado recientemente, con el Concilio Vaticano II [...] un renovado Pentecostés, suscitando un dinamismo nuevo e imprevisto. Siempre, cuando interviene, el Espíritu produce estupor. Suscita eventos cuya novedad asombra; **cambia radicalmente a las personas y la historia** [...] El mismo Espíritu Santo no solo santifica y dirige al pueblo de Dios mediante los sacramentos y los ministerios y lo llena de virtudes [...] También reparte gracias especiales entre los fieles de cualquier estado o condición.

Los aspectos institucional y carismático son casi coesenciales en la constitución de la Iglesia y concurren, aunque de modo diverso, a su vida, a su renovación y a la santificación del pueblo de Dios[19].

Papa Benedicto XVI

«El amor de Dios ha sido derramado en nuestros corazones por medio del Espíritu Santo que se nos ha dado» (*Rm* 5, 5). Pero no basta conocerlo; es necesario acogerlo como guía de nuestras almas, como el «Maestro interior» que nos introduce en el Misterio Trinitario, porque solo Él puede abrirnos a la fe y permitirnos vivirla cada día en plenitud[20].

Papa Francisco

Hace falta una decidida confianza en el Espíritu Santo, porque Él «viene en ayuda de nuestra debilidad» (*Rm* 8, 26). Pero esa confianza generosa tiene que alimentarse y para eso necesitamos invocarlo constantemente... Es verdad que esta confianza en lo invisible puede producirnos cierto vértigo: es como sumergirse en un mar donde no sabemos qué vamos a encontrar. Yo mismo lo experimenté tantas

---

[19] *Vigilia de Pentecostés*, 30 de mayo de 1998. El Papa basó su enseñanza en *Lumen gentium* 12, (Concilio Vaticano II), w2.vatican.va.

[20] *Mensaje a los jóvenes*, XXXIII Día mundial de la juventud, 2008, w2.vatican.va.

veces. Pero no hay mayor libertad que la de dejarse llevar por el Espíritu, renunciar a calcularlo y controlarlo todo, y permitir que Él nos ilumine, nos guíe, nos oriente, nos impulse hacia donde Él quiera. Él sabe bien lo que hace falta en cada época y en cada momento[21].

UNA MENTE RENOVADA EN EL ESPÍRITU SANTO
LA SABIDURÍA DIVINA ILUMINA LA LÓGICA HUMANA

Siendo hijos amados, Dios nos dotó con una mente capaz de responder a su amor y sabiduría. De esta manera, nuestras mentes tendrían autoridad sobre nuestra voluntad, facultades y cuerpo. Pero, al pecar, rechazamos la autoridad de Dios y nuestras mentes caen bajo la autoridad de nuestras voluntades egoístas y los deseos de la carne. San Pablo escribe sobre el hombre pecador: «Se extraviaron en vanos razonamientos y su mente insensata quedó en la oscuridad. Haciendo alarde de sabios se convirtieron en necios»[22].

Sin la luz de Dios, no sabemos por qué existimos y vivimos en la superficie. Nos domina el deseo de lucir bien, de ser aceptados y tener éxito en el mundo. Detrás de este deseo está el miedo de perder el control y fracasar.

Todos necesitamos ser redimidos por Cristo para que el Espíritu Santo restaure nuestras mentes al amor, a la sabiduría y a la autoridad de Dios. Esto implica una profunda transformación. Nuestra parte es sometemos al Señor, morir al hombre viejo y comenzar a pensar con la mente de Cristo. Somos tentados a resistir esta gracia de Dios. Debemos entrar en batalla para restaurar nuestra mente, rechazando las mentiras de Satanás, las fantasías y engaños del mundo que contradicen la verdad que el Señor nos ha enseñado. Al hacer esto, nuestras mentes se pondrán bajo la autoridad de Dios y Él nos dará autoridad sobre nuestras propias vidas, pensamientos y sentimientos.

---

[21] *Evangelii gaudium* N° 280, w2.vatican.va.
[22] *Rm* 1, 21-22.

Testimonio
Cristo renovó mi mente

Deseo continuar mi testimonio con la esperanza de ayudarte a reconocer los mismos patrones en tu vida y tu necesidad de darle a Dios autoridad sobre ella.

Después de mi encuentro con el Espíritu Santo, comencé a ver que yo seguía «en control» de muchas maneras. Trataba de encontrar felicidad en muchas cosas, me enorgullecía de ser estudiante de ingeniería porque pensaba que eso me daba importancia y me permitiría alcanzar mis sueños. Hacía tratos con Dios tratando de obtener lo que yo quería. Por ejemplo, pensaba que mi felicidad consistiría en tener una bella esposa y vivir «bien». Así que, cuando sentí que Dios me llamaba al sacerdocio, le prometí que, si me hacía ingeniero y me casaba, donaría mucho dinero para los seminaristas de la India. Entonces, en lugar de un solo sacerdote, ¡Dios tendría muchos! Mi lógica no era la voluntad de Dios, pero no podía reconocerlo porque las cosas que yo quería eran en sí mismas buenas. Sin embargo, mis motivos eran egoístas. El orgullo, la lujuria y otros pecados capitales afectaban mi discernimiento.

Sin el Espíritu Santo, mi lógica estaba al servicio de mi egoísmo. Podía realizar tareas y resolver problemas, pero no era capaz de conocer las realidades fundamentales: quién es Dios, quiénes somos en relación con Dios y el prójimo, cuál es el propósito de mi vida, qué es el matrimonio… En lo que respecta a mi relación con Dios Padre, yo era como el hermano mayor de la parábola del hijo pródigo: cumplidor, respetuoso, obediente, «bueno», pero incapaz de comprender el Corazón del Padre. Mi lógica necesitaba ser iluminada y sometida a la **sabiduría de Dios.**

Cuando me acerqué más a Dios, la batalla del enemigo por controlar mi mente se intensificó. Él sabe que nuestra salvación depende de nuestra respuesta a Dios, de modo que él estaba desesperado tratando de mantenerme bajo su influencia, sobre todo plantando dudas y miedo acerca de la obra de Dios en mí. Pude entender por qué muchos no perseveran.

Quería abrir mi corazón al Espíritu Santo, pero tenía miedo de renunciar a mis apegos y a mi control. **Mi voluntad era débil porque dependía de mi fuerza humana en vez de confiar en el poder de Dios.** Esto significa que evaluaba mis capacidades según mi fuerza humana. De esta manera, me parecía imposible ser sacerdote porque yo era demasiado tímido para hablar en público, además, la idea del celibato para toda la vida parecía demasiado difícil de soportar.

Confiando solamente en mi lógica y mi fuerza, me atormentaba con muchas ansiedades y temía muchas cosas que no podía controlar: el miedo de no ser atractivo, de no tener éxito, de ser rechazado si realmente me conocieran. El Espíritu Santo trajo a la luz esos miedos y me mostró el amor de Dios. Todavía tenía que trabajar duro, pero podía confiar en que el Señor estaba conmigo. **Yo había sido como el ciego del Evangelio, pero cuando el Espíritu me abrió la mente, pude ver al mundo de una manera nueva y actuar consecuentemente.**

Podríamos creer que amamos al Señor y continuar con la mente cerrada al Espíritu Santo. Por eso san Pablo escribió estas palabras a quienes ya eran cristianos: «Es preciso renunciar a la vida que llevaban, despojándose del hombre viejo, que se va corrompiendo dejándose arrastrar por los deseos engañosos, para renovarse en lo más íntimo de su espíritu y revestirse del hombre nuevo, creado a imagen de Dios»[23].

Una señal de que el Espíritu Santo está liberando nuestras mentes es que reconocemos en nosotros los «deseos engañosos» que describe san Pablo y nos disponemos a entrar en el camino de la Cruz para renovarnos. El Señor no murió en la Cruz para que nos contentásemos en ser meramente buenas personas. Él dio su vida para que pudiéramos ser transformados y llegar a ser *Uno* con Él.

El Espíritu Santo conduce a los santos a atreverse a ir más allá de la lógica humana. En la parábola de los talentos, el Señor nos enseña a ser **audaces**, en lugar de enterrar nuestros talentos, optando por una vida segura, Él quiere que tengamos fe para

---

[23] *Ef* 4, 22-24.

arriesgarlo todo. Esto es lo que hizo la Virgen cuando visitó a Isabel en lugar de quedarse en casa para proteger su propio embarazo y su reputación, y lo que hizo san José cuando abrazó su papel como esposo de María. Te animo a examinar la vida de tus santos favoritos para descubrir en ellos la misma confianza audaz en el Espíritu Santo.

Hombre viejo	Hombre nuevo en Cristo
Mente limitada a la lógica humana.	Lógica iluminada por la sabiduría divina.
Mente absorta en sí misma: deseos, problemas.	Mente abierta a la sabiduría divina, atenta a Dios.
Confía en su fuerza humana.	Confía en el poder de Dios.
No espera que Dios actúe.	Confía en la acción de Dios.
La palabra de Dios se reduce a normas e ideas que se ajustan a nuestra lógica.	La palabra de Dios revela el misterio de Dios; Nueva vida divina, piensa unido a Cristo.
Falsa percepción de la realidad y de sus relaciones basada en el ego. Ej.: Matrimonio = fantasía.	Auténtica visión de la realidad y relaciones, basado en la sabiduría divina.
Pensamientos y sentimientos controlados por el ego.	El pensar y el sentir responden al amor de Dios.
Propósito de vida: placer, ser #1.	Propósito de vida: amar sin importar el costo.

Si vivimos en el Espíritu, estamos atentos a Dios y sometemos a Él todo lo que hacemos. Le pedimos, «Señor, ¿qué quieres de mí en esta situación? ¿Estoy confiando en tu poder para llevar esto a cabo, o en mi propia fuerza?» De la misma manera, sometemos a Él nuestros pensamientos. Le preguntamos: «¿Este pensamiento viene de tu sabiduría o de mi lógica humana?»

Mi despertar espiritual fue solo el comienzo

Mi despertar espiritual en el grupo de oración fue solo el comienzo de mi camino de unión con Dios. Me di cuenta de que el Señor tenía aún mucho que hacer en mí y que lo que había experimentado era más como el monte Tabor que Pentecostés. Los Apóstoles no debían quedarse en la montaña, a pesar de que eso era lo que querían. El Señor les reveló su gloria para darles valor para ir con Él a la Cruz. Yo también debía ir con Jesús a la Cruz. No hay Pentecostés sin la Cruz.

Cuando tenía veinticinco años de ordenado, el Señor me mostró por medio de una hermana que la batalla por la salvación de su pueblo requiere cristianos que no solo sean buenos, sino transformados en Cristo, con el deseo de hacer juntos el camino de la Cruz. Esto nos llevó a fundar la Comunidad Amor Crucificado. Este fue otro momento decisivo en mi vida que se resume en el siguiente mensaje que le dio la Santísima Virgen a una Madre de la Cruz:

2. Proclamad la Cruz en todas partes y a todo el mundo para propiciar un nuevo Pentecostés —Diario de una MDC

Estáis llamados a proclamar la Cruz a todos, dondequiera que vayáis. Mi pueblo quiere ser santo sin la Cruz; hasta Mis sacerdotes desean más la comodidad y una vida fácil más que el sacrificio y el sufrimiento. Esto es para su perjuicio. Nadie puede ser santificado por el Espíritu Santo sin la Cruz.

Antes de que pueda haber un nuevo Pentecostés, Mi pueblo ha de regresar a la Cruz para recibir al Espíritu Santo y ser santificado. Esta es vuestra misión.

Jesús entonces añadió: *Diles (a Mis sacerdotes) que contemplen Mi amor crucificado y permitan que Mi Madre les lleve al pie de la Cruz con aquellos que me aman (pensé en san Juan, María Magdalena...) Mis sacerdotes han de ser Mi muralla fortificada de bronce para sostener a Mi Iglesia. Serán llamados a llevar a Mis ovejas al pie de la Cruz y recibir el poder del Espíritu Santo. Estas almas llenas de Mi Espíritu Santo y transformadas por Mi amor crucificado clamarán: «¡Abba, Padre, sálvanos!» y, por medio de este clamor de todos, unidos a Mi Madre Dolorosa, la Iglesia recibirá su nuevo Pentecostés* (7/7/08).

La Cruz, abrazada con amor y confianza, nos lleva a la felicidad que el mundo no conoce. Es el camino de los santos. Santa Verónica Giuliani escribió: «Me encontré entre los brazos del Crucificado. Lo que sentí entonces no puedo describirlo: me hubiese gustado permanecer siempre en su santísimo costado»[24].

Muchos quieren los dones del Espíritu Santo, pero pocos aman lo suficiente para ir a la Cruz. San Juan de la Cruz escribe:

> Hay mucho que ahondar en Cristo [...]. En Cristo moran todos los tesoros y sabiduría escondidos, en los cuales el alma no puede entrar ni puede llegar a ellos si no pasa primero por la estrechura del padecer interior y exterior a la divina sabiduría...; la puerta es la Cruz, que es angosta. Y desear entrar por ella es de pocos; mas desear los deleites a que se viene por ella es de muchos[25].

El Camino Sencillo de Unión con Dios en que estás entrando es para ayudarte si estás decidido a perseverar en el camino de la Cruz y formar parte de la nueva estirpe de la Santísima Virgen en estos tiempos decisivos.

---

[24] www.catolico.org.

[25] *Cántico Espiritual*, citado en el Oficio de lectura de la fiesta de San Juan de la Cruz, (14 de dic.).

1–B: María es la puerta

3. Entrégate del todo a María para entrar por el camino estrecho —Diario de una MDC

> *María es la entrada segura a Mi camino. Satanás ha creado muchos caminos para engañar a Mis pequeños, pero ninguno de ellos tiene a María en la entrada. Cuando te consagras a la Madre de Dios, le das tu todo. La perfecta consagración a Mi Madre es darle tu vida, tu todo, tu voluntad. Entonces ella puede llevarte de la mano al pie de Mi Cruz, donde Mi camino comienza.*
>
> *Muchos se consagran a María como una oración piadosa, pero no tienen el propósito de entrar en Mi camino. Satanás rápidamente engaña a estas almas por caminos con muchos atractivos que impiden a Mi Madre poder ayudarles. Esto causa muchos traspasos al corazón de María. Pero aquellos que se abandonan por completo a Mi Madre, entran por medio de ella al camino estrecho de la Cruz, que es Mi camino*[26] (12/12/11).

En el día de nuestro bautismo fuimos consagrados al convertirnos en hijos e hijas de Dios. Esa relación necesita avanzar por el camino de la Cruz para llegar a su plenitud en Cristo. Él dijo: «El que quiera venir detrás de Mí, que renuncie a sí mismo, que cargue con su Cruz y me siga» (*Mt* 16, 24).

[26] Cf. San Luis G. de Montfort.

No podemos andar por este camino solos. Dios nos dio una familia, la Iglesia, y la poderosa intercesión de nuestra Madre María Santísima. El propósito de la consagración a María es vivir con ella nuestra consagración bautismal, unir nuestro «sí» con el «Sí» de María, en total abandono a Dios.

Nosotros no escogimos a María. Dios la escogió. Él le confió a ella su amado Hijo. El Papa Benedicto XVI escribió:

> María es "feliz" porque se ha convertido —totalmente, con cuerpo y alma, y para siempre— en la morada del Señor. Si esto es verdad, María no sólo nos invita a la admiración, a la veneración; además, nos guía, nos señala el camino de la vida, nos muestra cómo podemos llegar a ser felices, a encontrar el camino de la felicidad[27].

La elección de María por el Padre la confirmó Jesús en la Cruz. Es de notar que Él esperó hasta el día de su sacrificio, en el que María cooperó plenamente, para decirle: «Mujer, aquí tienes a tu Hijo». Y después al discípulo: «Aquí tienes a tu madre». Con estas palabras, le encargó para hacer por nosotros lo que había hecho por Él: prepararnos, acompañarnos y ayudarnos a unir nuestras cruces a la de Jesús como sacrificio ofrecido al Padre por la salvación del mundo. Ella nos lleva a la docilidad de Jesús en la Cruz, una docilidad de total confianza y obediencia. Santa Teresa de Calcuta escribió: «El papel (de María) es ponerte cara a cara, como Juan y María Magdalena, con el amor del Corazón de Jesús crucificado»[28].

Nuestra parte es responder como san Juan: «Y desde aquella hora, el discípulo la recibió en su casa» (*Jn* 19, 26-27). Nosotros también debemos llevar a María a nuestra casa como madre y vivir íntimamente unidos a ella, pidiendo su guía y sometiéndole nuestra vida diaria en completa confianza.

La consagración no es solo un compromiso inicial; es una forma de vida que ratificamos diariamente. Corremos el riesgo de

[27] Homilía, Solemnidad de la Asunción, 15 de agosto de 2006, w2.vatican.va.
[28] Santa Teresa de Calcuta, «Cartas a misioneros de la caridad», 25 de marzo de 1993.

romantizar nuestra consagración envolviéndola en piedad superficial y ofreciendo a Dios muchas cosas que nos hacen sentir que somos santos. Hay que pedirle a María el valor de exponer y enfrentar nuestros pecados ocultos. Debemos caminar con María a la Cruz. San Alfonso Ligorio escribió: «Ella le ofreció, no especies aromáticas, ni terneros, ni oro, sino todo su ser, consagrándose como víctima perpetua en su honor»[29].

4. Mis mártires, consagrados al Espíritu Santo por María, propiciarán un nuevo Pentecostés y el reinado de María

—Diario de una MDC

Hija Mía, la misión de la Comunidad Amor Crucificado es traer almas, por medio de la consagración a María, a los pies de Jesús crucificado. Entrarán en la Cruz por la puerta que es María. Les enseñarás El Camino de Unión con Dios. Proclamarás la consagración al Espíritu Santo por medio de la Esposa del Espíritu Santo, María Dolorosa. Yo deseo que este tiempo sea el tiempo de Mis mártires más grandes. Es la sangre de Mis mártires, unida a la sangre de Jesucristo, la que propiciará el nuevo Pentecostés con el reinado de la Reina de Cielos y Tierra. Deseo innumerables mártires ocultos, como Mi esposa[30]*, la Reina de los Mártires. Aquí radica el PODER DE DIOS, el pleno poder del Espíritu Santo, que se derramará a través del PODER DE LA CRUZ* (15/9/10).

[29] San Alfono Ligorio, *Las Glorias de María,*www.marystouch.com/Glories/DiscIII.htm.

[30] La Iglesia es la esposa de Cristo. María y los mártires son miembros de ejemplares de la Iglesia.

María nos enseña con su ejemplo la razón más importante para ir a la Cruz: el amor. Queremos ir a la Cruz porque Nuestro Señor sufre allí por nosotros. El amor pide amor. Él nos amó primero y queremos responder. El amor de María es la puerta para el amor de la Santísima Trinidad.

5. Abre tu corazón a María y conocerás a la Trinidad

—Diario de una MDC

Cuando comencé a rezarle a mi Señor esta mañana ante el Santísimo Sacramento, Él y yo éramos Uno en la Cruz. Le pregunté: «Mi Señor, ¿cuál es Tu deseo esta mañana?» Podía sentir Su gracia fluyendo en mi corazón. Él me dijo:

Deseo llenarte con todos los tesoros del cielo.

Entonces vi un cofre lleno de ostras con perlas preciosas. Tomé una ostra, la abrí y vi una preciosa perla gris azulada.

Jesús me dijo:

Recibe la perla (María) en tu corazón. María es tu Reina Madre. Ella es pureza y santidad perfectas. Ella es UNO en la vida de la Trinidad, por encima de todos los ángeles y santos. Ella es el ser humano perfecto, perfeccionada a imagen y semejanza de Dios. Ella posee plenamente al Espíritu Santo y por lo tanto posee en perfecta UNIDAD al Padre y al Hijo. Ella es la vasija pura de Mi Preciosa Sangre, por eso, todas las gracias fluyen de ella como vasija del manantial en la Santísima Trinidad. Ella es tu Madre y abogada ante Mí y ante nuestro Padre. Todo hijo e hija que le abre a ella su corazón para recibir su leche espiritual, conocerá al Padre, al Hijo y al Espíritu Santo que viven en ella. Ven cada día de Adviento a los pies de tu Madre a recibir de ella la leche pura y conocerás y amarás Mi Espíritu (28/11/11).

Debemos preguntarnos: ¿Estoy dispuesto a permitirle a María llevarme a Jesús Crucificado?

6. El Espíritu Santo derramado en la Cruz

—Diario de una MDC

El Espíritu Santo formó Mi Corazón humano en toda su perfección. Él, el Espíritu Santo, vive en Mí como yo vivo en el Padre y el Padre en Mí. El Espíritu Santo se derrama con todo Su poder del fuego de Mi Sagrado Corazón cuando las almas se acercan a Mí con humildad al pie de Mi Cruz. El Espíritu Santo fluye del fuego de Mi amor crucificado. Solo el amor puede combatir contra la oscuridad de Satanás y vencer. Es amor purificado lo que necesito para la batalla decisiva que enfrentamos. Por lo tanto, pequeña Mía, tráeme almas víctimas. ***El Espíritu Santo se recibe como semilla en el bautismo, pero se inflama plenamente en Mi Cruz.*** *Cuando te unes a Mi Madre al pie de la Cruz, el Espíritu Santo comienza a poseer tu mente, corazón y alma* (11/07/11).

■ Para continuar este Camino, prepárate para consagrarte a Jesús por María. Sugerimos para ello el libro: *33 Días hacia un glorioso amanecer*, del Padre Michael Gaitley[31]. Esta consagración

[31] Para descargar este libro: http://www.ladivinamisericordia.org/33dias/versiondigital/files/assets/basic-html/page1.html.

es una síntesis de los métodos de consagración de los santos Luis María Grignon de Montfort, Maximiliano Kolbe, Juan Pablo II, y de santa Teresa de Calcuta.

1–C: ¿Por qué ir a la Cruz?

Dios no creó la Cruz. Fue el hombre quién la inventó para subyugar a otros por medio de la tortura y el miedo. La Cruz representa todos los sufrimientos de la humanidad causados por la opresión de Satanás y por nuestros pecados.

Satanás atacó a Jesús con toda su furia, amenazándolo con sufrimientos y muerte para que abandonara su misión, pero el amor de Jesús por el Padre y por nosotros es más fuerte que el miedo. Jesús derrotó a Satanás abrazando libremente los sufrimientos de la Cruz hasta el final.

Imponerles cruces a otros es un crimen, pero perseverar en el amor cuando otros nos enfrentan con la Cruz, muestra el poder del amor de Cristo. El Papa Benedicto XVI dice: «El Dios, que se ha hecho cordero, nos dice que el mundo se salva por el Crucificado y no por los que lo crucifican. El mundo es redimido por la paciencia de Dios y es destruido por la impaciencia de los hombres»[32]. El Cordero conquistó la Cruz y la convirtió en el signo glorioso de su amor, el único poder que vence a Satanás y ofrece a todos la salvación.

Cristo derrotó a Satanás, pero, por un tiempo, la batalla continúa contra su Cuerpo que es la Iglesia. Solo podemos derrotarlo si somos *Uno* con el Cordero, procediendo como Él lo hizo[33]. Por lo tanto, la Cruz no es un tipo de espiritualidad entre otras; es el único

---

[32] Papa Benedicto XVI, homilía al inicio de su ministerio Petrino, 24 de abril de 2005, w2.vatican.va.

[33] *1 Jn* 2, 5-6, «Esta es la señal de que vivimos en él. El que dice que permanece en él, debe proceder como él».

camino para ser *Uno* con Cristo. El Papa Benedicto XVI enseñó que, «en efecto, el camino de la Cruz es el único que conduce a la victoria del amor sobre el odio, del compartir con los demás sobre el egoísmo, de la paz sobre la violencia»[34]. «El que omite la Cruz, omite la esencia del cristianismo»[35].

El Papa Francisco confirmó esto en la primera homilía de su pontificado:

> Cuando caminamos sin la Cruz, cuando edificamos sin la Cruz y cuando confesamos un Cristo sin Cruz, no somos discípulos del Señor: somos mundanos, somos obispos, sacerdotes, cardenales, Papas, pero no discípulos del Señor. Quisiera que todos… tengamos el valor, precisamente el valor, de caminar en presencia del Señor, con la Cruz del Señor; de edificar la Iglesia sobre la sangre del Señor, derramada en la Cruz; y de confesar la única gloria: Cristo crucificado. Y así la Iglesia avanzará[36].

---

[34] Angelus, 10 de feb. de 2008, w2.vatican.va.

[35] Cardenal Ratzinger, «La nueva evangelización», discurso a los catequistas y profesores de religión, jubileo de los catequistas, 12 de Dic. del 2000, cf. *1 Cor* 2, 2.

[36] Homilía a los cardenales, 14 de marzo de 2013, w2.vatican.va.

¿POR QUÉ HABLAR DE LA CRUZ SI JESÚS HA RESUCITADO?

Debemos proclamar la Cruz de Cristo porque es un solo misterio junto con su muerte y resurrección. San Pablo había tenido su encuentro con Cristo resucitado y, sin embargo, escribe: «No quise saber nada, fuera de Jesucristo, y Jesucristo crucificado»[37]. Exalta la Cruz porque en ella Cristo reveló el amor incondicional de Dios por nosotros. Exaltar la Cruz también es creer en el poder de vivir nuestras cruces con Jesús, con la certeza de la resurrección. Decimos con san Pablo: «Yo estoy crucificado con Cristo, y ya no vivo yo, sino que Cristo vive en mí»[38]. Con sus ojos fijos en Jesús crucificado, san Pablo vivió en su amor y obtuvo el poder para crucificar la rebelión de la carne y perseverar en las pruebas.

San Pablo nos dice: «(cuando) el mundo, con su sabiduría, no reconoció a Dios en las obras que manifiestan su sabiduría», Cristo vino a salvarnos «crucificado, escándalo para los judíos y locura para los paganos, pero fuerza y sabiduría de Dios»[39]. Vino a sufrir con nosotros en nuestras pruebas, **pero con nuestro orgullo, seguimos rechazando la Cruz y tratamos de salvarnos según nuestra sabiduría humana.**

La misericordia no es una idea o una cosa que Dios envía para ayudarnos a resolver nuestros problemas. Más bien, Dios envía a su Hijo. **Jesús ES Misericordia y su amor en la Cruz es la manifestación de su misericordia. Rechazar la Cruz es rechazar la misericordia.**

El amor de la Cruz es necedad para el mundo porque este no cree que la Cruz tenga el poder para vencer al mal. El Viernes Santo, hasta los discípulos veían a Jesús como un hombre derrotado, un total fracaso. Cuando vemos a personas buenas sufriendo y el mal avanzando con impunidad, nos preguntamos: «¿Dónde está el poder del amor?» Parece ser necedad. Sin embargo, cuando elegimos continuar amando en la adversidad, comenzamos a descubrir el poder del amor de Dios, «el mensaje de la Cruz... el

---

[37] *1 Co* 2, 2.
[38] *Ga* 2, 19-20.
[39] *1 Co* 1, 21-24.

poder de Dios»[40], como san Pablo escribe basado en su propia experiencia.

Si no abrazamos la Cruz con Jesús cuando el amor lo requiere, nunca conoceremos el amor verdadero, entonces los sufrimientos inevitables nos parecerán no tener sentido y nos causarán amargura.

El Papa Benedicto XVI comentó: «Ante el horror de Auschwitz no hay otra respuesta sino la Cruz de Cristo: el Amor que desciende hasta el fondo del abismo del mal, para salvar al hombre en la raíz, donde su libertad puede rebelarse contra Dios»[41].

Satanás conoce nuestro temor de sufrir y lo utiliza como amenaza para que no optemos por el amor cuando enfrentamos situaciones difíciles. Jesús también sintió la aversión humana al sufrimiento y pidió, «Padre mío, si es posible, que pase lejos de mí este cáliz»[42]. Sin embargo, no abandonó la voluntad del Padre, sino que añadió: «No se haga mi voluntad, sino la tuya».

Unidos a Jesús podemos vencer todo miedo y ser liberados. San Juan Pablo II nos enseñó que «Cristo crucificado revela el significado auténtico de la libertad, lo vive plenamente en el don total de sí y llama a los discípulos a tomar parte de su misma libertad»[43].

---

[40] *1 Co* 1, 18.
[41] Audiencia. 31 de mayo de 2006, w2.vatican.va.
[42] *Mt* 26, 39.
[43] *Veritatis splendor,* N° 85, w2.vatican.va.

LA CRUZ TRANSFORMA EL SUFRIMIENTO EN DECLARACIÓN DE AMOR

No podemos explicar por qué Dios permite el sufrimiento. Es cierto que podríamos decir que el sufrimiento es la consecuencia del abuso de la libertad; podríamos decir que Dios no nos quita la libertad porque sin ella no podríamos amar. Pero, cuando experimentamos la realidad del sufrimiento, ninguna explicación nos satisface. Debemos ir más allá de explicaciones y seguir a Jesús al Calvario para que nuestros corazones sean traspasados con el Suyo.

San Juan Pablo II

> Cristo no explica abstractamente las razones del sufrimiento, sino que ante todo dice: «Sígueme», «Ven», toma parte con tu sufrimiento en esta obra de salvación del mundo, que se realiza a través de mi sufrimiento». Por medio de mi Cruz. A medida *que el hombre toma su Cruz*, uniéndose espiritualmente a la Cruz de Cristo, se revela ante él el sentido salvífico del sufrimiento. El hombre no descubre este sentido a nivel humano, sino a nivel del sufrimiento de Cristo. Pero al mismo tiempo, de este nivel de Cristo aquel sentido salvífico del sufrimiento *desciende al nivel humano* y se hace, en cierto modo, su respuesta personal. Entonces el hombre encuentra en su sufrimiento la paz interior e incluso el gozo espiritual[44].

Cuando sufrimos pruebas, como la pérdida de un ser querido, enfermedades, crisis financieras o injusticias, los cristianos no sufrimos como los estoicos que se entrenaban para soportarlo todo sin sentir nada. Más bien sufrimos con Cristo, permitiéndole obrar en nosotros para llevar todo a un buen fin.

---

[44] *Salvifici doloris,* N° 26, 2 de nov. de 1984, w2.vatican.va.

Papa Benedicto XVI

Esta es la locura de la Cruz: la de saber convertir nuestro sufrimiento en grito de amor a Dios y de misericordia para con el prójimo; la de saber transformar también unos seres que se ven combatidos y heridos en su fe y su identidad, en vasos de arcilla dispuestos para ser colmados por la abundancia de los dones divinos, más preciosos que el oro[45].

La Cruz es, ante todo, una declaración del amor de Dios por nosotros, un amor que no se satisface hasta que respondamos y nuestros corazones se inflamen de amor por Él. Entonces el fuego de su amor se convierte en el poder que lo mueve todo en nosotros. Ya no solo soportamos las cruces de nuestra vida, sino que las abrazamos con gratitud como una oportunidad de amarlo y de irradiar su amor a todos.

Papa Benedicto XVI

Cuanto más imitamos a Jesús y permanecemos unidos a Él, tanto más entramos en el misterio de la santidad divina. Descubrimos que somos amados por Él de modo infinito, y esto nos impulsa a amar también nosotros a nuestros hermanos. Amar implica siempre un acto de renuncia a sí mismo, «perderse a sí mismos», y precisamente así nos hace felices[46].

San Juan Pablo II, *Salvici doloris*

A través de los siglos y generaciones se ha constatado que **en el sufrimiento se esconde una particular fuerza que acerca interiormente el hombre a Cristo, una gracia especial.** A ella deben su profunda conversión muchos santos, como por ejemplo san Francisco de Asís, san Ignacio de Loyola, etc. Fruto de esta conversión es no solo el hecho de que el hombre descubre el sentido salvífico del

---

[45] Discurso, 14 de sept. de 2012, w2.vatican.va, cf. *2 Co* 4, 7-18.

[46] Homilía, Solemnidad de Todos los Santos, 1 de nov. de 2006, w2.vatican.va.

sufrimiento, sino sobre todo que en el sufrimiento llega a ser un hombre completamente nuevo. Halla como una nueva dimensión de toda su vida y de su vocación. Este descubrimiento es una confirmación particular de la grandeza espiritual que en el hombre supera el cuerpo de modo un tanto incomprensible. Cuando este cuerpo está gravemente enfermo, totalmente inhábil y el hombre se siente como incapaz de vivir y de obrar, tanto más se ponen en evidencia la madurez interior y la grandeza espiritual, constituyendo una lección conmovedora para los hombres sanos y normales[47].

Nuestro sufrimiento por sí mismo es inútil, pero Dios, desde el principio, quiso que el sacrificio perfecto de Su Hijo se completara en su Cuerpo, la Iglesia, que somos cada uno de nosotros. Por este motivo el Señor nos dijo a la Comunidad de Amor Crucificado: «Súfrelo todo Conmigo, no siendo ya dos, sino *Uno,* en Mi sacrificio de amor».

La Cruz es la perla preciosa

La Cruz, cuando se acepta con amor, es la perla preciosa de Mateo cap. 13; dichosos los que, al encontrarla, corren a despojarse de todo lo que tienen para poseerla. Con frecuencia hemos permitido que Satanás interfiera con nuestra búsqueda de esta perla preciosa.

San Ignacio de Antioquía, Padre de la Iglesia, en el siglo segundo, preguntó:

> ¿Por qué no somos todos sabios cuando hemos recibido el conocimiento de Dios, que es Jesucristo? ¿Por qué perecemos en nuestra estupidez, sin conocer el don que el Señor en verdad nos ha enviado? Mi espíritu está entregado al servicio humilde de la Cruz, la cual es piedra de tropiezo

---

[47] 2 de nov. de 1984, w2.vatican.va.

> para los incrédulos, pero para nosotros es salvación y vida eterna[48].

El Apóstol Santiago nos recuerda que el amor a la Cruz —la perla preciosa— es sabiduría que debemos pedir con fe y buscar adquirirla a cualquier costo porque, sin ella, todo sufrimiento y la Cruz misma son necedad y piedra de tropiezo.

> Considerad, hermanos míos, un gran gozo cuando os veáis rodeados de toda clase de pruebas, sabiendo que la autenticidad de vuestra fe produce paciencia. Pero que la paciencia lleve consigo una obra perfecta, para que seáis perfectos e íntegros, sin ninguna deficiencia. Y si alguno de vosotros carece de sabiduría, pídasela a Dios, que da a todos generosamente y sin reproche alguno, y él se la concederá. Pero que pida con fe, sin titubear nada, pues el que titubea se parece a una ola del mar agitada y sacudida por el viento[49].

---

[48] San Ignacio de Antioquía, *Carta a los Efesios*, siglo II.
[49] *St* 1, 2–6.

Capítulo Dos

Al pie de la Cruz

2–A:
Ven a los pies de Jesús

El amor de Cristo ha llevado a los santos de todos los tiempos al pie de la Cruz. San Alfonso María de Ligorio escribió:

> ¡Eres el Rey, pero el Rey del amor! Entonces, con humildad y ternura, me acerco a besar tus sagrados pies, traspasados por amor a mí; sostengo en mis brazos esta Cruz, en la que Tú, hecho víctima de amor, has querido ofrecerte en sacrificio por mí[50].

María desea llevarnos con ella a la Cruz, a la más íntima y tierna unión con Jesús en el amor y en el sufrimiento.

---

[50] A.M. de Ligorio, *The Passion and Death of Jesus Christ,* (Benziger Brothers, 1887), p. 113.

7. En la Cruz comenzamos a ver —Diario de una MDC

María inmediatamente torna tu mirada hacia Mi amor crucificado, pero muchos no pueden verme porque sus ojos están cubiertos por la oscuridad del pecado. María, tu abogada y la Esposa del Espíritu Santo, inmediatamente llama a Mi Espíritu para que acuda en ayuda de tu alma. El Espíritu Santo te revela las vigas del orgullo, del amor propio, la vanidad, y los pecados de todo tipo. Es aquí, a Mis pies, por el don del arrepentimiento, que comienzas a ver. Gracia se edifica sobre gracia, pero también, cada gracia quita un velo que impide a los ojos de tu alma ver la gloria de Dios que está frente a ti y la oscuridad que te impide oír el susurro de Dios dentro de ti (12/12/11).

Nos arrodillamos junto a María al pie de la Cruz y, en lo profundo de nuestros corazones:

- Humildemente besamos y adoramos los pies de nuestro Señor, pidiéndole el don de conocimiento, el cual es doble: Conocimiento de DIOS y de NOSOTROS MISMOS.
- Buscamos tener verdadero dolor por nuestros pecados, el «oro precioso del arrepentimiento».

Jesús enseñó a la beata Concepción Cabrera de Armida (en adelante: Conchita)[51] lo que ocurre cuando vamos a sus pies:

Cuando, mortificada y pura, vengas a mis pies, humillada y profundamente recogida, entenderás muchas verdades del propio

[51] Mística mexicana, beata Concepción Cabrera de Armida, esposa y madre de 9 hijos, fundadora de las Obras de la Cruz. Sus escritos han tenido una gran influencia en nuestra comunidad. Ver: http://www.catolico.org/santos/conchita/%5Bconcepcion_cabrera.htm

conocimiento, iluminadas con la luz misma de Dios; tocarás el fondo de tus miserias, llorarás tus faltas, comprenderás Mi predilección hacia ti, y experimentarás la fortaleza y la paz del Espíritu Santo…

Almas amantes […] Cuando las veo acercarse para tomar aliento y vida, aquí a mis pies, Yo me derramo en gracias, sobreabundo en ternuras y quisiera estrecharlas más y más al que es su vida, por medio de las virtudes perfectas, del anonadamiento constante y del voluntario desposeimiento propio[52].

Las palabras de Jesús a la beata Conchita nos recuerdan a **la mujer del Evangelio que lavó sus pies con sus lágrimas** y los secó con su pelo. Ella continuó besando sus pies y los ungió con un costoso perfume[53]. Nosotros tenemos miedo de hacernos vulnerables y de amar así. ¡Cuánto más si tuviéramos la reputación de pecadores! Ella tenía que saber que iba a ser juzgada y posiblemente maltratada, pero su amor fue mayor que su temor.

Un día me di cuenta de que, si yo hubiese estado en aquel banquete, la hubiera juzgado como lo hizo Simón el fariseo. Sin embargo, Jesús exalta la expresión íntima de amor de esta mujer y la pone como ejemplo que ha de ser proclamado siempre que se anuncie el evangelio. Esto me llevó a comprender que debía de arrepentirme y permitir al Señor que me enseñe a amar como ella lo hizo. Jesús quiere que tengamos la humildad y vulnerabilidad de esta mujer para poder derrochar nuestro amor abierta y apasionadamente sobre Él y nuestros hermanos sin temor. Este es el amor puro por el que Jesús está sediento.

---

[52] Concepción Cabrera de Armida, *Horas Santas* (México: Editorial La Cruz, 2011), pp 249-250.

[53] Cf. *Lc* 7, 36-50.

En la Última Cena Jesús lavó los pies de sus discípulos. Su gesto fue más que una exhortación para que fuesen siervos humildes. Jesús les estaba enseñando a amar a una profundidad de intimidad como nunca habían conocido. Como la mujer en el banquete, Él les manifestó un amor vulnerable e íntimo, aun sabiendo que en unas horas lo traicionarían.

Tocar los pies de otro es una experiencia muy personal, no nos sentimos cómodos tocándolos ni dejándonos tocar los nuestros. La mayoría de nosotros, especialmente los hombres, podemos entender la reacción de Pedro cuando no permitió que Jesús le lavase los pies.

Nuestros pies representan nuestros corazones. Así como cubrimos nuestros pies porque puede que sean feos o estén sucios, también tratamos de cubrir nuestros corazones, y no los exponemos, incluso ante Jesús. Pero Él insiste en que nos dejemos tocar porque quiere sacarnos de nuestro aislamiento y acercarnos a Él.

El Papa Benedicto XVI explica cómo el Señor, lavando los pies de los apóstoles, se revela como el amor del Padre:

> «Habiendo amado a los suyos que estaban en el mundo, los amó hasta el extremo» (*Jn* 13, 1). Dios ama a su criatura, el hombre; lo ama también en su caída y no lo abandona a sí mismo. Él ama hasta el fin [...]. Se arrodilla ante nosotros y desempeña el servicio del esclavo; lava nuestros pies sucios, para que podamos ser admitidos a la mesa de Dios, para hacernos dignos de sentarnos a su mesa...
>
> Así se revela todo el misterio de Jesucristo [...]. El baño con que nos lava es su amor dispuesto a afrontar la muerte. Solo el amor tiene la fuerza purificadora que nos limpia de nuestra impureza y nos eleva a la altura de Dios. El baño que nos purifica es Él mismo, que se entrega totalmente a nosotros desde lo más profundo de su sufrimiento y de su

muerte [...]. **El amor del Señor no tiene límites, pero el hombre puede ponerle un límite**[54].

En la Cruz los pies de Jesús están clavados y ¿quién está allí para besarlos? Es difícil para nosotros acercarnos a Jesús, arrodillarnos ante Él, besar sus pies. Sabemos que nos ama y sentimos que lo amamos también, pero nuestros corazones permanecen distantes. Se nos hace más fácil hacer cosas por Él, estar ocupados resolviendo problemas, que mostrarle nuestro amor besándolo. Los hombres, incluso los sacerdotes, se sienten más cómodos relacionándose a nivel práctico o intelectual, pero para que amen como Dios quiso que amaran cuando los creó —a su imagen y semejanza— deben hacerse VULNERABLES a los pies de Jesús crucificado y exponer lo más profundo de sus corazones. Jesús desea que nosotros le amemos como Él nos ha amado. Por este motivo, besar sus pies es necesario para la sanación tanto del corazón masculino como del femenino.

8. Besa Mis pies heridos —Diario de una MDC

Hija Mia, Mi madre es quien primero se acercó a Mí y me besó Mis pies traspasados. Este acto de humildad y amor fue para enseñarle a la humanidad cómo acercarse a Mí a los pies de la Cruz. La sangre de Mis sagrados pies tiene el poder para ungir tus labios con el poder de Mi Palabra. Son pocos, hija Mía, los que se acercan a Mi al pie de la Cruz para besar Mis pies heridos. Bienaventurados los que siguen a Mi madre en la humildad (11/6/10).

[54] Homilía del Jueves Santo, 13 de abril de 2006 de w2.vatican.va.

Al pie de la Cruz, al besar los pies de Jesús, debemos pedir por el don de conocimiento, para conocer a Dios y conocernos nosotros mismos y así podernos arrepentir. Es entonces que las vigas de orgullo y amor propio caen de nuestros ojos.

Testimonio
Una madre adquiere autoconocimiento haciéndose vulnerable en la Cruz

Ya que la adoración del Santísimo requiere completa vulnerabilidad, yo pensaba que estaba completamente abierta, pero mi comunidad me decía que no lo estaba.

Una herida profunda que recibí hace años, ocurrió con una terrible violación. Escribo acerca de esto en mi libro, *Guerrero por la justicia: La historia de George Eames,* así que no me importa hablar de ello. No puedo ni empezar a imaginarme cómo muchas mujeres, como yo, han luchado toda su vida para saber cómo hacer frente a este tipo de heridas. Muchas nunca las enfrentan ni se dan cuenta de que esas heridas se deben someter a la luz de Cristo en nuestro camino espiritual. Por lo tanto, si puedo ayudar a alguien a entender esto un poco mejor, estoy dispuesta a hacerlo.

Aunque, sinceramente, no podía ver cómo esta herida, causada por la violación, fuera a ser un problema en mi vida después de todos estos años, me prometí a mí misma investigar esto hasta el fondo. Escribí en mi diario varias páginas, tratando de recordarlo todo. Entonces, durante la adoración al Santísimo, el Señor me dio esta frase: ESTOY DESPOJADO DE MIS VESTIDURAS.

Mi herida más profunda: me despojaron de mis vestiduras. Esto me sucedió durante la violación; me quitaron cada pieza de vestimenta. Esto duró horas. Veo inmediatamente a Jesús siendo despojado de sus vestiduras en la crucifixión.

De repente entiendo, esta es la herida que me da entrada en las heridas de Jesús cuando Él es despojado del poder, despojado del control, expuesto, y completamente vulnerable. Mi respuesta durante años fue cubrirme con mentiras, me dije a mí misma: «debo estar "en control", no puedo ser vulnerable, tengo que ser autosuficiente, pues no quiero que nadie me vea así. No puedo soportar que me toquen de una manera íntima».

Yo misma me cubrí, y ahora Jesús quiere despojarme de todo para que entre en su vulnerabilidad. No puedo ser crucificada con Jesús hasta que no me despoje de mis vestiduras.

Entiendo la vulnerabilidad de Jesús por primera vez; literalmente siento de nuevo mi dolor, y en ese dolor siento profundamente el suyo. Esta herida de Cristo se nos oculta porque no parece ser una herida real, pero fue una profunda herida a su alma, a su espíritu como hombre y a su mente. Tal como lo fue para mí.

Este es nuestro mayor temor y molestia: descubrir ante cualquiera nuestro ser interior para exhibir lo que es sagrado, lo que es inviolable. No hay mayor vulnerabilidad que exhibir nuestra intimidad. Sin embargo, esto es lo que Dios le pide a toda mujer, a todo hombre. Aquí es donde comienza nuestra crucifixión. Es en nuestra vulnerabilidad que nos hacemos verdaderamente accesibles a Dios y a los demás.

El eunuco etíope que aparece en los Hechos de los Apóstoles estaba leyendo Isaías 53,7-8 y no podía entender. Entonces pidió a Felipe que le explicase:

Como oveja fue llevado al matadero;
y como cordero que no se queja ante el que lo esquila,
así él no abrió la boca.
En su humillación, le fue negada la justicia.

El cordero —esquilado, despojado, desnudo, sacrificado— el Cordero de Dios. Jesús en la Cruz es modelo de vulnerabilidad: despojado, expuesto, violado, impotente.

Recuerdo a George, mi marido, en sus últimos meses y días. Él era la imagen misma de alguien completamente expuesto, vulnerable, impotente. Cuan poderosamente vi en él a Jesús Crucificado y sufriente. Abracé su cuerpo, su vulnerabilidad. Ese tipo de intimidad solo se consigue cuando nos hacemos vulnerables a otros.

Ahora veo cómo, por medio de todas mis heridas, entro en las heridas de Jesús, despojado, expuesto, rechazado, abandonado, solo. Ahora soy *Uno* con Jesús Crucificado. El único acceso a la Resurrección es a través de la Pasión.

9. Al besar Mis pies, ¿hasta dónde estás dispuesta a caminar Conmigo? —Diario de una MDC

Hija Mía, Mi Cruz sin Mí no es más que agonía; Mi Cruz Conmigo es nueva vida. Vine, pequeña Mía, para traerte nueva vida. Tu vida, sin la gracia salvadora de Mi Preciosa Sangre, es muerte y oscuridad. Vine a restaurarte a tu estado original de gracia como hija del Padre, una hija que es pura y santa como Dios es puro y santo, una hija creada para el Amor y para ser amor, para reflejar e irradiar la belleza del mismo Dios.

La Cruz es tu única riqueza y felicidad en la tierra porque es tu camino a una nueva vida. Es el lugar de encuentro entre la criatura y la Trinidad. Sí, hija Mía, es el lugar de encuentro con el Padre, el Hijo y el Espíritu Santo. Entras a la Cruz por la puerta que es Mi Madre. Ella te acompaña hasta el pie de la Cruz para besar Mis pies traspasados y heridos. Este primer encuentro es el despertar de tu alma. Es a través de este acto de amor humilde, a imitación de Mi madre, que recibes el don del conocimiento y, por lo tanto, recibes el oro precioso del arrepentimiento.

Mis pies representan Mi deseo de llevar Mi Evangelio hasta los confines de la tierra. En la

tierra caminaban continuamente, avanzando por amor a la misión de Mi Padre, que era Mi misión, porque somos Uno *con el Espíritu Santo.*

Al besar mis pies pregúntate: ¿Hasta dónde estás dispuesta a llegar para proclamar Mi misión que he puesto en tu corazón? ¿Alcanzarán tus pies la cima del Gólgota? ¿Vas a seguir amando y siendo fiel a Mi misión cuando seas perseguida e incomprendida, muchas veces por las personas más cercanas a ti?

¿Hasta dónde estás dispuesta a caminar por Mí? ¿Estás dispuesta a permanecer a Mis pies y lavarlos con el perfume de tus lágrimas y sacrificios como lo hizo María Magdalena? (24/2/11).

2–B: Conocimiento de Dios y de mí mismo

El pecado nos impide ver nuestra realidad de pecadores. Jesús le dijo a santa Faustina que no es sorprendente «que el alma ni siquiera se conozca a sí misma»[55]. Por eso minimizamos nuestro pecado y no vemos el daño que causa. San Juan nos dice que «si decimos que no tenemos pecado, nos engañamos a nosotros mismos y la verdad no está en nosotros» (1 *Jn* 1,8). Necesitamos liberarnos de este estado de autoengaño suplicándole al Espíritu Santo que nos dé el don de autoconocimiento. Esto solo puede ocurrir en nuestro encuentro con Jesús en la Cruz.

Nos falta autoconocimiento porque tenemos miedo de ver verdades que requieren cambios en nosotros. En lugar de enfrentar nuestras heridas, miedos y malos comportamientos, tratamos de hacer pactos con Dios, ofreciéndole buenas obras para apaciguar nuestras conciencias. Al mismo tiempo, usamos máscaras para esconder nuestros pecados. No deberíamos conformarnos con tener un autoconocimiento superficial. Deberíamos intentar vivir «revestidos» en el don de autoconocimiento, reconociendo humildemente nuestros pecados, nuestra nada y nuestra incapacidad para hacer cualquier cosa sin la gracia de Dios. San Pedro nos dice: «Que cada uno se revista de sentimientos de humildad» (1 Pe. 5,5). Entonces Jesús nos dará autoconocimiento en maneras inesperadas, a través de personas, circunstancias y de las Sagradas Escrituras.

A continuación, el testimonio de un esposo que recibió conocimiento a través de una experiencia dolorosa:

---

[55] *Diario de santa María Faustina Kowalska, (*Stockbridge, MA: Marian Press, 2012), № 1528.

TESTIMONIO
RECIBIENDO AUTOCONOCIMIENTO
MEDIANTE UNA EXPERIENCIA DOLOROSA

Anoche, al acostarme, me di la vuelta para darle las buenas noches a mi esposa. De repente, sentí un dolor agudo y muy fuerte en la parte inferior de mi espalda. Ella rápidamente me consiguió una almohadilla eléctrica y algunos medicamentos. A la mañana siguiente estaba todavía con dolor y mi pierna izquierda estaba adormecida. Temía que mi espalda se pusiera peor. Estaba frustrado y molesto y solo quería estar en cama y aplicar calor a mi espalda para poder aliviarme un poco.

Fue entonces cuando me di cuenta del regalo que durante años no había apreciado: el don del amor de mi esposa. Reconocí que mi dolor era muy poco comparado con el que ella había estado sufriendo durante más de seis meses. El Señor me abrió los ojos a mi egoísmo. Fue como una revelación. Por mi molestia y dolor andaba enojado; sin embargo, mi esposa se levanta temprano cada mañana, prepara a los niños y los lleva a la escuela, va a su trabajo, va por todo el pueblo haciendo mandados, recoge a los niños, los lleva a la catequesis, a las prácticas de béisbol, al baile o a cualquier otro evento de la escuela y, cuando llega a casa, cocina para toda la familia. Hace todo esto y su dolor de espalda es peor que el mío.

El Señor me dio la oportunidad de apreciar el sufrimiento de mi esposa y de compartir su dolor para que yo pueda tener un conocimiento profundo de su amor esponsal. Su dedicación a mí en mi dolor me hizo dar cuenta de que tengo que compartir sus penas y alegrías, para que nuestra relación llegue a ser el fuerte lazo de amor que el Señor quiere que sea.

Compartir sufrimientos y alegrías con mi esposa fortaleció la relación entre nosotros y con Cristo. Entonces empecé a ver el sufrimiento de nuestro Señor por mí. De la misma manera que mis ojos se abrieron a mi egoísmo con mi esposa, vi mi egoísmo hacia Dios.

El esposo, antes de tener la mencionada experiencia, había comenzado a ir a la Cruz para reflexionar sobre el amor de Cristo, permitiendo allí que la mirada de Jesús penetrase su corazón endurecido y pidiendo al Espíritu Santo el don del conocimiento. Fue entonces cuando el Espíritu le reveló su falta de sensibilidad hacia el sufrimiento de su esposa. La falta de autoconocimiento era como una viga que lo cegaba.

Lucas 6, 42

¿Cómo puedes decir a tu hermano: «Hermano, deja que te saque la paja de tu ojo», tú, que no ves la viga que tienes en el tuyo? ¡Hipócrita!, saca primero la viga de tu ojo, y entonces verás claro para sacar la paja del ojo de tu hermano.

10. Ver nuestra miseria, abandono y perseverancia: clave del progreso —Diario de una MDC

Las almas Mías que voluntariamente ven su miseria cuando se la revela Mi Espíritu (y responden) con gemidos y lágrimas de dolor, tocan el Corazón de Abba, Padre. Él enseguida viene a abrazarles con Su perdón a través de Mi amor crucificado. Un alma avanza por esta parte del Camino (mis pies) según su docilidad a las luces del Espíritu Santo que revelan sus numerosas tendencias de pecado. Aquí es donde Mi camino es más arduo y difícil porque cada alma debe abandonar su voluntad, dándomela a Mí. Es difícil para toda alma abandonar sus caminos y controles humanos, pero con cada esfuerzo honesto, Dios derrama Su misericordia sobre esa alma.

El alma que vive revestida con el don de conocimiento crece en la verdadera humildad y es entonces capaz de avanzar en Mi Camino sobre las

alas del Espíritu Santo. A veces caes y tienes contratiempos, pero no te desanimes, ya que estas caídas te ayudan a mantenerte revestida con el don de conocimiento, el don de saber que no puedes hacer nada sin la gracia de Dios. Satanás tratará de utilizar la táctica del desaliento para hacerte creer que no puedes continuar en este camino estrecho; es entonces cuando debes rogarle al Espíritu Santo y a Mi Madre que vengan a tu auxilio y ellos te ayudarán a fortalecerte.

Es aquí, a Mis pies, que debes perseverar con gran disciplina de espíritu, porque tu espíritu es débil, porque el apetito de tu carne es muy fuerte. A medida que tu espíritu se fortalece, el apetito de tu carne se debilita. El amor es el medio principal para fortalecer tu espíritu. A medida que Me conozcas, y experimentes Mi amor, tu espíritu se fortalecerá.

Muchos nunca van más allá de esta etapa inicial debido a la falta de perseverancia y, eventualmente, entran en otro camino más agradable a su carne. Esto es un profundo sufrimiento de Mi Corazón y del Corazón de María (12/12/11).

DE LA DUREZA DE CORAZÓN A LA PUREZA

Puede ocurrir que, cuando vamos a los pies de Jesús, no seamos capaces de ver su mirada y permanezcamos fríos, sin sentir nada. Esto suele ocurrir cuando nuestros corazones están endurecidos y centrados en sí mismos. La viga del pecado cubre los ojos de nuestra alma y nos impide ver, conocer y entrar en contacto directo con el amor de Dios. Pero no hay que desesperarse. Reconocer nuestra enfermedad ya es un regalo importante de autoconocimiento y el primer paso hacia la sanación.

Papa Benedicto XVI

> ¿Cómo es posible que el hombre no quiera ni tan solo «probar» el gusto de Dios? Y responde: cuando el hombre está completamente ocupado con su mundo, con las cosas materiales, con lo que puede hacer, con todo lo que es factible y le lleva al éxito, con todo lo que puede producir o comprender por sí mismo, entonces su capacidad de percibir a Dios se debilita, el órgano para ver a Dios se atrofia, resulta incapaz de percibir y se vuelve insensible... Entonces puede ocurrir que el hombre, como dice san Gregorio, no perciba ya la mirada de Dios, el ser mirado por él, la realidad tan maravillosa que es el hecho de que su mirada se fije en mí[56].

[56] Homilía a los obispos de Suiza, 7 de nov. de 2006, w2.vatican.va.

¿POR QUÉ ALGUNOS RECONOCEN A JESÚS Y OTROS NO?

El corazón de Juan el Bautista era puro y, por tanto, sus ojos no tenían los velos que nos ciegan. De inmediato vio la gloria de Dios en Jesús cuando se le acercó y pudo cumplir su misión proclamando: «He aquí el Cordero de Dios, que quita el pecado del mundo»[57]. Sin embargo, a lo largo de los evangelios, Jesús expone la dureza de corazón de muchos. Él se enfrentó a los escribas que se «cuestionaban en sus corazones» la curación del paralítico. Ellos tenían muchos argumentos, pero Jesús fue directamente a la raíz del problema y les preguntó: «¿Por qué os cuestionáis así en vuestros corazones?»[58] En otra ocasión, después de sanar al hombre de la mano tullida en sábado, Jesús miró a los fariseos con «enojo, entristecido por la dureza de sus corazones»[59].

La dureza de corazón no se encuentra solo en los enemigos de Jesús, sino también en los más cercanos, en sus discípulos, que habían dejado todo para seguirle. El Evangelio nos dice que ellos no lo reconocieron caminando sobre el agua porque «no habían entendido el milagro de los panes. **Por el contrario, se endurecieron sus corazones»**[60]. Se asombraron con el milagro, pero no comprendieron su significado: Jesús tiene autoridad divina sobre la creación. Lo mismo nos ocurre a nosotros, nuestra dureza de corazón nos impide entender plenamente quién es Jesús y lo que Él está haciendo en nuestras vidas. Como los apóstoles, todos tenemos que vivir el proceso de purificación y permitir que Dios nos lleve más allá de nuestras expectativas.

¿Por qué Juan Bautista, Simeón y Ana conocieron a Jesús más profundamente que otros? La respuesta es que sus corazones buscaban con fe. Un corazón endurecido se aferra a su manera de ser y no está abierto a ver más allá de sus propias expectativas; reduce la obra de Dios a lo que cabe en su lógica natural y en su experiencia. Un corazón puro, por el contrario, cree que para Dios

---

[57] *Jn* 1, 29.
[58] *Mc* 2, 8.
[59] *Mc* 3, 5.
[60] *Mc* 6, 52.

nada es imposible; es dócil y maleable, dispuesto a ser traspasado, podado y hecho nuevo por Dios.

El alma que recibe el don de autoconocimiento y ve la dureza de su corazón, llega a un punto decisivo: acepta este don o permanece en la oscuridad. Recibir el don de autoconocimiento duele; se siente como un aguijón. El alma necesita valor para admitir sus pecados y las heridas que estos causan e ir a la raíz de ambos. Por eso, la mayoría se queda en el viejo yo y no entra en el proceso de sanación, pero si el alma persevera, recibirá el bálsamo de la misericordia de Jesús: las vigas caerán de los ojos y entrará la luz de la verdad. El fruto de este proceso son la alegría y la paz.

Hebreos 4, 12-13

> Porque la Palabra de Dios es viva y eficaz, y más cortante que cualquier espada de doble filo: ella penetra hasta la raíz del alma y del espíritu, de las articulaciones y de la médula, y discierne los pensamientos y las intenciones del corazón. Ninguna cosa creada escapa a su vista, sino que todo está desnudo y descubierto a los ojos de aquel a quien debemos rendir cuentas.

El Salmo 51 es una poderosa oración de arrepentimiento para esta etapa del *Camino*. En esta oración pedimos al Señor que tenga misericordia de nosotros y que nos limpie de todo pecado. Clamamos a Dios que cree en nosotros un corazón limpio, más blanco que la nieve.

Práctica diaria importante: Ten un crucifijo junto a tu cama. Cuando te levantes, contempla a Jesús crucificado y besa sus pies con ternura. Permite que este sea un encuentro sagrado, pide por el doble don de conocimiento y arrepentimiento y permanece en esta unión el resto del día.

2–C:
Los pecados son como hierbas malas

Los pecados son como hierbas malas: podemos cortar las hojas, pero, **mientras permanezcan las raíces, pronto aparecen hojas nuevas**. Es necesario cavar profundo y arrancar por completo las raíces, la parte oculta que vive bajo la superficie. Muchas veces, en la confesión, le entregamos al Señor solo los pecados visibles (las hojas), mientras mantenemos las raíces ocultas bajo la tierra. En poco tiempo, la hierba mala del pecado vuelve a crecer y nos encontramos repitiendo los mismos pecados. Para poner fin a este ciclo de pecado debemos estar dispuestos a mirar profundamente en nuestros corazones a la luz del Espíritu Santo y ver las raíces profundas para que podamos sacarlas.

Por ejemplo, cuando confesamos que gritamos a nuestros hijos, estamos entregando una hoja de la hierba mala. Es fácil ver esto cuando brota de nuestro corazón, pero si cavamos más profundo, llegaremos a las raíces que nutren esa hoja, como son: la ira y la impaciencia. Estas raíces están adheridas a las heridas de nuestro pasado. Si esas raíces permanecen bajo tierra, pronto brotarán nuevas hojas.

Cuando arrancamos la hierba mala, con todas sus raíces, queda un hueco. Lo mismo ocurre cuando arrancamos de raíz los pecados de nuestro corazón. Esto nos da miedo porque el hueco nos permite ver heridas que no queremos enfrentar.

Por ejemplo, un hombre sufre y se lamenta por el comportamiento de su padre alcohólico, pero no se da cuenta de cómo la mala relación con su padre ha herido su propio corazón. Este hombre continúa su vida con un comportamiento desordenado aun cuando su padre ya no está presente. Es consciente de algunas de sus malas acciones (las hojas de la hierba mala) y quisiera eliminarlas. Sin embargo, su comportamiento no cambia porque no es capaz de ir a las raíces de su pecado. Esos pecados están arraigados en la herida recibida de su padre. Esa herida genera una mentira que le hace creer que es indigno de ser amado y que no vale nada.

Todos tenemos hierbas malas en el jardín de nuestro corazón; todos tenemos que ir a las raíces, a nuestras heridas más profundas. Estas fueron causadas principalmente por traumas (abuso o abandono) o por necesidades esenciales que quedaron insatisfechas (necesidad de ser amado, de ser afirmado, etc.). Hay que cavar profundo para que el Espíritu Santo ilumine la oscuridad de nuestro interior. Este proceso comienza cuando vamos a los pies de la Cruz. Con el tiempo se dará nuestra transformación en hombres y mujeres nuevos.

TESTIMONIO
CAVANDO PROFUNDO EN SU CORAZÓN LLEGÓ AL AUTOCONOCIMIENTO Y A LA SANACIÓN

Una mañana, al despertar, escuché al Señor decirme claramente: «Querida hija de Mi corazón, hoy quiero que entres en los "rincones" más profundos de tu alma». Me pregunté qué quería decir eso, así que busqué en el diccionario y aprendí cinco significados de la palabra (se refiere a la palabra en inglés: *recess*). El primero es dar un paso atrás, recordar, encontrar el silencio. El segundo se refiere a un lugar oculto, secreto o apartado (entrar en la parte más profunda de mi alma). El tercero describe un área donde la luz no brilla (un área de pecado, donde la luz de Jesús no brilla). El cuarto significado se refiere a pensamientos o sentimientos de los que no somos conscientes (es importante entender que estos sentimientos o pensamientos vienen de heridas infligidas a mi alma). El quinto es descanso o relajación (¡significa descansar en Jesús!).

Varios meses después, recuerdo que me fui a la cama después de haber escuchado, por segunda o tercera vez, una enseñanza de nuestra comunidad acerca del autoconocimiento. Le pedí a nuestra Madre que, por favor, me mostrara si había algo en mí que tenía que salir a la luz. Esa misma noche tuve un sueño que me perturbó. Soñé con un tío mío. Estábamos desnudos y me dijo: «vamos». Yo le dije: «no», sin miedo ni preocupación. Cuando desperté, le pregunté a la Virgen qué significaba el sueño. Nuestra Madre de inmediato me llevó a mi infancia y me mostró las muchas veces que mi tío y mi padre se burlaron de mi trasero, hacían comentarios acerca de su tamaño y me tocaban. Mientras nuestra Madre me mostraba todo esto, sentí que había sido violada... Me sentí desnuda; entonces comprendí el sueño.

A partir de esa mañana, Jesús y María comenzaron a revelarme muchas situaciones similares ocurridas a lo largo de mi vida; violaciones a mi persona que pueden parecer insignificantes a la sociedad, pero que para mí no lo son. Las muchas veces, en la escuela y en fiestas, que los chicos me tocaron indebidamente. Una vez, mientras esperaba el autobús, un hombre se expuso ante mí. En otra ocasión, un vecino me sentó en sus piernas para «jugar» al caballito conmigo. El momento más difícil fue cuando un hombre mayor, también vecino, me llevó a su habitación y comenzó a tocar mi pecho y mirar entre mi ropa interior. Me han faltado al respeto. Me he sentido violada. He sido abusada.

Estos abusos crearon en mí inseguridades, ansiedades, miedos, baja autoestima y muchos otros trastornos. Pero el Señor comenzó a quitar los velos de mis ojos y comencé a ver mis heridas. Hasta ahora no había sabido cómo lidiar con ellas, excepto para reprimirlas en los «recesos más profundos de mi alma». Las ansiedades y miedos no me permitían vivir en paz; me paralizaban y me hacían caer en pecado. No podía crecer y madurar como una persona emocionalmente sana. Por el contrario, construí paredes y mecanismos de defensa, buscando encontrar alguna forma de paz y orden.

Una vez que el Señor trajo estos recuerdos a mi conciencia, fui capaz de sufrirlos con Él. Pude darles su propio nombre (abuso, burla...) y entregárselos a nuestro Señor en el altar como ofrenda al Padre por el sacerdocio y la salvación de todos. Pronto, el Señor me quitó este peso. Ahora puedo respirar.

Una amiga me llamó unos meses después para compartir un sueño que tuvo en el que yo bailaba alegre y feliz. Fue una confirmación de lo que Dios había hecho, pues describe exactamente cómo me siento. ¡Me siento liberada! Lo más sorprendente es que esta curación fue también para mis hermanos. Ahora puedo ver las heridas de los demás y ayudarlos.

Cuando arrancamos el pecado de raíz no hay que temer quedarnos vacíos. Jesús mismo llena nuestra vida. Él nos dice: «El ladrón no viene sino para robar, matar y destruir. Pero yo he venido para que tengan Vida, y la tengan en abundancia» (*Jn* 10, 10).

11. Ojos no han visto ni oídos escuchado[61]
—Diario de una MDC

Ojos no han visto ni oídos escuchado lo que tu Dios ha preparado para ti. Te invito a venir y ver. Voy a quitar el velo que cubre los ojos de tu alma para que puedas ver lo que pocos pueden ver. Verás la nueva Jerusalén en toda su gloria. Ella, más preciosa que oro o diamantes, será tu posesión.

Permíteme quitar la viga de tus ojos que te impide contemplar la gloria de Dios ante ti. Ven, hija Mía, y trae a muchos a los pies de la Cruz.

Postraos al pie de Mi Cruz y besad la tierra santa. Levantaos y abrazad Mis sagrados pies y besad mis pies heridos. Es aquí, por medio de este gesto de humildad y amor, que la viga del orgullo y del amor propio cesa de cegaros. Tocad Mis pies, bendecid Mis pies con vuestros besos y limpiadlos con vuestras lágrimas.

El Espíritu Santo llevó a María Magdalena a este acto de amor en preparación de Mi crucifixión y fue Mi madre quien completó este acto de amor y reparación en Mi crucifixión. Es aquí, a mis sagrados pies, que recibís el oro precioso del arrepentimiento. Deseo que traigas a mis hijos al pie de Mi Cruz (16/11/10).

[61] Cf. *1 Co* 2, 9.

2–D:
La mirada de Jesús

Cuando indagamos profundo dentro de nosotros para conocernos a nosotros mismos, arrepentirnos y darle a Jesús control de nuestras vidas, Él une nuestros corazones al suyo más profundamente que si tuviésemos la bendición de verlo con nuestros ojos. Jesús dice: «¡Bienaventurados los que creen sin haber visto!»[62] Son bienaventurados porque reciben el don de ver espiritualmente. También los que ven milagros, como los pastorcitos de Fátima, deben ir más allá de lo que el ojo ve para ver interiormente con los ojos del corazón. Según el Papa Benedicto XVI, los pastorcitos se encontraron con la Virgen María en lo profundo de sus corazones y nosotros también podemos si estamos atentos:

Dios —más íntimo a mí que yo mismo[63]— tiene el poder para llegar a nosotros, en particular mediante los sentidos interiores, de manera que el alma es tocada suavemente por una realidad que va más allá de lo sensible y que nos capacita para alcanzar lo no sensible, lo invisible a los sentidos. Para que esto ocurra, **debemos cultivar una vigilancia interior del corazón** que muchas veces no tenemos debido a las fuertes presiones de las realidades externas, de las imágenes y de las preocupaciones que llenan el alma. ¡Sí!, **Dios puede venir a nosotros y manifestarse a los ojos de nuestro corazón**[64].

---

[62] *Jn* 20, 29.
[63] Cf. San Agustín, *Confesiones*, III, 6, 11.
[64] Homilía, Fátima, 13 de mayo de 2010, w2.vatican.va.

San Pablo

Que el Dios de nuestro Señor Jesucristo, el Padre de la gloria, les conceda un espíritu de sabiduría y de revelación que les permita conocerlo verdaderamente. Que Él ilumine sus corazones, para que puedan valorar la esperanza a la que han sido llamados, los tesoros de gloria que encierra su herencia entre los santos[65].

LA MIRADA DE JESÚS AL HOMBRE RICO

Los Evangelios nos dicen que la mirada de Jesús tiene el poder de revelar su amor y atraernos a Él. Cuando el joven rico vino a Jesús, Él «lo miró y lo amó», y le dijo; «Solo te falta una cosa: ve, vende lo que tienes y dáselo a los pobres; así tendrás un tesoro en el cielo. Después, ven y sígueme»[66].

¿Cuál fue la respuesta del hombre? El Papa Benedicto XVI nos dice: «El joven rico no logra dar este paso. A pesar de haber sido alcanzado por la mirada llena de amor de Jesús, su corazón no logró desapegarse de los numerosos bienes que poseía»[67].

Nosotros también vamos a Jesús con la esperanza de que Él nos ayude, pero según nuestros términos y expectativas. Jesús también nos mira, con la esperanza de atraernos a su Corazón. ¿Por qué tan pocos responden? La razón es que **tenemos miedo de un amor que pide entrega total.** Nos aferramos a nuestros caminos y luego tratamos de justificarnos, como lo hizo el joven rico, ofreciendo a Dios nuestra observancia de la ley.

Si no somos capaces de adentrarnos en la mirada de Jesús, seguiremos ciegos, apegados a nuestra forma de ver las cosas y distantes del amor de Dios. Podemos creer que nos hemos entregado totalmente, pero nos estamos engañando. La mirada es el encuentro de amor. Cuando estamos enamorados, el «otro» está constantemente en nuestros corazones. Cuando estamos separados, anhelamos la presencia del «otro», esa preciosa unión en la que

---

[65] *Ef* 1, 17-18, Cf. *1 Co* 2, 9-10: "lo que ni el ojo vio, ni el oído oyó"
[66] *Mc* 10, 21.
[67] Homilía, 15 de oct. de 2006, w2.vatican.va.

podamos disfrutar de nuevo de la intimidad de mirar a los ojos del amado. Esa mirada de amantes suaviza nuestros corazones y nos permite dejar a un lado todo lo demás por nuestro amado.

Después de que el hombre rico se fue triste, porque, como dice el Papa Benedicto XVI, «su corazón no pudo desprenderse de sus muchas posesiones», Jesús miró a sus discípulos y les dijo: «Les aseguro que el que haya dejado casa, hermanos y hermanas, madre y padre, hijos o campos por mí y por el evangelio, desde ahora, en este mundo, recibirá el ciento por uno… y en el mundo futuro recibirá la Vida eterna»[68].

Al mantener nuestra mirada fija en Jesús, le permitimos conquistar nuestros corazones, evitamos la tristeza del joven rico y encontramos la verdadera felicidad en esta vida y la siguiente.

12. La mirada de Mis ojos crucificados

—Diario de una MDC

Hijos míos, subid los peldaños desde Mis pies, por Mi costado y Mi Corazón, hasta llegar a la mirada de Mis ojos crucificados.

Es Mi mirada la que os traspasará el corazón y sanará todo orgullo, amor propio y vanidad.

Es Mi mirada la que despertará vuestros corazones para amar al Amor mismo.

Es a través de Mi mirada crucificada que encontraréis el valor para continuar en el camino de la vida.

Es por medio de Mi mirada crucificada que recibiréis las revelaciones del misterio del sufrimiento, que es el misterio del amor.

Es por medio de Mi mirada crucificada que desearéis ser Uno *con la Víctima de Amor; desearéis únicamente la Cruz; desearéis la*

[68] *Mc* 10, 29-30.

salvación de todos vuestros hermanos; os olvidaréis de vosotros mismos y recibiréis el poder del Espíritu Santo para dar la vida y ser Mi sacrificio de amor por la salvación de muchos (01/03/11).

El Papa Francisco comentó sobre la relación de san Francisco de Asís con Jesús:

> ¿Dónde inicia el camino de Francisco hacia Cristo? Comienza *con la mirada de Jesús en la Cruz*. Dejarse mirar por él en el momento en el que da la vida por nosotros y nos atrae a sí. Francisco lo experimentó de modo particular en la Iglesita de San Damián, rezando delante del crucifijo, que hoy también yo veneraré. En aquel crucifijo Jesús no aparece muerto, sino vivo. La sangre desciende de las heridas de las manos, los pies y el costado, pero esa sangre expresa vida. Jesús no tiene los ojos cerrados, sino abiertos, de par en par: una mirada que habla al corazón. Y el Crucifijo no nos habla de derrota, de fracaso; paradójicamente nos habla de una muerte que es vida, que genera vida, porque nos habla de amor, porque él es el Amor de Dios encarnado, y el Amor no muere, más aún, vence el mal y la muerte. El que se deja mirar por Jesús crucificado es re-creado, llega a ser una «nueva criatura». De aquí comienza todo: es la experiencia de la Gracia que transforma, el ser amados sin méritos, aun siendo pecadores. Por eso Francisco puede decir, como san Pablo: «En cuanto a mí, Dios me libre de gloriarme si no es en la Cruz de nuestro Señor Jesucristo» (*Ga* 6, 14)[69].

Santa Faustina escribió: «En los momentos difíciles, fijaré mi mirada en el Corazón de Jesús, silencioso en la Cruz y de las llamas

[69] Visita pastoral a Asís, 4 de oct. de 2013, w2.vatican.va.

que brotan de su Corazón misericordioso fluirá sobre mí la fortaleza y la fuerza para seguir luchando»[70].

La mirada de amor es el camino de intimidad que nos lleva al Sagrado Corazón. Esto no es solo para mujeres. Si bien es cierto que a menudo ellas son más receptivas, los hombres, como nos recuerda el Papa Francisco, deben aprender de ellas:

> Las mujeres, en la Iglesia y en el camino de fe, han tenido y tienen también hoy un papel especial en abrir las puertas al Señor, seguirle y comunicar su rostro, porque la mirada de fe siempre necesita de la mirada sencilla y profunda del amor. Los Apóstoles y los discípulos encuentran mayor dificultad para creer. Las mujeres, no. Pedro corre al sepulcro, pero se detiene ante la tumba vacía; Tomás debe tocar con sus manos las heridas del cuerpo de Jesús. También en nuestro camino de fe es importante saber y sentir que Dios nos ama, no tener miedo de amarle: la fe se profesa con la boca y con el corazón, con la palabra y con el amor[71].

[70] Sta. Faustina Kowalska, *Diario* N.° 906.
[71] Audiencia General, 3 de abril de 2013, w2.vatican.va.

13. Sois inseguros porque no os abandonáis a Mí
—Diario de una MDC

> *Pequeña Mía, veo lo nerviosa e insegura que eres, porque pones tu confianza en ti misma. Abandónate a Mi abrazo crucificado. Mira en la profundidad de Mis ojos y contempla el dolor de Tu Amado. ¿También tú, pequeña Mía, Me vas a abandonar? ¿No ves qué pocas almas tengo que se abandonen por completo a Mi Divina Voluntad? Busco hijos que sean Mis instrumentos, que sean Mi voz en el mundo, pero encuentro muy pocos dispuestos a dejar todo para seguirme* (17/1/11).

14. Deseo sanar tu ceguera[72] —Diario de una MDC

> *¿Ves la oscuridad que ha consumido los corazones y mentes de Mi pueblo; la oscuridad que está consumiendo Mi Santuario? ¿Ven tus ojos la luz de Dios que CONSUMIRÁ esta oscuridad o es que a ti también te ha cegado la oscuridad del mundo? Deseo sanarte de tu ceguera, para que puedas ver al Hijo del Hombre en toda Su gloria ante ti. El ver nos da esperanza. Ver es convertirse en la belleza de lo que se te revela, que es el AMOR...* (14/11/11).

La mirada de Jesús es el fuego que nos mueve a amar más allá de nuestra debilidad. Si perseveramos con paciencia, se caerán uno a uno los velos que cubren los ojos de nuestra alma y comenzamos a ver la mirada de Jesús —Amor Crucificado—. Esta es la mirada que inflama nuestros corazones para amar como Él nos

[72] Cf. *Lc* 18, 35-43, El ciego de Jericó.

ha amado, entregando nuestras vidas por amor y con amor. santa Gema Galgani escribe:

> Le bastaría a cualquiera tener tan solo una de sus miradas. ¡Qué fuerza, qué vigor sentiría! Siento que yo haría cualquier cosa por Él, para verlo contento. El mayor tormento me parecería fácil de soportar con su apoyo [...] **Oh, no es posible soportar el ver que anhela (por nosotros) y, sin embargo, cuán pocos son los que sufren con Él.** Muy pocos, y Jesús se encuentra casi sólo. ¡Es tan triste ver a Jesús en medio de dolores! Pero ¿cómo puede uno verlo en ese estado y no ayudarlo[73]?

Cuanto más contemplamos la mirada de Jesús, más veremos con sus ojos y entenderemos con su mente, también sufriremos más profundamente con Él. Por Él, con Él y en Él podremos percibir las heridas de nuestros hermanos. Aprendemos a mirarlos a los ojos, y a ver dentro de sus corazones. Si nos fijamos únicamente en lo exterior de las personas, nos engañamos y juzgamos, pero **cuando miramos a fondo en sus corazones y vemos sus heridas y su dolor, entramos en ese dolor y sentimos compasión**.

Sufriendo el dolor de los demás con Jesús, participamos en su agonía de amor y comenzamos a vivir la pasión de su crucifixión interior. Nos estamos quitando los velos que nos ciegan y, por lo tanto, nuestro amor por Jesús y por nuestros hermanos pasa a un nivel más profundo que no conocíamos.

Ejemplo de ello es la Santísima Virgen. Ella nos mira con la misma mirada de su Hijo; por lo tanto, como nos dice en un mensaje en Medjugorje, su mirada penetra nuestros corazones y ve nuestro dolor:

> ¡Queridos hijos! Con preocupación maternal contemplo sus corazones. En ellos veo dolor y sufrimiento; veo un pasado herido y una búsqueda incesante; veo a mis hijos que

[73] «Carta al Venerable Padre Germano Ruoppolo». 9 de agosto de 1900.

desean ser felices, pero no saben cómo. Ábranse al Padre. Ese es el camino a la felicidad, el camino por el que deseo guiarles. Dios Padre nunca deja a sus hijos solos, especialmente en el dolor y la desesperación[74].

MANTENGAMOS LA MIRADA FIJA EN JESÚS CON LA ORACIÓN

El Papa Benedicto XVI enseñó el «camino para saber leer los hechos de la historia y de nuestra vida»:

> Levantando la mirada al cielo de Dios, en la relación constante con Cristo, y abriéndole a Él nuestro corazón y nuestra mente en la oración personal y comunitaria, aprendemos a ver las cosas de un modo nuevo y a captar su sentido más auténtico. La oración es como una ventana abierta que nos permite mantener la mirada dirigida hacia Dios, no solo para recordarnos la meta hacia la que nos dirigimos, sino también para permitir que la voluntad de Dios ilumine nuestro camino terreno y nos ayude a vivirlo con intensidad y compromiso[75].

Según el venerable Padre Félix Rougier, la mirada del Padre es amor y ternura; al vivir en ella nos transformamos en amor:

> La atención amorosa consiste en contemplar a Dios nuestro Padre. Pero al mirarlo nosotros, Él también nos mira [...] Esa mirada me infunde alegría, fortaleza y confianza, me da valor y me sostiene. Me dice: ¡Ama! ¡Ven! ¡Sube hasta mí y háblame, porque eres Mi hijo amado! [...]
>
> Y si caigo en pequeñas faltas, esa mirada me punza como una espina y me purifica y me limpia, porque es AMOR. Y mi alma queda más cerca que antes del Corazón de Dios, que la quiere toda suya. ¡Oh, mirada del Padre,

---

[74] 2 de enero de 2012.

[75] Audiencia General, 12 de sept. de 2012, w2.vatican.va.

mirada de amor, no te apartes de mí y de mis hermanos! ¡Haznos puros, amantes, felices y santos[76]!

Después de la Última Cena, Jesús llevó a sus discípulos a Getsemaní para que fueran testigos de la inmensidad de su amor, «para que el mundo pueda ver lo mucho que amo a mi Padre».[77] En oración, Dios Padre y Jesús se miraban como lo hacen siempre. Esta mirada fortaleció a Jesús para ser fiel hasta la Cruz, mientras que los discípulos no soportaron y se durmieron. Ellos creían estar dispuestos a dar sus vidas por Jesús. Pedro había dicho: «¡Aunque todos te abandonen, yo no te abandonaré!»[78]. Pero no había aprendido a vivir en la mirada del Padre.

Cuando tenemos la disciplina de mantener nuestra mirada en el amor crucificado de Jesús, nuestra fe se perfecciona y podemos seguirle en nuestras luchas diarias hasta la Cruz.

---

[76] A las Hijas del Esp. Sto. oct. de 1924, citado por Ricardo Zimbrón L., M.Sp.S. http://www.apcross.org/pfelixrougier.htm.

[77] *Jn* 14, 31.

[78] *Mt* 26, 33.

15. Mi mirada está sobre vosotros —Diario de una MDC

> *Yo Soy el Señor de los Ejércitos. Yo Soy tu Redentor y Salvador que viene al mundo proveniente del amor de nuestro Padre... Yo Soy el Hijo del Dios Vivo. Yo vine del cielo a la tierra porque, desde el principio de los tiempos, os conocí... Yo os he amado siendo* Uno *con el Padre y el Espíritu Santo.* ***Vine al mundo para tocaros, para poner Mi mirada sobre vosotros, y sufrir por vosotros en Mi naturaleza humana, para que, a través de Mí, podáis llegar a conocer, tocar y ver el amor de Abba por vosotros*** (12/12/12*).*

16. Mi mirada penetra toda oscuridad
—Diario de una MDC

> *Mi mirada está sobre cada uno de vosotros. Veo vuestras luchas; conozco vuestras pruebas; siento y sufro vuestras penas; recojo vuestras lágrimas; sufro con cada uno.*
>
> *Tened fe perfecta en el Dios que os ama... Creed en el poder de vuestras vidas ordinarias y ocultas vividas por Mí, Conmigo y en Mí, Uno Conmigo, no siendo ya dos. Creed en Mi amor crucificado, en el poder de Mi mirada crucificada para penetrar toda oscuridad. Mi mirada está sobre vosotros; permitidme sanar vuestras heridas y purificar toda oscuridad.*
>
> *Mi deseo para vosotros, Mi sed por cada uno de vosotros, es haceros Mis íconos vivos. Pequeños Míos, sufrid todo Conmigo, contemplando Mi amor crucificado, para que vuestros sufrimientos puedan*

perfeccionar vuestra fe y podáis llegar a ser Mis cálices vivos derramándose sobre el mundo, redimiendo, restaurando y purificando Conmigo. Aprended a esperar en el Señor pues esto prueba vuestro amor y perfecciona vuestra confianza. Sed Uno en Mí, teniendo a María como Madre (11/08/12).

2–E: Tentaciones

Las tentaciones no son solo malos pensamientos; son las armas de una poderosa fuerza invasora, de un enemigo determinado a destruirnos. Ataca con la **acedia** (pereza espiritual), que nos quita el deseo de todas las cosas relacionadas con la vida espiritual; ataca con **deseos** que nos abruman, como la lujuria y la codicia; ataca con una intensa **turbulencia** que nos confunde durante las pruebas para que perdamos la perspectiva de la realidad y deseemos huir de nuestros compromisos y relaciones. Junto con las tentaciones, el enemigo utiliza el **miedo al sufrimiento**. Nos hace pensar que, si nos rendimos a la tentación, nuestro sufrimiento terminaría y nuestras luchas internas cesarían, pero que, si resistimos, el sufrimiento sería insoportable. Entonces nos esclaviza al pecado y nos hace pensar que el camino del Señor es demasiado doloroso. Si nuestras decisiones se basan en nuestra comodidad y en evitar sufrimientos, perderemos la batalla. Debemos creer que vale la pena sufrir por nuestra unión con Cristo y que Él está comprometido con nosotros.

17. Se fuerte unida a Mí —Diario de una MDC

> ***Sé fuerte unida a Mí.*** *No caigas en la trampa de creer que estás luchando esta batalla sola, porque eres la fuerza oculta siendo una con Mi Madre, los ángeles, los santos y con tus hermanos. Este conocimiento te fortalecerá* (22/03/11).

De acuerdo con san Ignacio de Loyola, el diablo actúa como un estratega militar. Antes de atacar una ciudad fortificada, estudia sus defensas, buscando el punto más débil. Tenemos entonces que conocer nuestros puntos débiles y ser decididos y disciplinados para fortalecerlos bajo la autoridad del Señor. Necesitamos atender a sus órdenes y luchar unidos con los hermanos y hermanas que Él nos da.

En tiempo de prueba somos vulnerables a las tentaciones que prometen resolver nuestros problemas. Como los israelitas en el desierto, nos sentimos tentados a volver a Egipto. Les parecía mejor ser esclavos que perseverar en las condiciones adversas del desierto. Para seguir adelante, requería que los israelitas confiaran en Dios y permanecieran unidos sin importar cuán difícil fuera el camino.

San Ignacio de Loyola también enseña que, mientras estamos en la tormenta, el Señor nos está purificando en el fuego y no nos habla, pero nos da la gracia para permanecer fieles a lo que nos había dicho antes. **Por lo tanto, durante la tormenta, no hagas cambios en tu vida. Mantente firme hasta que vuelva la calma.**

1 Corintios 10, 13

Fiel es Dios que no permitirá seáis tentados sobre vuestras fuerzas. Antes bien, con la tentación os dará modo de poderla resistir con éxito.

Eclesiástico 2, 1-6
Hijo, si te decides a servir al Señor,
prepara tu alma para la prueba.
Endereza tu corazón, sé firme,
y no te inquietes en el momento de la desgracia.
Únete al Señor y no te separes,
para que al final de tus días seas enaltecido.
Acepta de buen grado todo lo que te suceda,
y sé paciente en las vicisitudes de tu humillación.
Porque el oro se purifica en el fuego,
y los que agradan a Dios, en el crisol de la humillación.
Confía en él, y él vendrá en tu ayuda,
endereza tus caminos y espera en él.

Dios permite las tentaciones para perfeccionarnos en el amor y la virtud. Por eso somos tentados con lo que nos es más difícil, con el fin de fortalecernos en la virtud que nos falta. Por ejemplo, si somos impacientes, somos tentados con situaciones que requieren la virtud de la paciencia.

El Señor nos enseña con su ejemplo a perseverar en las pruebas. Las tentaciones son nuestra Cruz: al llevarla unidos a Cristo por amor, Él nos prepara para ser sus testigos. Santa Catalina de Siena escribió sobre las pruebas de Jesús: «Él practicó lo que después enseñó [...] Fortificó la mente de los discípulos para confesar la verdad y anunciar **este camino que es la doctrina de Cristo crucificado».** Dios Padre le dijo: «[Doy] la virtud de la fortaleza a quien siga este camino»[79].

Dios le dice a santa Catalina que Él permite las tentaciones para llevarnos a conocerle y a conocernos:

> No se llega a las virtudes sino por medio del conocimiento propio y de mí. Tal conocimiento se adquiere

[79] Santa Catalina de Siena, *El Diálogo*.

más perfectamente en el tiempo de la tentación, porque entonces el hombre ve que no se vale por sí mismo, no pudiéndose liberar de las penas y molestias que quisiera evitar. Entonces el hombre me conoce en su voluntad, la cual es fortalecida por Mi bondad para no consentir en aquellos pensamientos. El hombre ve que Mi amor permite estas tentaciones porque el demonio es flaco y débil, y no puede, por sí mismo, hacer cosa alguna sino cuanto Yo le permito. Yo permito que os tiente por amor a vosotros y no por odio[80], **para que venzáis, no para que seáis vencidos, para que vengáis a un perfecto conocimiento de Mí y de vosotros mismos, y para que vuestra virtud sea probada, pues esta no se prueba sino por su contrario[81].**

Esta enseñanza se apoya en las Escrituras: Judit 8, 25-27[82].

Debemos dar gracias al Señor, nuestro Dios, que ha querido probarnos como a nuestros padres. Recordad lo que hizo con Abraham, las pruebas por que hizo pasar a Isaac, lo que le aconteció a Jacob… Como los puso a ellos en el crisol para sondear sus corazones, así el Señor nos hiere a nosotros, los que nos acercamos a Él, no para castigarnos, sino para amonestarnos.

---

[80] Dios permite tentaciones porque nos ama, para fortalecernos y darnos conocimiento.
[81] *El Diálogo de santa Catalina de Siena*, https://books.google.com.
[82] *Hb* 12, 5-7; 11-13.

2–F:
Humildad

Al igual que cada uno de los que están leyendo este Camino, yo deseaba ser humilde, sin embargo, el Señor me mostró que, lo que yo pensaba que era la humildad, en realidad era falsa humildad. Él puso estas palabras en mi corazón:

18. No te escondas detrás de la falsa humildad
—Diario de una MDC

> *Pequeña Mía, debes **saber quién eres... Soy Yo quien te envía** y es Mi Padre quien te ha elegido... Eres Mi testigo, la luz en medio de la oscuridad...*
>
> *Hija mía y vaso puro del Padre... debes conocer la verdad sobre quién eres, como vaso escogido del Padre para dirigir esta misión de evangelización. **No te escondas detrás del espejo de la falsa humildad**. Proclama... la verdad y el plan que se te ha dado* (14/10/11).

Mi primera reacción fue dudar de este mensaje: ¿en realidad el Señor me dice que soy escogida para ser su testigo, luz en medio de la oscuridad, un vaso puro? ¿No caeré en orgullo por creer esto? Entonces, al meditar en las últimas palabras, *«proclama la verdad y el plan que se te ha dado»*, sentí que era un reto difícil. Yo quería ser humilde y pensaba que para eso debía ser callada, quedarme escondida y, definitivamente, ¡no salir y proclamar!

El cambio en mí ocurrió cuando me di cuenta de que no estaba respondiendo a Dios porque tenía una imagen de mí misma basada en una falsa humildad. No podía creer que Dios me usaría más allá de donde me siento cómoda. Me estaba escondiendo *«detrás del espejo de la falsa humildad»*. Ahora Dios me estaba diciendo dos cosas esenciales que debía saber para tener una verdadera humildad y cumplir Su misión:

1. «Debes saber quién eres».
2. «Soy Yo quien te envía».

Todos estamos llamados a ser testigos de Cristo, luz en las tinieblas, vasos puros; por eso todos debemos identificar el «espejo de falsa humildad» detrás del cual nos escondemos.

Aprendemos la humildad de Dios mismo. Sí, ¡Dios es humilde! Cristo vivió como uno de nosotros: pequeño, vulnerable y obediente al Padre en todo, pero sabía quién era y con valentía se enfrentó a todos los obstáculos para cumplir su misión. Él no escondió la verdad por temor a represalias o rechazo. A través de su humildad, el Padre libremente hacía maravillas.

La mirada del Padre está sobre los humildes y de corazón contrito que tienen la audacia de creer y llevar a cabo su voluntad. Él ve con placer a su Hijo en ellos[83].

19. Vacíate para que te pueda llenar —Diario de una MDC

> *Vaciaos, sed la nada que sois, pura y vacía, para que podáis llenaros de Mi gracia viva...*
>
> *«De su plenitud, todos nosotros hemos participado y hemos recibido gracia sobre gracia»* (Jn *1,16)* (09/03/09).

[83] Cf. *Is* 66, 2.

CUALIDADES DE UNA PERSONA REALMENTE HUMILDE

A) LA PERSONA HUMILDE TIENE CONOCIMIENTO DE DIOS Y DE SÍ MISMA

Cuando la Comunidad Amor Crucificado comenzó este Camino, el Señor nos inspiró a ir todos los días a besar sus pies crucificados para pedir el don del conocimiento. Este fue nuestro enfoque como comunidad durante un año entero antes de poder proceder con El Camino. El conocimiento de Jesús Crucificado hizo posible que nos conociéramos a nosotros mismos con nuestras miserias, debilidades, heridas, tendencias desordenadas, miedos y pecados. Al mismo tiempo, hemos crecido en el conocimiento de lo que realmente somos ante Dios y la misión que Él nos ha dado. Conocer nuestra nada y conocer el amor de Dios por nosotros son los fundamentos de la virtud de la humildad.

En la oración del *Magníficat*, María habla de su pequeñez ante el Señor: «Él ha mirado la pequeñez de su esclava». Pero ella también proclama: «El Todopoderoso ha hecho obras grandes por mí». La humildad de María no la conduce a pensar negativamente acerca de sí misma. **Ella es humilde porque conoce a Dios íntimamente y le da toda la gloria por quien ella es.**

20. María, en su humildad, proclama la grandeza del Señor —Diario de una MDC

> *«Proclama mi alma la grandeza del Señor». Pequeña Mía, estas son las palabras de Mi Madre al entrar en la casa de Isabel. Medita estas palabras Conmigo. Mi madre vivió su vida en alabanza al Padre. Ella vivió siempre consciente de quién es el Padre. Su alma estaba en un estado constante de sobrecogimiento.*
>
> *En el momento de la Encarnación, Mi Corazón humano y divino se fusionó haciéndose* Uno *con el*

de Mi madre y se consumió en el fuego de amor del Espíritu Santo. Juntos proclamamos la grandeza del Padre.

Al tener conocimiento de la grandeza y la majestad de Dios, María tenía también conocimiento perfecto de sí misma; por eso afirma que ella es la sierva del Señor.

Hija Mía, quiero que vivas más profunda y perfectamente en el conocimiento de la grandeza, la majestad y la bondad de Abba, nuestro Padre. Así vivirás más perfectamente como Mi sierva. La sierva perfecta y santa del Señor, María Santísima, es llevada por el Espíritu Santo a servir a su prima Isabel.

¿Entiendes, pequeña Mía, la correlación directa con las Madres de la Cruz? El Espíritu de Dios mueve a los corazones puros y humildes a servir como siervas a sus hermanos e hijos, conscientes de quién es Dios, así se hacen siervas de Dios. El verdadero conocimiento de Dios siempre moverá al alma a servir en la más pura humildad.

Vosotras sois las siervas del Señor; serviros unas a otras conscientes de la inmensidad del amor de Dios (18/09/11).

B) LA PERSONA HUMILDE DICE LA VERDAD Y VIVE EN LA VERDAD

Jesús revela su identidad: «Yo soy la luz del mundo; el que me siga no caminará en la oscuridad» (*Jn* 8, 12). Los fariseos lo condenaron por decir la verdad: «Tú das testimonio de ti mismo: tu testimonio no vale» (*Jn* 8, 13). Jesús insiste en la verdad: «Aunque yo doy testimonio de Mí, mi testimonio vale porque sé de dónde vine y a dónde voy» (*Jn* 8, 14). Jesús no se esconde en la falsa humildad. Él nos muestra la verdadera humildad al hablar abiertamente sobre quién es Él y por qué vino al mundo. Nosotros también debemos vivir nuestra auténtica identidad en Cristo sabiendo de dónde venimos, quiénes somos y nuestra misión. Entonces será Dios quien habla y se mueve a través de nosotros. La gente humilde no tiene su propia agenda; están comprometidos con la misión que Dios les dio.

El Señor quiere que tengamos la humilde audacia de decir la verdad como Él lo hizo. En la humildad no hay miedo, hay confianza, no en uno mismo, sino en Dios. Él dijo a nuestra comunidad, no teman decir la verdad del pecado en el corazón de mi pueblo con valor y amor y llamarlos al arrepentimiento a mis pies crucificados. Por lo tanto, necesitamos conocer nuestros miedos y sus raíces para que no se conviertan en una barrera que nos impide vivir y hablar la verdad:

- Temor arraigado en vergüenza y culpa. Adán y Eva se escondieron de Dios después de comer del árbol (cf. *Gn* 3, 8).
- Temor arraigado en baja autoestima; sentimiento de incapacidad para cumplir la voluntad de Dios. En la parábola de los talentos, el criado escondió el talento en la tierra (cf. *Mt* 25, 25).
- Temor arraigado en amor propio desordenado; falta de confianza. Pedro siguió a Jesús a distancia, incapaz de defenderle (cf. *Mt* 26, 58).

Los santos son a menudo estereotipados como personas que, debido a la humildad, temen, en situaciones difíciles, decir la verdad que debe decirse. No es de extrañar que santa Teresita dijera que, si los santos regresaran a la tierra, la mayoría no se reconocerían al leer lo que nosotros hemos escrito acerca de ellos. Ella se enfrentó a situaciones que todos evadían y estaba dispuesta a asumir las consecuencias. Su hermana Celina observó que ella «No era blanda ni ligera, pero la gente recurría a ella por la necesidad natural de la verdad». Teresa amaba lo suficiente como para desafiar a las almas a enfrentarse a la verdad. Este es su consejo:

> No hay que dejar que la bondad degenere en debilidad. Cuando se ha reprendido a alguien justamente, hay que mantenerse firmes, sin dejarse ablandar hasta el punto de acongojarse por haber causado dolor, por ver sufrir y llorar. Correr tras la afligida para consolarla es hacerle más daño que provecho. Dejarla consigo misma es obligarla a recurrir a Dios para reconocer sus faltas y humillarse. De otra manera, se acostumbraría a recibir consuelo después de una reprimenda merecida y, en las mismas circunstancias, actuaría siempre como una niña mimada que grita y patalea hasta que su madre viene a enjugarle las lágrimas[84].

Santa Teresita podía ser sincera con los demás porque primero buscó la verdad sobre sí misma. Ella dijo, «yo preferiría mil veces recibir reproches que reprochar a los demás»[85]. Es esta humildad la que dirige la corrección hacia la verdad sanadora de Cristo.

---

[84]«Ultimas conversaciones de Sta. Teresita de Lisieux», http://www.slideshare.net/EduardoSebGut/ltimas-conversaciones-santa-teresita-de-lisieux.

[85] *Historia de un alma: Autobiografía de santa Teresa de Lisieux,* trad. Benedictinos de santa Escolástica, Arg,, 387, https://books.google.com.

c) La persona humilde vive para complacer a Dios por encima de todo

San Pablo sabía que aprendemos a ser humanos siendo *Uno* con Jesús, por eso nos exhorta:

> Tened entre vosotros los sentimientos propios de Cristo Jesús. El cual, siendo de condición divina, no retuvo ávidamente el ser igual a Dios; al contrario, se despojó de sí mismo tomando la condición de esclavo, hecho semejante a los hombres. Y así, reconocido como hombre por su presencia, se humilló a sí mismo, hecho obediente hasta la muerte, y una muerte de Cruz. Por eso Dios lo exaltó sobre todo y le concedió el Nombre-sobre-todo-nombre[86].

San Pablo vincula la humildad de Cristo a su obediencia «hasta la muerte de Cruz» porque Él vive únicamente para agradar al Padre. Podemos pensar que somos obedientes, pero si no somos obedientes hasta la Cruz, permanecemos débiles, mediocres, aduladores y serviles. Esta no es la verdadera obediencia ni es humildad; es adolescencia espiritual. Jesús «se anonadó a sí mismo» para enseñarnos el camino. Como hemos aprendido en este capítulo, debemos estar dispuestos a arrancar de raíz nuestros pecados, miedos y tendencias desordenadas para que podamos llegar a conocernos y vivir para agradar a Dios. Este es el propósito del Camino.

---

[86] *Flp* 2,5-9.

21. Permite a tus desórdenes salir a la luz

—Diario de una MDC

> *Confía y, con perseverancia paciente, permite que todos tus desórdenes salgan a la luz. Es solo de esta manera que puedes ser purificada en el horno del amor de Dios* (6/8/13).

MÁS ALLÁ DE SER «BUENA GENTE»

Jesús no se anonadó a sí mismo para ser «buena gente», sino para cumplir la misión del Padre. El concepto de «buena gente» no aparece en la Biblia.

La mayoría de nosotros queremos ser «buena gente», sin darnos cuenta de que eso es vivir esclavizados a lo que otros piensen de nosotros. Pasamos por la vida buscando aceptación, temiendo ser rechazados o ignorados. El resultado es que rara vez decimos la verdad.

El Dr. Raymond Richmond distingue entre ser "buena gente" y la virtud de la humildad[87].

> La virtud de la humildad, con frecuencia, se confunde con el ser «buena gente». La verdad es que Cristo era humilde, pero no era lo que llamamos «buena gente». Nos amaba —decía la verdad—. Él era la verdad, pero no era meramente «buena gente». Ser «buena gente» hoy en día significa ser alguien que lo acepta todo, hasta el pecado. ¿Por qué? Porque el motivo inconsciente profundo para ser «buena gente» es el temor, el temor a que, si dices la verdad, ofenderás a alguien que entonces te rechazará y abandonará. Amar es decir la verdad y, con franqueza y sin prejuicios, llamar al pecado por su nombre...
>
> Vivir en la humildad es vivir siempre en la confianza total del amor, la protección y la guía de Dios y, por lo tanto,

---

[87] *ChastitySF.com.*

no tener ninguna preocupación por uno mismo cuando los demás te insultan o te alaban. Seguro en el amor de Dios, no tienes que basar tu identidad en si te reconocen o no[88].

Nuestra auto-imagen no puede depender de lo que otros piensan de nosotros. San Francisco dijo: «Soy tan solo lo que soy ante Dios». La Santísima Virgen fue capaz proclamar lo que Dios hizo en ella porque no estaba preocupada pensando que su prima Isabel podría juzgarla de vanidosa. Su corazón estaba centrado en Dios, y su deseo era agradar a Dios.

NO SOMOS FELPUDOS[89]

Jesús nos manda a tomar nuestra Cruz y seguirlo, pero eso no quiere decir que aceptemos comportamientos abusivos. Permitir que otros nos usen como felpudos o ser incapaces de defendernos, es vivir oprimidos, no es humildad. Jesús vino a liberarnos de desórdenes, miedos, heridas y disfunciones. Si permanecemos en ellas, no podemos crecer en la humildad.

Lucas 4, 18
El Espíritu del Señor está sobre mí,
porque me ha consagrado
para llevar a los pobres
la buena noticia de la salvación;
me ha enviado a anunciar
la libertad a los presos
y a dar vista a los ciegos;
a liberar a los oprimidos.

[88] http://www.chastitysf.com/4humility.htm.
[89] Tapetes de piso.

D) LA PERSONA HUMILDE ES CAPAZ DE EJERCER PODER Y AUTORIDAD

Contrariamente a la creencia popular, la humildad es compatible con el ejercicio del poder y de la autoridad. En realidad, quien es humilde opera con un mayor poder y autoridad —la del Espíritu Santo. San Pablo, escribiendo a los Colosenses, ora para que sean «fortalecidos con todo poder» (*Col* 1, 11). Por eso, los humildes no se aferran a los poderes del mundo, pero si Dios los llama a una posición de autoridad, la ejercen con humildad para su gloria.

A través de su humildad, Jesús manifestó el poder y la autoridad de Dios. El Evangelio de Lucas dice: «Todos quedaban impresionados por sus enseñanzas, porque les hablaba con autoridad»[90] y «¡Manda con autoridad y poder a los espíritus impuros, y ellos salen!» (*Lc* 4, 36).

Jesús quiere darnos su poder; pero para usarlo bien, necesitamos tener su humildad. Él dijo: «Recibiréis la fuerza del Espíritu Santo que descenderá sobre vosotros». Jesús espera que sus seguidores utilicen este poder no para ellos, sino para su misión: «... y serán mis testigos» (*Hch* 1, 8). Esto es humildad.

Las Escrituras están llenas de hombres y mujeres humildes que actúan con el poder y la autoridad del Espíritu Santo. En los Hechos de los Apóstoles vemos un sinnúmero de ejemplos: «Los Apóstoles daban testimonio con mucho poder de la resurrección del Señor Jesús» (*Hch* 4, 33). Vemos hombres que realizan milagros, «Esteban, lleno de gracia y de poder, hacía grandes prodigios y signos en el pueblo» (*Hch* 6, 8). Nosotros también necesitamos el poder y la humildad de Dios para ser sus testigos en nuestras vidas ocultas y ordinarias.

---

[90] Lc. 4, 32, BLP.

22. En la humildad de san José, Dios manifiesta su poder —Diario de una MDC

San José centró su vida en la oración y el silencio. Meditó la Palabra de Dios todos los días con humildad, sin buscar lugares de honor para sí mismo. Vivía satisfecho de estar oculto. Por la humildad y pureza de su corazón, fue capaz de ver la pureza y la santidad de María. Cuando supo que María estaba embarazada, Él, por su humildad, entró en lo escondido de su corazón y trató de conocer la voluntad de Dios. Esto es lo que hace a un hombre grande: buscar la voluntad de Dios en todas las cosas. ***Mi poder y fuerza se manifestaron en su docilidad y ternura de corazón****. Cuando los hombres se aparten de sus tendencias humanas de controlar y confíen plenamente en Mí, comenzarán a poseer el verdadero poder de Dios. San José acogió a María como la Madre de Dios y humildemente creyó. Abrazó la misión de Dios revelada y contenida en María, la más humilde* (19/3/11).

23. La humildad nos permite ser el sacrificio de amor de Jesús —Diario de una MDC

Desearás la salvación de todos tus hermanos y hermanas y te olvidarás de ti misma; recibirás el poder del Espíritu Santo para entregar tu vida como Mi sacrificio de amor para la salvación de muchos (1/3/11).

24. Sé constante —Diario de una MDC

> *Sé constante... sufriéndolo todo Conmigo en Mi sacrificio de amor y serás testigo del poder del Amor... Crecerás en gran poder y fuerza, no en los caminos del mundo, sino en los caminos de Dios* (03/30/12).

E) LA PERSONA HUMILDE ES VALIENTE Y TIENE CELO POR LA CASA DEL SEÑOR

Jesús le dijo a Pedro: «Navega mar adentro, y echad las redes» (Lc. 5, 4). Jesús está llamando a cada uno de nosotros a ir a lo profundo. Se necesita valor para dejar la seguridad de la orilla y vivir en la profundidad de la fe, la esperanza y el amor, donde ya no estamos en control. Pedro tuvo la humildad de abandonar sus planes, sus seguridades, incluso su experiencia como pescador, y nadar contra la corriente del mundo en obediencia al Señor.

Don Mauro Giuseppe escribió acerca de los santos:

> Ellos tenían imperfecciones, pero estaban llenos de coraje. Eran humildes en que vivían radicalmente la llamada al amor y se entregaron por completo[91].

La humildad abre el camino para la valentía. Una persona humilde ha renunciado a su ego por el Señor y puede hacer lo que es más difícil. Es capaz de escuchar y responder. Tal persona vuela en las alas del Espíritu Santo a la unión con Dios.

---

[91] Dom Mauro Giuseppe Lepori, «Magnificat» (Sept. de 2013).

F) La persona humilde tiene la inocencia de un niño

Como un niño confía en su padre, vivimos en completa dependencia de Dios porque conocemos su amor y somos capaces de confiar en Él.

Isaías 66, 12-13
Pues así dice el Señor:
… Mamaréis mecidos en los brazos,
acariciados sobre las rodillas;
como a un niño consolado por su madre,
así pienso yo consolaros.

Como madre, puedo identificarme con este pasaje de la Biblia porque llevamos a nuestros hijos en nuestras caderas y los colocamos sobre nuestras rodillas para confortarlos y para jugar con ellos. ¿Hemos llegado a conocer así el amor de nuestro Abba? ¿Creemos que Él nos lleva sobre sus caderas, que se deleita en nosotros y nos consuela? Como sus hijos, ¿vivimos con la seguridad de saber que estamos en las palmas de sus manos? Solo una persona con inocencia de niño conoce al Padre de esta manera íntima. Por eso Jesús exclamó: «Te alabo, Padre, Señor del cielo y de la tierra, por haber ocultado estas cosas a los sabios y a los prudentes y haberlas revelado a los pequeños»[92]. Jesús enseña que nuestra salvación no solo depende de tener la humildad de un niño, sino también de acogerla y protegerla en los demás.

Mateo 18, 3-6

Os aseguro que, si no cambiáis de conducta y volvéis a ser como niños, no entraréis en el Reino de los Cielos. El más importante en el Reino de los Cielos es **aquel que se vuelve pequeño como este niño.** Y **el que recibe en mi nombre a un niño como este**, a mí me recibe. **Pero a quien**

---

[92] *Mt* 11, 25.

sea causa de pecado para uno de estos pequeños que creen en mí, más le valdría que lo arrojaran al fondo del mar.

Tener la inocencia de un niño también significa estar tan inmersos en la confianza en Dios que avanzamos en su voluntad sin dar lugar al temor o a consideraciones humanas. Un ejemplo de esto es David, cuando él se lanzó a luchar contra Goliat seguro de poder vencer al filisteo con una honda y cinco piedras «en el nombre del Señor de los ejércitos»[93].

25. David confió en Dios con la inocencia de un niño

—Diario de una MDC

El Espíritu Santo trajo a mi mente a David y Goliat.

¿Cómo puede ser que el pequeño, que no podía portar la armadura de los grandes guerreros, derrotase al gigante? Los caminos de Dios nunca son los caminos del mundo. Él llevaba la armadura de Dios y poseía el poder de Dios. Él confió en Dios con la inocencia de un niño. Dios venció al enemigo por medio de su humilde instrumento para que toda la gloria fuese para Dios y no para el hombre. ***El enemigo será vencido y todas las cosas serán hechas nuevas, pero nunca según el mundo****. Dios ha elegido dar la espada de la justicia a Su granito de mostaza.*

*Debéis permanecer pequeños, insignificantes e inocentes, bebiendo la leche pura de las palabras que os traigo (*cf.1 P 2*). ... Vivid con la inocencia de un niño la misión que se os ha dado. Sed pequeños,*

[93] Cf. *1 Sam* 17, 45.

puros y humildes, sed nada, y seré yo quien haga lo imposible. Confiad con la inocencia de un niño... porque vosotros no sois nada, pero yo soy Dios, y voy a utilizar a Mis pequeños para confundir a los poderosos del mundo. Creed en el poder de Mi Cruz y en el poder de Mi Preciosa Sangre, porque es solo a través del triunfo de Mi Cruz que será conquistada toda oscuridad. Vivid, amad y sufrid como Uno *Conmigo y os convertiréis en la espada que traspasará esta oscuridad* (12/11/11).

Una persona humilde no trata de reforzar su identidad presumiendo de títulos, logros, concesiones... Jesús dijo: «No os hagáis ilusiones pensando que sois descendientes de Abrahán. Porque os digo que Dios puede sacar de estas piedras descendientes de Abrahán»[94].

G) La persona humilde es transparente

Una persona humilde es transparente, sin máscaras, no pretende ser lo que no es, no se hace a la imagen de lo que otros esperan de ella. Dom Mauro Giuseppe Lepori escribe sobre san Pedro:

> Él siempre nos lleva a Jesús. Él nos une a Jesús porque nunca permitió que su propia fragilidad separara su corazón de Cristo, aun cuando lo negó. La transparencia de Pedro es parte del Evangelio de la buena nueva de la redención de Cristo.

La historia de la pesca milagrosa revela el corazón de Pedro. Jesús le dice que vaya de nuevo mar adentro a pescar. Pedro al principio se resiste, porque, siendo un pescador con experiencia,

---

[94] *Mt* 3, 9.

sabe que no es buen tiempo para la pesca. Sin embargo, obedece diciendo: «Maestro, hemos trabajado la noche entera y no hemos sacado nada, pero si tú lo dices, echaré las redes». Pero cuando el milagro hizo que Pedro viera su falta de confianza en el Mesías y su forma caprichosa de actuar, se arrepintió y «cayó de rodillas ante Jesús». Imagínense este gran pescador, este hombre impulsivo y tosco, cayendo a los pies de Jesús para pedir perdón. Le dice: «Señor, apártate de mí, que soy un pecador» (*Lc* 5, 8). Esto es transparencia. ¡Jesús hace a este hombre imperfecto pero humilde, el primer Papa!

Nadie es humilde y transparente desde el comienzo de este camino. Crecemos en estas virtudes a medida que nos sometemos al Espíritu y vivimos el Camino en nuestras pruebas y situaciones cotidianas. Estas son oportunidades para descubrir a Jesús, como lo hizo Pedro, y armonizar nuestros pensamientos, palabras y acciones con los suyos en una relación íntima constante.

26. Florecer en la humildad —Diario de una MDC

Un día, cuando entré en el jardín de mi casa, vi que la planta de gardenia había florecido. Enseguida me acerqué para oler las flores y me llené de gozo por la fragancia. Más tarde, mientras oraba en mi habitación, Jesús me enseñó:

—Hija Mía, una planta embellece cuando comienza a florecer. La gardenia en tu jardín es una planta preciosa, pero el día que caminaste en tu jardín y viste sus flores, le diste mayor atención y te llenaste de gozo. Ella te llamó, a través de su hermosa flor, para que te agacharas a olerla.

Esta es una analogía del alma humana cuando comienza a florecer en la verdadera humildad. Da una gran alegría al Padre y Él se inclina para oler su fragancia de humildad, llenándose así de gozo el Corazón de Dios.

—Mi Señor, ¿cómo crece un alma en la belleza de la humildad?

—Para que una planta florezca debe ser regada y nutrida y debe vivir bajo los rayos del sol. Un alma, de igual manera, debe nutrirse de la oración diaria, de la Eucaristía, ser podada en el Sacramento de la Penitencia y vivir en la luz del Espíritu Santo. Pero para que la humildad pueda matar las raíces profundas del amor propio, del orgullo y de la vanidad en un alma, ésta debe ir a Mi Cruz para que su corazón sea arado con mis espinas y llagas (3/11).

27. La rosa roja de la humildad —Diario de una MDC

María: *La humildad es la rosa de pura fragancia que deleita el Corazón del Padre. Sus pétalos se abren y expanden revelando la belleza de su vida interior.* ***La humildad en su perfección es roja, por eso te revelo una rosa roja. La humildad se viste de la Preciosa Sangre de mi Hijo.***

—Su fragancia pura es el amor en el sufrimiento.

—Su belleza es Amor Crucificado.

—Sus pétalos son la obediencia, la pobreza, la fe, el silencio, el recogimiento, la honestidad, la verdad, la inocencia, la audacia, el celo por la casa del Señor, la ternura, la bondad, la perseverancia...

Todos sus pétalos han florecido de la pureza del Sagrado Corazón de Jesús. El resplandor y la belleza de cada pétalo es la pureza de Dios. Sed vosotros las rosas de humildad a los pies del trono del Padre (22/08/12).

Reza la *Letanía de la Humildad* que están al final del libro.

«Espero compasión y no la encuentro,
en vano busco un consuelo»
Salmo 69,21

Capítulo Tres

Pasaje por el costado traspasado de Jesús

«El costado de Cristo es la puerta que conduce a su Corazón»
San Bernardo de Claraval

A los pies de nuestro Señor crucificado comenzamos a conocer su amor y a conocernos a nosotros mismos. Esta preparación es necesaria, pero el Señor no quiere que nos quedemos a sus pies. Él quiere llevarnos a su Corazón para que lleguemos a ser *Uno* con Él.

Llegamos al Corazón del Señor a través del pasaje abierto por la espada. Este pasaje es un camino —un proceso necesario— que transforma nuestros corazones, de ser suelo rocoso, duro e infértil, a ser corazones dóciles y tiernos. Este proceso es doloroso porque nuestros corazones han de ser traspasados como los de Jesús y María. Conforme nos preparamos para entrar en el Sagrado Corazón, la sanación de nuestras heridas entra en un nivel más profundo y somos tentados a encontrar excusas para desistir y seguir a Jesús desde una distancia cómoda. Necesitamos perseverar unidos a nuestra Madre María.

28. El Corazón traspasado de mi madre se fusionó al mío

—Diario de una MDC

El traspaso con la lanza abrió para ti un pasaje a Mi Corazón. Mi Corazón se abrió con el traspaso de la lanza para que todos entren. Mi Madre recibió ese mismo traspaso en su corazón y sufrió el dolor y la tristeza que yo ya no podía sufrir. Este traspaso fusionó nuestros corazones haciéndolos eternamente Uno. Por esto María es la puerta para entrar en Mi Amor Crucificado y Mi Corazón. El Espíritu Santo te eleva de Mis pies al pasaje de Mi costado. Es en este pasaje abierto por la lanza donde te vas perfeccionando en Mis virtudes.

Tu alma ha de revestirse con las virtudes de la verdadera humildad y pureza antes de entrar en el fuego de Mi Corazón. La obra del Espíritu Santo, con Mi madre, forma estas virtudes en tu corazón y alma.

La humildad se adquiere por medio del continuo conocimiento de tu miseria y de Mi misericordia y amor. Has recibido el don del conocimiento a Mis pies y debes mantenerte siempre envuelta en este don.

La pureza de mente, corazón, alma y cuerpo se logra conforme entras en contacto Conmigo, que Soy todo puro y santo. Mi madre, que es toda pureza, te revestirá con la vestidura blanca de la pureza.

Ella te irá lavando poco a poco de todo el barro que queda en ti después de que te saqué del pantano de tu miseria con el madero de Mi Cruz. Por medio de la humildad y la pureza, si perseveras en la oración, alcanzarás con rapidez la perfección en todas las demás virtudes (04/03/11).

3–A: Sufre con Él

— TENEMOS QUE TOCAR SUS HERIDAS —

Cuando entramos en el costado de Jesús en camino a su Corazón, nuestros propios corazones se purifican al entrar en contacto directo con sus heridas. San Bernardo escribe lo siguiente:

> El secreto de su Corazón queda al descubierto en las llagas de su cuerpo; podemos contemplar el sublime misterio de la bondad infinita de nuestro Dios; ... la misericordiosa ternura de nuestro Dios[95].

---

[95] San Bernardo de Claraval, *Sermón LXI acerca del Cantar de los Cantares*, 41, http://www.apostleshipofprayer.net.

Pero si no tocamos sus heridas, el amor no pasa de ser una idea en nuestra mente que no logra sanar nuestros corazones. **Al tocar sus heridas tocamos su amor**, el amor con el que dio su vida por nosotros. Lo vemos en la falta de fe de Santo Tomás que rehusó creer a menos que tocase las heridas de Jesús: «Si no veo en sus manos la señal de los clavos y no meto mi dedo en el agujero de los clavos y no meto mi mano en su costado, no creeré»[96]. El cinismo de Santo Tomás revela la dureza de su corazón. Entonces Jesús se le aparece y le invita a tocar sus llagas. Al tocarlas, recibe una profunda sanación. Las heridas del Señor le revelan su incomprensible amor; un amor que lo sufre todo por su amado y continúa amando aun cuando Santo Tomás lo ha abandonado y después se niega a creer en Él. Cuando el corazón herido de Tomás llega a conocer directamente el amor de Jesús a través de sus llagas, exclama: «¡Señor mío y Dios mío!» Desde ese momento, la resurrección ya no es para él un relato contado por otros.

Igual que Santo Tomás, nosotros no podemos sanarnos ni transformarnos hasta que toquemos las heridas de Cristo que nos revelan su amor por nosotros. Pero no deberíamos esperar a tener una aparición. El Señor nos dice: «Felices los que creen sin haber visto»[97]. Él quiere que toquemos sus heridas en nuestra vida cotidiana.

---

[96] *Jn* 20, 24-29.
[97] *Jn* 20, 29.

— ¿CÓMO TOCAMOS SUS HERIDAS? —

Tocamos las heridas de Jesús **uniendo nuestros sufrimientos con los suyos.** Este es el proceso necesario para la unión con Dios. San Pablo nos dice que hay una condición para ser «hijos de Dios» y «coherederos con Cristo»: **«Con tal de que padezcamos juntamente con Él»**[98]. Esto es así porque solo a través de nuestros sufrimientos somos capaces de llegar personalmente a tocar los sufrimientos de Cristo. Puedes preguntar: «¿Por qué es necesario tocar personalmente los sufrimientos de Cristo?» Porque tocar sus sufrimientos es tocar su amor.

Por ejemplo, si nunca sufrimos el dolor del rechazo, nunca podremos llegar a conocer y experimentar el rechazo que Jesús sufrió. Es solo a través de nuestros sufrimientos que podemos conocer los sufrimientos de nuestro Señor. Esta es la clave para entender el valor del sufrimiento y la razón por la que el Señor nos dijo: **«Recibe la perla preciosa del sufrimiento».**

29. En la tierra, el amor debe estar unido al sufrimiento

—Diario de una MDC

Hija Mía, el amor más puro en la tierra debe estar unido al sufrimiento. He venido desde el cielo a la tierra para sufrir en expiación por los pecados del mundo. Esto es amor.

El amor puro se da únicamente por amor. El amor de la Trinidad es amor puro; por lo tanto, el Padre da Su vida dándole al mundo Su Hijo unigénito. El Espíritu Santo —este purísimo amor— fluye, encendiendo así los corazones para que sufran Conmigo y puedan entrar en el Amor.

La Cruz, sin Mi Sagrado Corazón, es sufrimiento inútil causado por el pecado. Pero el

[98] *Rm* 8 ,17.

> *sufrimiento unido a Mi Cruz es nueva vida; es la participación en la obra de la redención, que es la participación en la vida de la Trinidad.*
>
> *Solo un corazón humilde puede captar estos misterios... Súfrelo todo con perfecta fe en Mi amor crucificado* (13/1/11).

Los santos son testigos del poder de sufrir con Cristo por su amor. Santa Teresita de Lisieux escribe: «El sufrimiento en sí se convierte en la mayor de las alegrías cuando lo buscamos como un tesoro precioso»[99]. Jesús le dijo a santa Faustina: «Hay un solo precio con el que se compran las almas, y este es el sufrimiento unido a mi sufrimiento en la Cruz. El amor puro entiende estas palabras; el amor carnal jamás las entenderá»[100].

San Luis María Grignion De Montfort:

> Dios no lleva cuenta de lo que sufres, sino de cómo sufres. Sufrir mucho, pero mal, es sufrir como los condenados. Sufrir mucho con valor, pero por una mala causa, es sufrir como mártires del diablo. Sufrir poco o mucho por Dios, es sufrir como los santos[101].

Más adelante veremos cómo sanar heridas del pasado aprendiendo a sufrirlas con Jesús. Por ahora, nos centraremos en cómo sufrir las pruebas diarias con Él.

---

[99] *Historia de un Alma*, Cap. 9.
[100] Sta. Faustina Kowalska, *Diario*, N° 324.
[101] L.M. G. Montfort, *Amigos de la Cruz*.

¿Qué significa sufrir con alguien? El Espíritu Santo me recordó lo que ocurrió hace unos años, cuando a mi hermana le diagnosticaron cáncer de pecho. Sus sufrimientos traspasaron mi corazón hasta el punto de que parecía que yo sufría más que ella, pero mi atención no estaba en mi dolor sino en el suyo. Mi corazón sangraba y lloraba mientras acompañaba a mi hermana a sus visitas al médico y a Cleveland para su cirugía. ¡Su sufrimiento y el mío eran uno!

Esto me enseñó mucho sobre el sufrimiento. Sufrir con alguien es muy diferente a sufrir solo. Cuando sufrimos con alguien, nuestra atención no está en nosotros mismos, sino en la otra persona. También es así cuando sufrimos con el Señor. Por eso, si quiero que mi vida esté centrada en Él, debo unir mi sufrimiento con el suyo y entrar en su sufrimiento. Su sufrimiento me revela su amor personal por mí. Esta unión en el sufrimiento es la clave para abrazar mis sufrimientos como una perla preciosa.

Cristo sufre todo lo que nosotros sufrimos porque nos ama. Una vez que sabemos esto, podemos responder entrando en su Corazón, recibiendo sus lágrimas y permitiéndole que nos toque con sus heridas.

La unión con Cristo en el sufrimiento y en el amor nos enseña que si nosotros, o alguien que amamos, está sufriendo, **no solo lo «ofrecemos», sino que entramos en el sufrimiento con él o ella.** Este tipo de sufrimiento nace del amor y suscita intimidad.

3–A–1
— La diferencia entre «ofrecer» y «sufrir con» —

A muchos de nosotros nos enseñaron cuando niños a «ofrecer» nuestras dificultades al Señor. Esta es una buena práctica, pero a veces «ofrecíamos» con frustración, sin saber qué otra cosa hacer, con la esperanza de que Dios use los sufrimientos para algo bueno. Pero Jesús no solo «ofreció» sus sufrimientos, sino que «sufrió con nosotros», se compadeció, padeció íntimamente con nosotros porque nos ama.

San Pablo no solo nos pide que ofrezcamos nuestros sufrimientos a Cristo, sino que también, «padezcamos juntamente con Él»[102]. Sí, tenemos que ofrecer y sufrir con paciencia, pero el **«sufrir con Él» nos lleva a vivir íntimamente con Él.** El Papa Benedicto XVI lo explica de esta manera:

> Aceptar al otro que sufre significa asumir de alguna manera su sufrimiento, de modo que este llegue a ser también mío. Pero precisamente porque ahora se ha convertido en sufrimiento compartido, en el cual se da la presencia de un otro, este sufrimiento queda traspasado por la luz del amor. La palabra latina, *consolatio*, consolación, lo expresa de manera muy bella, sugiriendo un «ser-con» en la soledad, que entonces ya no es soledad[103].

Para ilustrar cómo podemos unir nuestros sufrimientos con los de Jesús, comparto dos ejemplos que tocaron mi corazón. El primero es la experiencia devastadora de una mujer que sufrió el rechazo de su marido. El segundo, es la experiencia de una Madre de la Cruz, una mujer de nuestra comunidad, en su lucha cotidiana por tratar de alimentar a su bebé que se negaba a comer. Por separado, los dos ejemplos son tan diferentes que parecen no tener

---

[102] *Rm* 8, 12-17.
[103] Encíclica Spe salvi, № 38.

nada en común, pero cuando se ven juntos, muestran cómo TODOS los sufrimientos —incluso las más ordinarias pruebas de una madre— pueden unirse a los sufrimientos de Nuestro Señor y convertirse en fuentes de inmensa gracia.

— El rechazo del marido la lleva a Jesús —

El primer ejemplo se trata de una bella mujer cuyo marido le había dicho: «Ya no te quiero. Me quiero ir». Mirándola, pude ver su amor y su inmenso sufrimiento por el abandono y rechazo que vive en su corazón. Me dije a mí misma: «Dios mío, ¿qué puedo yo decirle a esta mujer?» Lo único que podía compartir es lo que el Señor me había enseñado sobre el sufrimiento y cómo me esfuerzo para practicarlo. Pedí al Señor que pudiera ayudarla a transformar su profundo dolor en amor y le dije: «Entremos juntas en la vida de Jesús en los Evangelios para adentrarnos en sus sufrimientos de rechazo y abandono».

Lo primero que encontramos fueron las penas de Jesús cuando volvió al pueblo donde creció. Su familia y amigos, enojados por su enseñanza, lo rechazaron. «Levantándose, lo empujaron fuera de la ciudad, hasta un lugar escarpado de la colina sobre la que se levantaba la ciudad, con intención de despeñarlo»[104]. Por eso, no pudo hacer allí muchos milagros. ¿Te imaginas el dolor de Jesús por el rechazo cuando su propio pueblo trata de matarlo?

También reflexionamos cómo Judas, uno de los amigos más cercanos de Jesús y su discípulo, lo traicionó con un beso. Le pregunté: «¿Alguna vez has tomado el tiempo para reflexionar sobre el dolor del Corazón de nuestro Señor cuando recibió el beso de la traición? ¿Puedes ver sus lágrimas y sentir su dolor a través de tu propio dolor?»

Entonces fuimos al pie de la Cruz. Le exhorté a imaginarse a Jesús mirando hacia abajo y viendo qué pocos lo habían seguido hasta el final. «¿Ves la mirada en los ojos de Jesús al ver solo a su Madre, un apóstol, y unas pocas mujeres? Después de haber amado,

---

[104] *Lc* 4, 29.

sanado, y realizado tantos milagros; después de darse por completo a todos, solo había unos pocos junto a Él». Entonces le pregunté, «¿Al sufrir el dolor de ser abandonada por tu marido, puedes entrar en el Corazón traspasado de Jesús y sentir su sufrimiento de abandono?» Le dije: «Jesús conoce personalmente el dolor de ser rechazado y ahora está sufriendo tu dolor contigo. ¿Puedes tú sufrir con Él, uniendo tus penas con las suyas para obtener gracias para tu esposo?»

Luego discutimos el discurso de Nuestro Señor en Juan 6, cuando, llegando al final de su vida, enseñó a la gente que Él es el «Pan de Vida». «Desde ese momento, muchos de sus discípulos se alejaron de Él y dejaron de acompañarlo» (*Jn* 6, 66). Contemplamos y entramos en el Corazón de Jesús mientras Él veía a sus amados abandonándole. Le expliqué que Jesús sigue sufriendo el dolor de nuestro rechazo. «¿Cuántas veces rechazamos su amor, especialmente en la Eucaristía? ¿Cuántos católicos han abandonado la Iglesia?»

Ella llevó todo esto a su corazón y, como una guerrera de amor, aceptó plenamente el poder de su sufrimiento por ser abandonada y lo unió por completo a los sufrimientos del Corazón de Jesús. Ahora se propuso sufrir con Jesús por su marido. Mes tras mes continuó amándolo a pesar de su rechazo. Tenía un grupo sólido de amigas orando por ella y por su esposo durante este tiempo difícil. Estas hermanas le dieron la fuerza para perseverar a través de su sufrimiento hasta que vivieron la alegría del regreso del esposo a su casa. La relación se sanó y hasta hoy disfrutan de un matrimonio feliz.

— TODOS SUFRIMOS RECHAZO EN ALGÚN MOMENTO —

Nuestras relaciones no se sanarán siempre como quisiéramos Todos conocemos a alguien cuyo matrimonio no se restauró aún después de años de sufrirlo todo con Cristo, pero Dios siempre permite nuestras heridas para un bien mucho mayor. Por ejemplo, tengo una buena amiga, casada por más de treinta años, cuyo esposo la abandonó y no regresó. Yo le dije: «Tu matrimonio no fue un error. Dios escogió a tu marido para ser tu esposo desde la eternidad. Ahora su alma está en peligro, y tú fuiste escogida por Dios para ser su cáliz vivo para ayudar a salvar el alma de tu esposo. Al sufrir con Jesús este abandono, obtendrás para tu esposo gracias para su salvación».

30. Me abandonaron —Diario de una MDC

Me abandonaron Mis tres apóstoles amados en el Huerto de Getsemaní, pero Abba vino a consolarme por medio del ángel y vi a cada uno de vosotros, Mis discípulos del consuelo y la reparación. Abandonaos diariamente y con sencillez a Mi abrazo en la Cruz y nunca experimentaréis el abandono porque lo tendréis TODO. Sufrí el abandono para que vosotros pudieseis entrar en la plenitud de la vida en la Santísima Trinidad, viviendo en el abrazo amoroso del Padre, del Hijo y del Espíritu Santo. Os llamo, Mi familia de Amor Crucificado, a sufrirlo todo Conmigo, para que podáis servirme de bálsamo para aliviar Mis dolores al ver a tantos de Mis hijos, especialmente Mis almas consagradas, abandonarme. Al mismo tiempo, siendo Mis discípulos reparadores, vuestro sufrir, unido al

Mío, salva a muchos del fuego de la gehenna (9/3/11).

Estemos atentos a la tendencia de absorbernos en nuestros sufrimientos porque esta es la manera en que Satanás entra en nuestras heridas para llenarlas de resentimiento, división y hasta odio. Tenemos que apelar al poder de la Cruz para que el Espíritu Santo nos saque de nuestro ensimismamiento y dirija nuestra atención hacia los sufrimientos de nuestro Señor. Debemos tener cuidado de no retirar la mirada de Él y volver a ponerla en nosotros mismos. Cuando suframos, acordémonos de MIRAR A JESÚS. Preguntémonos: «¿Cómo sufrió Jesús este dolor? ¿Cómo sigue Él sufriendo este dolor?»

Nuestro orgullo quiere aferrarse a las heridas para seguir resintiendo y odiando a quienes nos hicieron daño. De esta manera, Satanás nos mantiene en la esclavitud. Pero si contemplamos a Jesús sufriendo con nosotros y entramos en su mirada, Él nos levanta de la fosa de nuestras heridas, nos sana y nos atrae hacia Él. Recordemos que Jesús también fue abandonado, incluso en la muerte y que Él nunca nos abandonará. De esta manera, las heridas sirven como el pasaje a su Sagrado Corazón.

Demos pues gracias al Señor por nuestras heridas; por todo lo que Él hace y permite a través ellas. Al abrazar nuestra vocación, incluso durante pruebas y sufrimientos, permitimos al Señor transformarnos en hombres y mujeres nuevos.

— SU BEBÉ NO QUIERE COMER —

El segundo ejemplo es la experiencia de una Madre de la Cruz de nuestra comunidad Amor Crucificado. Su experiencia muestra cómo el Señor quiere que suframos todo con Él para que, incluso las más pequeñas pruebas de la vida diaria, puedan transformarnos y transformar al mundo.

Un día, mientras daba de comer a su bebé, la joven madre se sintió muy frustrada. Cada vez que le ponía la cuchara en la boca, él escupía la comida o la tiraba al suelo. Entonces recordó la enseñanza sobre el valor de sufrirlo TODO con Jesús y comenzó a pedirle ayuda al Espíritu Santo para vencer su ira con amor. En un momento de gracia, la frustrada madre recibió una increíble luz. Ella hizo la correlación entre su hijo que rechazaba la comida que ella le daba y los muchos católicos que rechazan a Jesús que se da en la Eucaristía. A través de su sufrimiento, ella fue capaz de dirigir su atención hacia Jesús y sufrir con Él. La tarea más ordinaria de alimentar a un niño se transformó en un momento de inmensa gracia.

Este es el poder que tiene el sufrir hasta las dificultades más pequeñas con Jesús. La joven madre entró en intimidad de amor con Jesús y así recibió la paciencia que necesitaba con su hijo.

31. Deseo y necesito que sufras Conmigo
—Diario de una MDC

> ***¿Por qué quiero y necesito que sufras Conmigo?*** *Es a través de Mi sufrimiento que llegas a conocer el Amor. El amor se purifica en el sufrimiento, pero Mi sufrimiento es amor puro; por lo tanto, cuando sufres Conmigo, tu amor se purifica en Mí. Este sufrir Conmigo y amar Conmigo trae nueva vida, una nueva creación.*
>
> ***Al permitir que todo sufrimiento te adentre en Mis sufrimientos y tristezas llegarás a conocer el Amor****. Mi Sagrado Corazón es amor puro. Fueron creados para el Amor, pero qué pocos, pequeña Mía, llegan a conocer el Amor y entran en la alegría de vivir en el Amor* (27/08/11*).*

Sufrir es muy difícil para nosotros, por eso queremos rechazarlo. Pero el Señor nos enseña que Él permite el sufrimiento para unirnos con su amor.

32. Sufrir lleva a la unión de amor —Diario de una MDC

> *Esto me complace sumamente.* ***Confía, porque no hay un sufrimiento que Yo permita que no te lleve a la unión de amor que yo deseo.*** *Confía en el poder de sufrirlo todo siendo* Uno *Conmigo. Este es el poder que incendiará al mundo con el fuego de Mi Espíritu* (9/7/12).

—JESÚS CONTINÚA SUFRIENDO CON NOSOTROS—

Jesús continúa sufriendo con nosotros porque Él continúa amando. San Agustín escribió:

> Cristo fue ya exaltado sobre los cielos; pero sigue padeciendo en la tierra todos los trabajos que nosotros, que somos sus miembros, debemos padecer. Él lo demostró cuando exclamó: «Saulo, Saulo, ¿por qué me persigues?» y cuando dijo: «Tuve hambre, y me disteis de comer»[105].

Cuando unimos nuestros sufrimientos a los de Jesús, saciamos su sed de amor puro. Él entonces profundiza su unión con nosotros y sana nuestro egocentrismo. El Papa Benedicto XVI escribe:

> «Cristo me amó y se entregó por mí» (*Ga* 2, 20). Ante un amor tan desinteresado, llenos de estupor y gratitud, nos preguntamos ahora: ¿Qué haremos nosotros por él? ¿Qué respuesta le daremos? San Juan lo dice claramente: «En esto hemos conocido el amor: en que él dio su vida por nosotros. También nosotros debemos dar nuestra vida por los hermanos» (1 *Jn* 3, 16). **La pasión de Cristo nos impulsa a cargar sobre nuestros hombros el sufrimiento del mundo,** con la certeza de que Dios no es alguien distante o lejano del hombre y sus vicisitudes. Al contrario, se hizo *Uno* de nosotros para poder compadecer Él mismo con el hombre, de modo muy real, en carne y sangre… Por eso, en cada pena humana ha entrado *Uno* que comparte el sufrir y padecer[106].

---

[105] *Sermones de San Agustín*, citado en el Oficio Divino en la Solemnidad de la Ascensión.
[106] *Discurso a los jóvenes*, Madrid, España, 19 de agosto de 2011, w2.vatican.va.

En la encíclica *Spe salvi*, el mismo Papa escribió:

Sufrir con el otro, por los otros; sufrir por amor de la verdad y de la justicia; sufrir a causa del amor y con el fin de convertirse en una persona que ama realmente, son elementos fundamentales de humanidad, cuya pérdida destruiría al hombre mismo. Pero una vez más surge la pregunta: ¿somos capaces de ello? ¿El otro es tan importante como para que, por él, yo me convierta en una persona que sufre? ¿Es tan importante para mí la verdad como para compensar el sufrimiento? ¿Es tan grande la promesa del amor que justifique el don de mí mismo?

En la historia de la humanidad, la fe cristiana tiene precisamente el mérito de haber suscitado en el hombre, de manera nueva y más profunda, la capacidad de estos modos de sufrir que son decisivos para su humanidad. La fe cristiana nos ha enseñado que verdad, justicia y amor no son simplemente ideales, sino realidades de enorme densidad. En efecto, nos ha enseñado que Dios —la Verdad y el Amor en persona— ha querido sufrir por nosotros y con nosotros.

Bernardo de Claraval acuñó la maravillosa expresión: *Impassibilis est Deus, sed non incompassibilis*, **Dios no puede padecer, pero puede compadecer [sufrir con].** El hombre tiene un valor tan grande para Dios que se hizo hombre para poder con-padecer Él mismo con el hombre, de modo muy real, en carne y sangre, como nos manifiesta el relato de la Pasión de Jesús. Por eso, en cada pena humana ha entrado *Uno* que comparte el sufrir y el padecer; de ahí se difunde en cada sufrimiento la *con-solatio,* el consuelo del amor participado de Dios y así aparece la estrella de la esperanza. Ciertamente, en nuestras penas y pruebas menores siempre necesitamos también nuestras grandes o pequeñas esperanzas: una visita afable, la cura de las heridas internas y externas, la solución positiva de una crisis, etc. ... Pero en las pruebas verdaderamente graves, en las cuales tengo que tomar mi decisión definitiva de anteponer la verdad al bienestar, a la carrera, a la posesión, es necesaria la verdadera certeza, la gran esperanza … Por eso necesitamos también testigos, mártires, que se han entregado totalmente, para que nos lo demuestren día tras día. Los necesitamos en las pequeñas alternativas de la vida cotidiana, para preferir el bien a la comodidad, sabiendo que precisamente así vivimos realmente la vida[107].

33. ¿Sufrirás Conmigo para salvar almas?

—Diario de una MDC

> *¿Sufrirás Conmigo? ¿Te unirás a Mi sufrimiento para comprar la redención de muchos? Como ves, Mi sufrimiento y resurrección han comprado la salvación del mundo, pero Mi Padre, desde el principio de los tiempos, quiso que la salvación se realizase por medio de Mi Cuerpo, la Iglesia.* ***Por consiguiente, la salvación de muchas almas depende de tu respuesta a sufrir Conmigo*** (11/10/10).

Debemos reflexionar sobre el misterio de las palabras de arriba. El Señor nos dice que la salvación de muchas almas depende de nuestra respuesta a sufrir con Él. ¿Nos damos cuenta de la importancia de esta verdad en nuestras vidas? Nuestros sufrimientos unidos con los de Jesús, son el medio para ayudar a salvar las almas que Dios nos ha confiado. Somos en verdad su cuerpo, extendiéndoles su amor y salvación. ¡Dios nos necesita para salvar almas! La beata Conchita vivió esta verdad tan profundamente que clamaba con frecuencia, «Jesús salvador de los hombres, ¡sálvalos, sálvalos!».

---

[107] Papa Benedicto XVI, Encíclica *Spe salvi*, 2007, № 39-40.

3–A–2
— Sufrimiento redentor —

«Han sido comprados, ¡y a qué precio!»
(*1 Co* 6, 20)

¿Por qué Jesús pagó tan alto precio por nosotros? Lo hizo porque nos ama. Su amor apasionado culminó en su pasión en el Calvario. No vino a enseñarnos un camino fácil en este mundo sino para que podamos ser *Uno* con Él en el amor y por lo tanto en el sufrimiento.

— CORREDENTORES Y MÁRTIRES CON CRISTO —

Ser *Uno* con Cristo es ser al mismo tiempo corredentores y mártires, es sufrir por los demás. San Pablo siente «una gran tristeza y un dolor constante»[108] por los judíos separados de Cristo. Él se había hecho *Uno* con Cristo, amando y salvando. El Papa Francisco nos recuerda que la misión del cristiano es curar «las llagas abiertas y dolientes de la humanidad, que son también las llagas de Cristo»[109].

En los Hechos de los Apóstoles vemos a los cristianos actuando como corredentores y mártires, llevando la salvación al mundo. Vemos el precio que pagaron. Como Cristo, sufrieron persecución, golpes y martirio, pero nada los detenía.

El Papa Francisco nos dice que, si bien no todos obtendremos la gloria del martirio de sangre, todos estamos llamados a ser corredentores con Cristo entregando cada día nuestras vidas como mártires:

> Un cristiano que no toma seriamente la dimensión «martirial» de la vida no ha entendido aún el camino que

---

[108] *Rm* 9, 2.

[109] Mensaje a los participantes de la conferencia sobre la trata de personas, 30 de oct. de 2015, Vatican.va.

> Jesús nos ha enseñado: camino «martirial» de cada día … Este pequeño martirio de cada día o un gran martirio, según la voluntad del Señor[110].

El camino espiritual de santa Teresita de Lisieux va en esta misma línea. Muchos se sienten atraídos a su famoso dicho: «¡Mi vocación es el amor!» Sí, todos queremos amor. Pero, ¿entendemos el amor como lo entendió ella? ¿Hemos resuelto seguir el camino del amor que la hizo santa, Doctora de la Iglesia y patrona de las misiones?

Ella deseaba el martirio y lo consiguió, pero no como ella pensaba al principio. No derramó su sangre por Cristo, pero se unió a Él como corredentora y mártir de amor por todos, especialmente por los misioneros. No solo ofreció sus propios sufrimientos por ellos, sino que los acompañó desde su claustro con tan profundo amor que llegó a sufrir también los sufrimientos y pruebas de ellos y les exhortaba a vivir el mismo camino de amor radical que ella vivía. En una carta a un «hermano misionero» escribió:

> Es su [Jesús] deseo que comiences tu misión ahora mismo y que salves almas por medio de la Cruz. ¿No fue a través del sufrimiento y la muerte que Él rescató al mundo? Yo sé que tú aspiras a la felicidad de entregar tu vida por Él; pero el martirio del corazón no es menos fructífero que el derramamiento de sangre, y este martirio ya es tuyo[111].

Otra hija del Carmelo que da testimonio del valor de sufrir con Jesús para cooperar con su obra de redención es santa Edith Stein, reconocida filósofa judía que, tras su conversión entró en el convento con el nombre de Teresa Benedicta de la Cruz y fue martirizada en Auschwitz. Ella escribió:

> A diferencia de las ciencias aprendidas en la universidad, la ciencia de la Cruz se puede adquirir solo

---

[110] Papa Francisco, homilía, 11 de mayo de 2015, www.news.va.
[111] Sta. Teresita de Lisieux, *Cartas a sus hermanos misioneros*, 1895.

cuando uno llega a sentir la Cruz radicalmente. El estudiante que desea ser conocedor del misterio de la Cruz debe unir la doctrina con su vida.

Ella se preguntó por qué san Juan de la Cruz deseó sufrir y llegó a la conclusión de que su motivo no era meramente recordar o asemejarse a Cristo sufriente, sino el deseo de sufrir con Cristo por el bien del mundo, participando así activamente en su redención. Edith Stein concluyó **que sufrir con Cristo es camino de intimidad con Él y también la forma de continuar su misión de salvación.** Nuestro sufrimiento une a otros a Jesús Crucificado:

> ¿Quieres estar totalmente unida al Crucificado? Si seriamente lo deseas, estarás presente, por el poder de la Cruz, en todos los frentes, en todo lugar de dolor, trayendo a los que sufren confort, curación, y salvación[112].

Cuando abrazamos nuestros sufrimientos con la Cruz de Cristo, recibimos «el poder de Dios y la Sabiduría de Dios» (1 Co. 1,24). Este sufrimiento poderoso nos pone en la vanguardia de la batalla espiritual para sanar y salvar muchas almas en maneras que solo Dios sabe. El Padre Kosicki escribió:

> **El sufrimiento redentor no es un rechazo a la curación**; más bien conduce a la curación total, es decir, a la salvación nuestra y de los demás. Uno de los efectos de la curación es que elimina los obstáculos en nuestro interior que nos impiden reconocer la Cruz, abrazar la Cruz y abrazarla con alegría[113].

Todos nuestros sufrimientos son oportunidades para crecer en intimidad con Jesús, para que Él nos adentre en su Sagrado

---

[112] Citado por Sr. Joan Gormley en *Edith Stein and The Contemplative Vocation*. www.wf-f.org.

[113] George W. Kosicki y G.J. Farrell, *The Spirit and the Bride say, «Come!»*, (Emi Press, 1991) p. 74.

Corazón y nos revele lo profundo, lo alto, lo largo y lo ancho de su amor por nosotros y por aquellos por los que sufrimos.

Por ejemplo, si sufres por el distanciamiento y por falta de intimidad con un ser querido, dirige tu atención al Señor y deja que te revele el dolor de su Sagrado Corazón: el dolor por tantos que se distancian de Él, que ni siquiera saben lo que significa intimidad con Dios. Entonces puedes consolar al Señor y llegar a conocer su Corazón. Esta intimidad de sufrir personalmente con Cristo es amor y solo el amor tiene el poder para bendecir y transformar los corazones.

Habiendo acompañado a Jesús en sus penas, pídele que te acompañe en las tuyas: por tu cónyuge, matrimonio, hijos, padres, amigos… Él te mostrará que esas penas ya están en su Corazón. Ahora te das cuenta de que Jesús se preocupa, sufre, te ama y está contigo en tus penas. **Él te da fuerza para amar a los que te han herido y para interceder por ellos** y por muchos otros.

El Señor te pedirá que estés atento a los dolores, miedos y heridas en el corazón de las personas a tu alrededor. A través de ellos, entras en el dolor de Dios por la humanidad. Te harás pobre, llorarás, serás manso, tendrás sed de justicia, serás misericordioso, pacífico, serás perseguido… ¡Vivirás las bienaventuranzas! Si perseveras, tu vida ordinaria dará frutos extraordinarios, más allá de tus límites de tiempo y espacio.

34. Cómo vivir siendo sus compañeros de amor
—Diario de una MDC

Le pregunté a Jesús cómo vivir siendo Su compañera de amor. Es fácil cuando estoy en oración y Él me permite sentir Su presencia y ver Su mirada, pero durante el día hay tantas distracciones.

Jesús me dijo:

*Presta atención a cada persona que encuentras en tu vida. Yo vivo en ellos. Sufro por ellos y con ellos. Este es Mi cuerpo (*Mt *25, 31-41). Pequeña Mía, ten la docilidad de corazón para recibir el quebranto de todos en tu corazón siendo* Uno *Conmigo. Esto es participar en el amor de la Trinidad: Recibir las heridas de tus hermanos y ofrecer el sacrificio de tu vida, siendo* Uno *Conmigo, para la salvación y santificación de ellos. Esto es amor* (18/2/13).

3–A–3
— «Por sus heridas fueron sanados»[114] —

En el capítulo dos: *Al pie de la Cruz,* vimos la importancia de cavar profundo en nuestro interior para arrancar todas las raíces de nuestro pecado. Ahora vamos a ver que, enterrado con nuestros pecados, hay también un enjambre de **tendencias desordenadas**, ansiedades y miedos que **infectan a nuestras heridas**. El demonio ha explotado esas heridas para separarnos de Dios y para impedir que recibamos y demos amor. Cuando nuestras heridas se sanan, el enemigo no puede explotarnos como antes.

---

[114] *1 P* 2,24.

— ¿CÓMO SE SANAN NUESTRAS HERIDAS? —

SOLO LAS HERIDAS DE JESÚS SANAN

Ya hemos aprendido que somos sanados tocando las heridas de Jesús. Solo sus heridas sanan porque, a diferencia de nosotros, Él las sufrió voluntariamente con amor puro y con perdón, por eso Satanás no las pudo infectar con odio o con ningún otro veneno. Esto significa que las heridas de Cristo revelan y transmiten, en vez de derrota, la victoria de su amor. Isaías escribió: «Él fue traspasado por nuestras rebeldías y triturado por nuestras iniquidades. El castigo que nos da la paz recayó sobre Él y por sus heridas fuimos sanados»[115].

RECONOCEMOS QUE ESTAMOS HERIDOS Y BUSCAMOS CONOCER LAS HERIDAS

Para permitirle a Jesús tocar y sanar nuestras heridas, debemos reconocer que las tenemos. Al pie de la Cruz pedimos al Señor por el don de autoconocimiento. Pedimos específicamente conocer nuestras heridas, todas ellas, tan reales y profundas como son.

HEMOS REPRIMIDO NUESTRAS HERIDAS Y LAS HEMOS METIDO EN NUESTRO «CUARTO OSCURO»

Por ser dolorosas, las hemos reprimido y puesto en el cuarto oscuro de nuestro subconsciente, donde permanecen encerradas y fuera de vista. ¿Cómo reprimimos nuestras heridas? Tratando de olvidar, manteniéndonos ocupados y entretenidos, usando máscaras para crearnos una nueva imagen y construyendo murallas para aislarnos de cualquier cosa que nos recuerde esas heridas. Pero las heridas continúan causando profundo dolor y afectando nuestras vidas.

Es necesario entrar en el cuarto oscuro donde se encuentran esas heridas, pero es difícil porque tenemos miedo de enfrentarlas. Por lo tanto, debemos entrar en batalla usando las armas espirituales

---

115 *Is* 53, 5.

que Dios nos da (fe, valentía, humildad, etc.) para quitarnos las máscaras, las excesivas actividades, las murallas. Tenemos que darle al Espíritu Santo autoridad sobre nuestras vidas. Permitirle desbloquear el cuarto oscuro y **traer nuestras heridas a la luz de nuestra conciencia.** Dios Padre enseñó a santa Catalina de Siena que debemos trabajar duro para traer al «trono de la conciencia» lo que está oculto en nosotros.

ANTES DE LLEGAR A LAS HERIDAS HAY QUE DESCUBRIR NUESTROS DESÓRDENES

El adquirir conocimiento de nuestras heridas es un proceso. Al cavar dentro de nosotros mismos, antes de llegar a las heridas, descubrimos **tendencias desordenadas que están afectando nuestro comportamiento. Un desorden es cualquier comportamiento que no es virtuoso, incluyendo malas actitudes.** Estos han de ser expuestos y llevados a nuestra conciencia con la luz del Espíritu Santo. Esto requiere que **estemos atentos a cómo pensamos y sentimos en situaciones que nos provocan esas malas actitudes y desórdenes.** Estas incluyen molestia, ansiedad, miedo, ira, etc.

Por ejemplo, nos encontramos con personas autoritarias y exigentes, y vemos que nuestra reacción es evitarlas, huyendo. Descubrimos que nos sentimos inferiores, con miedo o inseguridad. Otro ejemplo, me doy cuenta de que no soy capaz de decir «no» cuando debía hacerlo y después siento resentimiento, ira, frustración porque siempre actúo para agradar a los demás.

PREGÚNTATE «¿POR QUÉ?»

A medida que nos damos cuenta de nuestras tendencias desordenadas y reacciones, la pregunta clave que debemos hacernos es: «¿Por qué?», «¿por qué reaccioné de esa manera?», «¿por qué me enojé?», «¿por qué evité a esa persona autoritaria?», «¿por qué me sentí inferior o inseguro?», «¿por qué quise huir?», «por qué quise esconderme?», «¿por qué no puedo decir "NO"?»

Al preguntarnos «¿Por qué?», estamos humildemente reconociendo nuestro desorden y dándole permiso al Espíritu Santo para entrar en nuestro corazón y abrir la puerta de nuestro cuarto escondido, donde se esconden nuestras heridas. Pedimos al Espíritu Santo, por la intercesión de la Virgen María, que se nos conceda el don de autoconocimiento.

No es suficiente reconocer nuestra ira o ver que el comportamiento de otro nos causó ira. Debemos preguntar al Señor por qué reaccionamos como lo hicimos. Usualmente **esta pregunta nos llevará a memorias olvidadas**. Puede que recordemos la voz dura, rígida, exigente, de nuestro padre, madre, abuelo, maestro...

RE-VIVE LAS MEMORIAS Y SIENTE EL DOLOR

Ya sea que las heridas que recordamos hayan sido causadas por un ser querido, por un conocido, por un extraño o auto infligidas, debemos **volver a vivir las memorias con Jesús y permitirnos SENTIR EL DOLOR** que nos causaron. Esto es difícil pues tenemos la tentación, por el nerviosismo y la ansiedad, de usar el humor para tratar de esconder o reducir el dolor que sentimos por esas memorias.

Primero sentiremos ira, odio, resentimiento, aislamiento, al recordar la dureza de la voz y las acciones de esa persona. Esas emociones son como el estrato superior de un volcán. Son emociones negativas y por lo tanto no las podemos unir con Jesús para sufrirlas con Él porque su Corazón es incompatible con ellas. Debemos distinguir las emociones negativas y el DOLOR PURO de la herida. SOLO el dolor puro puede sufrirse con Jesús.

¿Qué hacemos entonces con las emociones negativas? Cuando éramos niños, a muchos nos enseñaron a no mostrar emociones negativas y por eso las hemos reprimido, pero aún nos oprimen de muchas maneras. A veces salen en maneras descontroladas. Hay una manera sana de sacar estas emociones fuertes a la superficie. Debemos reconocer que las tenemos (nuestra ira, resentimientos, odio, frustración, irritación...) y exponerlas todas, desnudándonos ante Jesús crucificado, pidiéndole que nos las quite. «Todo pensamiento humano lo sometemos a Cristo» (2 Co 10, 5).

Nombra la herida

Debajo de las emociones negativas se encuentra el dolor de nuestra herida principal. Para tocar esta herida y poseerla, tenemos que hacernos una segunda pregunta importante: «Si yo pudiera poner un nombre a mi herida que está bajo esa ira, resentimiento y aislamiento que siento, ¿cuál sería?» Las respuestas podrían ser: «no fui amado; no fui apreciado ni aceptado por quien soy; no me tomaron en cuenta; fui rechazado, ignorado, maltratado, olvidado, no deseado, ridiculizado, etc.».

Entra en el dolor
Siente el dolor puro y únelo al dolor de Jesús

El próximo paso es tomar todo el dolor que viene de nuestras heridas y unirlo al dolor de las heridas de Jesús. Por lo tanto, al sentir el dolor de no haber sido apreciados, miramos las heridas de Jesús que no fue apreciado. Jesús, que dio su vida por nosotros, ¡no es apreciado! Sufrimos nuestro dolor CON el dolor de JESÚS.

Por nosotros mismos, somos egocéntricos y nos absorbemos en nuestro dolor, por eso le pedimos al Espíritu Santo que una nuestras heridas con las de Jesús. El Espíritu Santo cambia el centro de nuestra atención, nos saca de nuestro egocentrismo y nos centra en Jesús. Es en este proceso que somos sanados.

Es difícil llegar a las heridas. La parte más difícil es identificar «LA» herida, la grande, la herida principal. He aquí una pista sobre cómo saber si se trata de la herida principal: Cuando la has encontrado, es como un puñetazo en el estómago que te noquea físicamente y te corta la respiración, te doblas de dolor, llorando en agonía. Nos resistimos a aceptarla. Si puedes hablar de ella sin volver a vivirla con verdadera emoción, no has llegado a ella todavía. Está bien, sigue profundizando.

Al enfrentar el dolor que nos causaron, **puede que nos preguntemos dónde estaba Jesús.** La verdad es que Jesús mismo estaba sufriendo con nosotros, porque somos uno de sus pequeños. «En verdad os digo que cuanto hicisteis a uno de los más pequeños de estos mis hermanos, me lo hicisteis a mí»[116]. Mientras revivimos nuestro dolor con Jesús, tenemos que unir nuestra herida a la herida que Él ya llevó sobre su cuerpo por nosotros. De esta manera, también entramos en su amor que vence todo mal. Al ver nuestras heridas en el cuerpo de Jesús, miremos a los ojos de Jesús mientras que Él nos mira y entra en nuestro dolor. ¿Qué te dice Jesús? Es en este proceso que nuestras heridas son sanadas.

NO CONFUNDAS LAS SITUACIONES QUE HAS VIVIDO NI TUS COMPORTAMIENTOS CON LA HERIDA

Abuso sexual es lo que alguien te hizo, pero la herida es más profunda. Pisotearon y aniquilaron no solo tu cuerpo sino también tu persona. La herida es no haber sido amada y protegida sino utilizada. Es el atropello a tu dignidad.

Tus comportamientos posteriores de perfeccionismo, promiscuidad sexual o consumo de drogas, adormecen el dolor de la herida, pero no son la herida.

Si creciste en un ambiente de alcoholismo, no es tu culpa ni tu pecado. Pero si sentiste abandono y aislamiento, esas son las heridas. Depresión, pensamientos suicidas, anorexia nerviosa, codependencia, son consecuencias de la herida, pero no son la herida.

Cuando encuentras la herida y la tocas, sientes que te estás muriendo de nuevo, como cuando te la infligieron. Ten paz. No rehúses —No te eches atrás. Esta vez estás siendo crucificado con Cristo en la Cruz, llaga con llaga. Él sanará y transformará la herida. No hay nada que Él más desee. Pero primero debes llevarle la herida real; no solo los acontecimientos, circunstancias, comportamientos o consecuencias. Tu parte es llevarle a Jesús tu herida.

---

[116] Mt. 25, 40.

NO ESTÁS SOLO

No temas pensando que estarás solo frente a tus heridas. Recuerda que **Jesús estaba allí cuando te infligieron la herida**. Verdaderamente Él estaba allí cada vez que te herían, pero no estabas consciente de ello. Él estaba contigo sufriendo tu herida desde el principio y ahora está contigo sanándola. Ahora, en el proceso de sanación, estarás muy consciente de su presencia.

Sola no puedes descubrir tu herida ni llevarla a Jesús. Es el Espíritu Santo quien te lleva al centro de la herida mientras Jesús allí te conforta. No puedes "trabajar" tu herida. Tú no diriges ni controlas el proceso: el Espíritu Santo lo hace. Invoca al Espíritu. Conságrate al Espíritu Santo. Repito, Él te llevará a la herida y entonces te llevará a ti con tu herida a Jesús en la Cruz. No estás solo, y no puedes hacerlo solo, pues no lograrías nada. Es Dios quien «sondea los corazones» (*Jr* 17, 10; *Rm* 8, 27) y te revela sus secretos y sus heridas para sanarlas. Esta es la obra redentora de Cristo aplicada a tu vida. Tu parte es consentir, dejar la puerta de tu corazón abierta para recibir el amor y la verdad, incluso cuando duele (esto es más difícil de lo que piensas). El Espíritu vendrá a su manera, en sus términos, cuando Él lo decida.

LAS HERIDAS SON LUGAR DE ENCUENTRO CON JESÚS

Nuestras heridas y las heridas de otros necesitan ser tratadas con cuidado y ternura, como una madre que atendería a su hijo herido. Cuando reconocemos que estamos heridos, debemos tener cuidado de **respetar el proceso de sanación —es tierra santa—. Esta herida es el lugar del encuentro con Jesús cara a cara;** esta herida será la fuente de transformación para nosotros; esta herida es el canal de la misericordia. La herida transformada es la fuente de luz para el mundo.

— RESUMEN —

1. Mis heridas han sido infectadas y causan desórdenes en mi vida.
2. Solo las heridas de Jesús pueden sanarme.
3. **Reconozco** que tengo heridas y busco conocerlas.
4. Las he reprimido y encerrado en mi «cuarto oscuro».
5. Debo llevar mis heridas a la luz de mi consciencia.
6. Antes de llegar a mis heridas, descubro cómo reacciono ante ciertas situaciones.
    a. Para descubrirlas, estoy **atento a como pienso y me siento** en las situaciones que provocan esos desórdenes.
7. Me pregunto: **¿POR QUÉ** reaccioné así?
    a. Permito que el Espíritu abra el «cuarto oscuro» donde están escondidas mis heridas.
8. Re-vivo esas memorias y permito que las emociones salgan a la luz.
9. NOMBRO LA HERIDA y entro en el dolor puro.
10. **Uno mi herida y su dolor a las heridas y dolor de Jesús**. Entro en el sufrimiento de Jesús. Sus heridas sanan las mías.

— Testimonio de un sacerdote —

Este es el testimonio de un sacerdote que, al observar el amor entre un padre y un hijo, descubrió la tristeza y anhelo en su propio corazón. Al vivir el proceso que hemos explicado, llega a tocar su herida principal, su «herida paterna»:

> Ayer, en la comida de festejo por la ordenación diaconal, el papá de un diácono dijo unas palabras. Al final, entre aplausos, fue a abrazar efusivamente a su hijo. Viéndolos tan unidos en el amor, tan afirmado el diácono, tuve una intuición de lo que mi corazón desea.
>
> En las memorias más antiguas que tengo de mis papás los veo separados, llorando y peleando. No tengo ninguna memoria de los dos juntos con cariño mutuo, viviendo su amor. Por eso, crecí en una casa donde no había amor. En mis primeras memorias personales me veo siempre solo, jugando o simplemente en silencio, solo. Mis papás se separaron cuando era niño. Viví mucha tensión, incapaz de comprender ni reaccionar ante lo que pasaba. Simplemente lo sufrí.
>
> Mi mamá intentó darme cariño, pero siempre lo rechacé. No me gustaba que me besara ni que me tocara. Ahora entiendo el motivo: nunca vi que ella fuera amada por mi papá, y por eso inconscientemente pensé que ella no era digna de ser amada. Y lo peor de todo es que nunca se formó en mí la conciencia de ser digno de amor. Cuando se me muestra amor, la herida se manifiesta: pienso que no lo merezco; no me confío; no sé cómo tomarlo; pienso que me van a traicionar.
>
> Varias veces mi papá hizo promesas: que volvería, que me traería tal o cual regalo. Todo falso: no respetó fechas, no trajo nada. Simplemente decidió que, para él, vivir solo era lo mejor. Y así lo hizo. Mi mamá entró en depresión. Recuerdo verla meses enteros en cama, llorando y lamentándose.

Mi papá no cumplió ninguna de sus dos tareas fundamentales: ni amó a mi mamá (que yo lo recuerde), ni me amó a mí. Pero no es culpa suya: él mismo abandonó su casa paterna en la juventud, por conflictos con su papá. No recibió amor. Huyó. Y por eso no aprendió nunca cómo un papá se debe relacionar con su hijo. Por eso nunca me dedicó tiempo para «explicarme el mundo», para «introducirme en el mundo».

Crecí sin recibir ese caudal de «experiencias» y «conocimientos» y «entrenamientos» que un padre imparte a su hijo, mediante largos ratos de compartir y convivir. Comparado con mis amigos, siempre me sentí en posición de desventaja: inexperto, incapaz, inseguro, retraído. Nunca aprendí a relacionarme con los demás en un clima familiar de amor y acogida incondicionales. Hasta la fecha, me cuesta mucho la convivencia con los demás, aunque la deseo fuertemente y en algunos momentos he podido gozarla.

Este sacerdote, al encontrar que una situación afectaba a su alma, estuvo atento a sus sentimientos y cavó profundo en su corazón. Se preguntó, «¿por qué?»; entró en sus recuerdos con Jesús y sintió el dolor. Finalmente se encontró con su herida principal y le puso nombre: No recibió el amor que buscaba. Por eso tuvo dificultades para recibir y dar amor.

—Nuestro dolor, unido a Jesús, nos eleva a Él—

En un mensaje a Mirjana de Medjugorje, la Virgen dijo: «[Yo] calmo vuestros dolores porque los conozco, los siento. El dolor eleva y es la oración más grande»[117]. En nuestro dolor somos capaces de entrar en la más profunda intimidad con nuestro Dios. Nadie puede participar en nuestro dolor como Jesús.

Nuestro dolor es solo nuestro. Cuando tratamos de compartir nuestro dolor para aliviarlo, no quedamos totalmente satisfechos porque nadie puede entrar totalmente en nuestro dolor, aunque esté muy cerca de nosotros. Es por eso que el Señor, en este camino, nos enseñó a entrar en el SILENCIO DEL DOLOR. A través de este silencio podemos abrazar al mismo Dios y vivir nuestro dolor como *Uno* con Él, consolando y aliviando a nuestro Señor y a nuestra Madre como ellos nos consuelan. A través de esta unión íntima de nuestro dolor con el de Cristo, somos capaces, hasta cierto punto, de conocer y vivir el dolor de los demás y ser Cristo para ellos.

—Acompañamiento—

Aunque solo Jesús puede entrar en la profundidad de nuestro dolor, también quiere obrar por medio del amor fraterno. Es una gran ayuda que nos acompañe en el proceso de sanación alguien en quien confiamos; alguien que escuche nuestras penas y nos ayude a llevar nuestras heridas a tocar las de Jesús. Como hemos reprimido estas heridas, a veces por mucho tiempo, hablar sobre ellas abre las compuertas y libera nuestro dolor[118].

---

[117] 2 de abril de 2016.

[118] Cf. «acompañamiento» en nuestra página, www.amorcrucificado.com bajo "forma de vida".

—SACRAMENTO DE RECONCILIACIÓN—

Es importante ahora recibir las gracias de sanación del sacramento de la reconciliación. Cuando confesamos nuestros pecados al Señor, presente en el sacerdote, también exponemos nuestras heridas. No solo recibimos el perdón, sino que unimos nuestras heridas a las de Cristo[119].

— TESTIMONIO DE SANACIÓN DE LA HERIDA PRINCIPAL —

Cuando me pidieron dar una charla, me quedé paralizada. Siempre había pensado que esa reacción se debía a mi personalidad tímida; pero, después de cavar en mi corazón, me di cuenta de que tenía muchos miedos. Entendí que el miedo es un desorden adquirido y que culpar a mi timidez por esos miedos es una mentira, un mecanismo de defensa que he usado desde la niñez para encubrir muchos miedos que no quería enfrentar. Así que me había pasado la vida distante, callada y poco comunicativa.

Una vez que reconocí mi miedo en esta situación, empecé a descubrir mi miedo al rechazo, a ser ridiculizada, a cometer un error. Entonces, me tuve que preguntar: «¿Por qué tengo tanto miedo de ser rechazada, ridiculizada?» En este proceso de preguntar «¿por qué?», vinieron a mi memoria acontecimientos de mi pasado que me causaron temor. Recordé las reacciones explosivas de mi madre, especialmente cuando cometía un error. Recordé que en mi niñez viví en constante miedo de la ira de mi madre. Cuando comencé a revivir estos recuerdos, de mi corazón salió ira e incluso odio, como si un volcán hubiese entrado en erupción. Estos sentimientos intensos tenían que salir antes de poder entrar en mi herida materna de no haber sentido la ternura del amor maternal. Reviví estos recuerdos dolorosos con Jesús mientras miraba a sus ojos y sentía las bofetadas de mi madre. Pude ver en los ojos de Jesús su profundo dolor por mí y también su profundo dolor por mi madre que estaba tan herida. Vi no solo mis

[119] Cf. «reconciliación» en www.amorcrucificado.com bajo "forma de vida".

heridas en Jesús, sino también las heridas de mi madre. El amor que pude encontrar en la mirada de Jesús comenzó a derretir lentamente mi ira y odio y, con el tiempo sanó mi herida materna por completo.

Cuando comencé a ver que mi timidez excesiva era un desorden de mi personalidad, una falsa identidad causada por mis heridas sin cicatrizar, el Espíritu Santo me llevó a una memoria reprimida en relación con mi padre. Mi padre siempre asistía a los partidos de fútbol de mi hermano, por eso me hice porrista (cheerleader). Durante todo un juego miré a mi padre sentado en las gradas, y yo esperaba que él me mirara, pero no me miró ni una sola vez. Al final del juego, él comentó que las porristas eran un fastidio. Reprimí mi dolor y no lloré delante de mi padre, pero, cuando reviví esta memoria, sentí una intensa tristeza y lágrimas corrieron de mis ojos. ¿Qué nombre puedo dar a mi dolor? Mi padre nunca me miró; nunca se fijó en mí. Entonces Satanás sembró la mentira en mi herida paterna de que yo no merecía que nadie se fijara en mí, por lo tanto, me volví tímida y me escondí del mundo. Reviví esta memoria con Jesús mientras miraba su dolor por tantas almas que no se fijan en Él. ¿Cuántos lo ven en la Eucaristía? Podía sentir, a través de mi dolor, sus dolores y, por medio de sus dolores, pude tocar su amor por mí. El amor de Jesús me sanó mi herida paterna.

A medida que mi herida paterna sanaba al unirse con las heridas de Jesús, empecé a ver a mi padre a través de Jesús. El Espíritu Santo me llevó eventualmente a fijarme en las heridas de mi padre que fue abandonado a temprana edad por su padre. Ahora vivo mi herida unida con las heridas de Jesús para obtener gracias de sanación para mi padre. Mi herida se ha convertido en cáliz vivo de gracia de Dios para él. ¡Esto ha llenado mi vida de propósito y de gran alegría!

— UN PROCESO EN CURSO —

Uno de los frutos de la sanación de la herida principal es que encuentras tu corazón más libre. Puedes sentir emociones de las que solo habías leído u oído, y puedes sentir en mayor profundidad emociones que ya conocías. Otro fruto de la sanación es que nos ponemos en contacto con nuestra vida interior, con nuestros corazones. Comenzamos a conocernos y a estar atentos a lo que está ocurriendo dentro de nosotros. Ya no vivimos desconectados de nosotros mismos ni de otros. Cuando vivíamos en nuestra herida éramos infelices, temerosos, deprimidos, de mal humor. Vivíamos de acuerdo con nuestras emociones, pero no estábamos conscientes de lo que ocurría dentro de nosotros. Una persona sanada está «sintonizada» con Dios. Esta sensibilidad es el medio para vivir como almas víctimas recibiendo las heridas de los demás y participando con Cristo en su redención. Una persona sanada también vive en PAZ INTERIOR, que es el GOZO en medio del dolor y los sufrimientos de la vida, porque ha llegado a conocer personalmente el amor de Dios y cree que Dios está presente con él en todas las circunstancias de la vida.

Ser sanado no significa que nuestras tendencias, temores y ansiedades desaparezcan. Todavía tenemos la tendencia a temer y esconder. Ser sanado significa que nuestras debilidades ya no controlan nuestras vidas. Nosotros las conocemos y tenemos el poder de actuar en contra de ellas. El Señor nos enseñó por amor: «Elige vivir cada día de acuerdo a lo que es más difícil y no lo más fácil». Lo más fácil para mí es aislarme durante los conflictos, así que tengo que elegir lo que es más difícil, que es permanecer en contacto y comunicarme con los demás.

— No tengan miedo —

Satanás utiliza mentiras y amenazas para hacernos vivir en el miedo, debilitarnos y oprimirnos. El miedo nos paraliza para que no tengamos la libertad de vivir la nueva vida en el Espíritu Santo. El Papa Francisco dijo:

> El miedo es una actitud que nos hace mal, nos debilita, nos empequeñece, e incluso nos paraliza. Una persona con temor no hace nada, no sabe qué hacer: es medrosa, miedosa, concentrada en sí misma para que no le suceda algo malo, algo feo. El miedo lleva a un egocentrismo egoísta y paraliza. Precisamente «por eso Jesús dice a Pablo: no tengas miedo, sigue hablando».
>
> El miedo, en efecto, no es una actitud cristiana, sino una actitud, podemos decir, de un alma encarcelada, sin libertad, que no tiene libertad de mirar adelante, de crear algo, de hacer el bien[120].

El Señor nos dice, «No tengas miedo» porque Él sabe que tenemos muchos miedos y es posible que no seamos conscientes de ello. El enemigo nos ha encerrado dentro de unos límites y nos amenaza con sufrimientos para que no nos atrevamos a ir más allá. Nos hace pensar que nuestra vida, tal cual la vivimos, es normal. Para romper ese cautiverio y esos miedos, es necesario fijar nuestros ojos en Jesús Crucificado y confiar, aunque no sepamos a dónde nos lleva. Solo entonces seremos libres y tendremos conocimiento de Dios y de nosotros mismos. Por ejemplo, pensé que mi timidez era normal y que yo no iría más allá de lo que era cómodo para mí. Sin embargo, al crecer en mi relación con Dios, pude entender que Él me pedía ir más allá y hablar en público.

Entonces, ¿qué debemos hacer con nuestros miedos? Como san Pablo, nuestro amor por Cristo debe movernos a actuar con valentía para echar fuera el miedo y sufrir todas las cosas con y por Cristo.

---

[120] Homilía, 15 de mayo de 2015, w2.vatican.va.

No es suficiente pensar que amamos a Jesús, el verdadero amor nos mueve a enfrentarnos a nuestros miedos para ir más allá y hacer lo que es más difícil.

— LLAMADOS A SER SANADORES HERIDOS —

Cuando las heridas de Cristo sanan nuestras heridas, las nuestras también se convierten en canales de la gracia sanadora de Dios para los demás. Sus heridas y las nuestras se hacen UNA. No solo podemos decir: **«Gracias a sus llagas, fuisteis sanados»** (1 P. 2, 24), sino también «gracias a nuestras heridas, unidas a las de Jesús, vosotros sois sanados».

En la imagen de la Divina Misericordia de santa Faustina, vemos sangre y agua que brotan de la herida de Jesús. Nuestras heridas, unidas a las de Jesús y sanadas, también se convierten en canales de su Divina Misericordia. Nos convertimos en «cálices vivos» de la sangre sanadora de Cristo que se vierte sobre los demás. Nuestras heridas de adicción, una vez sanadas, se convierten en fuente de gracia sanadora para todos los adictos, nuestras heridas sanadas de malos tratos se convierten en gracia de sanación para las almas que sufren de abuso, nuestras heridas sanadas de abandono se convierten en gracia para los abandonados… Siendo *Uno* con Jesús, somos capaces de ayudar a que otros entren en una nueva vida.

— TESTIMONIO —
DIOS USÓ SU HERIDA PROFUNDA PARA SANAR A LA PERSONA QUE LA HIRIÓ

Fui invitada a un seminario de mujeres el fin de semana del 30 de enero de 1998. Allí conocí a una mujer y terminé abriéndole mi corazón. Le conté que mi marido me había abandonado con dos niños pequeños y se había llevado hasta el último centavo, dejándome con un montón de deudas y sin trabajo. Mientras hablaba, no podía contener mis lágrimas. Ella me miró con frialdad y, antes de que terminara, me refirió a un sacerdote. Me acerqué a él, llena de esperanza, pero él también me cortó.

La razón por la que recuerdo la fecha de la convención es porque era mi aniversario de boda. Estar allí con mujeres que compartían lo maravillosas que eran sus vidas con sus maravillosos y exitosos maridos, era difícil porque, en un mundo perfecto, yo habría estado celebrando mi aniversario en vez de estar divorciada de un marido abusivo.

Cuando la mujer me dio la espalda fue doloroso, pero cuando el padre me rechazó, fue un traspaso a mi corazón. Lloré durante horas y horas. Lo ofrecí todo al Señor. Si hubiera sabido entonces lo que sé ahora, habría sufrido con Él.

Años más tarde me encontré con el mismo sacerdote. Él no me reconoció, pero verlo me inundó de emociones y dolor.

Cuando nuestro Señor trajo esto a la luz la semana pasada, me di cuenta de que yo tenía heridas de rechazo. Ahora era capaz de sufrirlo todo con Él y entrar en su Corazón cuando fue juzgado falsamente y rechazado. Durante días sentí el dolor del Señor junto con el mío. Le rogué que sanara mis heridas permitiéndome tocar las suyas.

No fue sino hasta ahora que me di cuenta de que, como madre espiritual, el Señor me está dando el sacerdote que hirió mi corazón hace años, como un hijo espiritual. Ahora puedo orar y bendecirlo a través de mis heridas de rechazo ya sanadas. Recuerdo haber oído en nuestra comunidad que todo lo que nos sucede puede ser utilizado por Dios para nuestro bien. Ya puedo ver lo bueno: a través de mi herida sanada y de mi sufrimiento, Jesús está sanando y purificando sacerdotes.

— TESTIMONIO —
SANACIÓN Y PERDÓN A TRAVÉS DE LAS HERIDAS DEL DIVORCIO

Recientemente sucedió algo sencillo pero profundo: he vuelto a ver a mi familia como familia. Con mi divorcio, mis hijos y yo estábamos realmente abandonados. El Señor me llevó a experimentar un cambio en mi forma de pensar y entender nuestra identidad como familia: pasé de pensar que «ya no somos familia» a pensar que «somos una familia rota». No puedo explicar lo importante que es este cambio, pero créanme que hay mucha diferencia entre no ser nada y estar roto. Jesús en la Cruz estaba roto, olvidado por nosotros que somos su esposa. Nosotros también estamos rotos pero unidos a Él. Glorifico a Dios por eso.

No puedo abandonar la Cruz. Me he dado cuenta de que Dios quería que yo continúe orando por la conversión de mi marido como lo hacía antes del divorcio. A pesar del divorcio civil y la separación, se me ha confiado, por la alianza sacramental del matrimonio, el deber de ayudarle a ir al cielo. Yo, una mujer común, he recibido una increíble expansión en mi corazón para amar con un amor que es verdaderamente divino. No puede ser de origen humano.

Esta es una gracia de sanación: En lugar de alejarme por completo de una relación con mi marido, ahora acepto que existe una relación, que, aunque rota, todavía clama por mi amor y oración.

Esta gracia fue puesta a prueba en la graduación de mi hijo. Invité a mi marido y él vino con una amiga. Sabiendo que Jesús me ama y quiere que yo ame a los demás en unión con Él, estaba lista. Antes de que llegaran a la misa tuve un momento de desolación, pero lo viví con Jesús Crucificado y le pedí un derramamiento del Espíritu Santo, el fuego del amor. En ese momento me sentí realmente sola y abandonada, pero cuando llegaron, les saludé con un amor sincero. En lugar de desolación, sentí los lazos familiares.

Creo que el Señor también está actuando en él, para que aprecie mi actuación como madre de sus hijos y para que aprecie a sus hijos. El día de las madres me envió rosas. Al principio, me pareció sorprendente y extraño, pero algunos días más tarde, después de orar, fui capaz de abrir mi corazón y recibirlas con gratitud, como un pequeño paso hacia la disposición a hablar. Yo sabía que esto era la sanación del Señor. Cuando cedo a las inspiraciones del Espíritu, aún las más difíciles, el Señor me da un enorme valor para manifestar su amor. Soy capaz de orar por la conversión de mi marido con pureza de corazón. Puedo ver que lo que es bueno para el padre de mis hijos es bueno para mis hijos. Para una persona de mi temperamento y con mis defectos, es verdaderamente milagroso amar con paz interior en estas circunstancias irregulares y extrañas. Estoy muy agradecida con el Señor por todas estas bendiciones y regalos que me están haciendo una nueva creación.

— TESTIMONIO —
UN SACERDOTE QUE VIVE EL CAMINO

Hoy vi que tenía confusión y vergüenza por haber tratado de ocultar mis pecados echando la culpa a los demás y a las circunstancias. Vi que esto es orgullo y que no estaba confiando en el Señor.

El Señor ME ASEGURÓ que Él sufrió TODO CONMIGO. Él conoce mis pecados y aún me ama. Él estaba allí conmigo cada vez que me caí; Él sigue sufriendo conmigo en mi confusión y vergüenza. Entonces me invitó a entregarle todo; me aseguró que Él quería levantar esta carga de mis hombros y sanar mi corazón… ¡Él estaba allí! ¡Él siempre estaba ahí! Entonces puedo reconocer mis pecados y arrepentirme. He encontrado la paz.

35. Súfrelo todo Conmigo —Diario de una MDC

> *Sufrir Conmigo es hacerse puro como Yo…*
> *Sufrir Conmigo es comenzar a amar conmigo…*
> *Sufrir Conmigo es convertirse en Amor…*
> *Sufrir Conmigo es entrar en la plenitud del gozo y la felicidad en la tierra* (2/11/11).

3–A–4
— Lágrimas —

Jesús, al ver a María y a los judíos llorando por la muerte de Lázaro, «conmovido y turbado… lloró»[121]. Lloró porque sufría con ellos. El Papa Francisco nos dice:

> Jesús, en el Evangelio, lloró. Lloró por el amigo muerto. Lloró en su Corazón por esa familia que había perdido a su hija. Lloró en su Corazón cuando vio a esa pobre madre viuda que llevaba a enterrar a su hijo. Se conmovió y lloró en su Corazón cuando vio a la multitud como ovejas sin pastor[122].

Jesús sufre y llora por nosotros hoy y nosotros también hemos de aprender a llorar con Él y con nuestros hermanos. Cuando al Papa Francisco, una niña de la calle de doce años le preguntó por qué Dios permite que a los niños inocentes les ocurran cosas terribles, y por qué tan pocos ayudan, él respondió:

> ¿Por qué sufren los niños? Recién cuando el corazón alcanza a hacerse la pregunta y a llorar, podemos entender algo. Existe una compasión mundana que no nos sirve para nada […] una compasión que, a lo más, nos lleva a meter la mano en el bolsillo y a dar una moneda. Si Cristo hubiera tenido esa compasión, hubiera pasado, curado a tres o cuatro y se hubiera vuelto al Padre. Solamente cuando Cristo lloró y fue capaz de llorar, entendió nuestros dramas.
>
> Queridos chicos y chicas, al mundo de hoy le falta llorar […] Ciertas realidades de la vida se ven con los ojos limpios por las lágrimas. Los invito a que cada uno se pregunte: ¿Yo aprendí a llorar? ¿Yo aprendí a llorar cuando veo un niño con hambre, un niño drogado en la calle, un niño que no

---

[121] Cf. *Jn* 11, 28-35.

[122] Encuentro con jóvenes, Manila. 18 de enero de 2015, http://w2.vatican.va.

> tiene casa, un niño abandonado, un niño abusado, un niño usado por una sociedad como esclavo? ¿O mi llanto es el llanto caprichoso de aquel que llora porque le gustaría tener algo más? [...] Si vos no *aprendés* a llorar, no *sos* un buen cristiano [...] Sean valientes. No tengan miedo a llorar[123].

Como hemos visto en este capítulo, nuestros corazones pueden perder su sensibilidad y quedar anestesiados a su dolor oculto, no solo a través de las drogas y el alcohol, sino también absorbiéndonos en el trabajo y en constantes distracciones como la televisión, la computadora, ir de compras, hacer ejercicio... Fácilmente nos podemos deshumanizar. Es necesario ir en la dirección opuesta y entrar profundamente en el dolor y la tristeza que llevamos en nuestros corazones: el dolor de ser rechazados, abandonados, dejados solos, ridiculizados, incomprendidos, ignorados... A medida que conocemos y sentimos nuestro propio dolor, somos capaces de sentir el dolor de los demás y de llorar con ellos. Entonces nuestras lágrimas se convierten en una participación en la misericordia y la compasión de Cristo.

Jesús dijo a Conchita:

> Esas son las lágrimas que deben llenar este cáliz [...] ¡Estas son las que en el mundo no encuentro [...] las que busco [...] las que en las almas que me aman de veras deben existir: lágrimas de gratitud para Conmigo [...] lágrimas brotadas por el celo de Mi gloria... lágrimas de dolor por las almas que se pierden [...] lágrimas de amor por la sed de más sufrir solo por consolarme![124].

[123] Ibíd.

[124] C. Cabrera de Armida, *Horas Santas* (México, Editorial la Cruz, 2011), p. 132.

36. Sé Mi compañera de amor —Diario de una MDC

Deseo llevarte a la profundidad de Mi Sagrado Corazón para sumergirte en el Amor. Entra en lo profundo, pequeña Mía. Entra en el mar de Mi misericordia. Ven, pequeña Mía, y sé Mi compañera de amor. Quédate con tu Dios y Salvador mientras comienza de nuevo Mi agonía. Ha llegado la hora en que el Padre apartará Su mirada del mundo. Mi Madre y Yo lloraremos por vosotros (la humanidad). ¿Quién permanecerá fiel durante la terrible y gran persecución? Permanece Conmigo y recoge Mis lágrimas para presentarlas al Padre (15/2/13).

Satanás nos ha robado nuestra verdadera identidad como hombres y mujeres creados a imagen y semejanza de Dios. Dios se hizo hombre para restaurar toda la humanidad. Cristo es el hombre nuevo, libre de las ataduras del pecado. Libre para amar con amor divino-humano. Él llora, siente y ama íntimamente; Él toca y se deja tocar; Él es apasionado; es valiente en su celo por hacer la voluntad del Padre; habla la verdad siempre; Él es la ternura consumada; Él es misericordia; Él es amor. Al recoger sus lágrimas, sufriendo con Él, el Espíritu Santo restaura nuestra verdadera identidad. Compartimos en su humanidad transformada. Recoger las lágrimas del Dios-hombre y llorar con Él es la unión más pura de corazones.

El Papa Francisco explica:

> Es de sabios reconocer los propios errores, sentir dolor, arrepentirse, pedir perdón y llorar. [...] (el) corazón corrompido ha perdido la capacidad de llorar. [...] la

conversión del corazón (es) pasar de «¿A mí qué me importa?» al llanto[125].

Las lágrimas son un don del Espíritu Santo. Se manifiestan con frecuencia en lugares de apariciones y en el bautismo en el Espíritu Santo. Las lágrimas son el movimiento de un corazón que se está descongelando después de un gélido invierno. Tendemos a pensar que, para ser santos, debemos reprimir las emociones. Más bien, debemos permitir que Dios las purifique. María es la llena de gracia y también la Madre de los Dolores, madre de lágrimas. Es así porque está llena de amor y es UNO con el Sagrado Corazón de Jesús. Ella es plenamente como Dios quiso que fuese la mujer, no arruinada por el pecado.

37. Vengo a consolarlas y a recibir su consuelo

—Diario de una MDC

Una estatua de María Rosa Mística se manifestaba con fragancia de rosas. Nuestra Santísima Madre me dijo:

Vengo esta noche, hijas mías, a consolaros en vuestro sufrimiento, pero también para recibir el consuelo de vosotras. Deseo que recojáis en vuestras manos puras mis lágrimas de sangre, y que unáis vuestras lágrimas a las mías y las elevéis al Padre en unión con la Sangre de Mi Hijo.

Vengo a fortaleceros; vengo a animaros; vengo a agradeceros, hijas Mías, porque habéis respondido a Mi llamado. El cielo se regocija al ver a las más pequeñas del Padre responder con tanto valor como cada una de vosotras lo ha hecho...

Orad esta noche con todo el corazón, suplicad conmigo ante el trono del Padre, y os prometo que

[125] 13 de sept. de 2014, http://m.vatican.va.

> *todas vuestras oraciones serán escuchadas y respondidas* (14/4/11).

El dolor de Cristo penetra hasta lo más profundo de la agonía del corazón humano. Él lloró al entrar, como hombre, en la más intensa lucha para cumplir su misión. La Carta a los hebreos nos dice que Él clamó al Padre por ayuda con «súplicas y plegarias, con fuertes gritos y lágrimas»[126]. Cuando sufrimos, lloramos y se nos hace difícil contemplar al Padre, debemos recordar que «no tenemos un Sumo Sacerdote incapaz de compadecerse de nuestras debilidades; al contrario, Él fue sometido a las mismas pruebas que nosotros, a excepción del pecado»[127].

Cristo lloró y sigue llorando y anhelando nuestra compañía. Cristo llora en la Eucaristía; llora al entrar en nuestros corazones tan heridos y cargados, pero nosotros no entramos en el suyo. Nos quedamos en la superficie porque el temor nos endurece ante la posibilidad de un encuentro más profundo. Jesús, colgado en la Cruz, sabía que muchos ni siquiera llegarían a conocer su amor ni el amor del Padre.

38. Las lágrimas traspasan los corazones endurecidos

—Diario de una MDC

> *Hija Mía, un corazón endurecido no es capaz de recibir la gracia de Dios. No es capaz de ver la gloria de Dios que se revela ante él. Yo, el Dios encarnado, estaba entre ellos y sin embargo estaban ciegos. Mi Corazón se entristecía al ver el estado de sus corazones, pues yo sabía que ni siquiera Mi crucifixión movería sus corazones.*
>
> *Hija Mía, muchos son llamados, pero son pocos los que responden. Lo que hicieron María*

---

[126] *Hb* 5, 7.
[127] *Hb* 4, 15.

Magdalena y Pedro, al venir a Mi con lágrimas de dolor, es necesario para traspasar la dureza del corazón humano sumido en el pecado.

Hija Mia, Mi Corazón se sigue entristeciendo al ver tanta dureza de corazón dentro de Mi Iglesia. Deseo que despiertes los corazones de Mis hijos con lágrimas y súplicas como solo una madre puede hacerlo (14/1/11).

Nuestras lágrimas pueden ser un signo de haber entrado profundamente en la oblación de Cristo al Padre. San Juan Vianney lloraba copiosamente al visitar el Santísimo Sacramento. También santa Faustina lloraba por amor al Señor:

> Mi cuerpo se tendió sobre el árbol de la Cruz, me doblé de terribles dolores hasta las once. Me trasladé espiritualmente al tabernáculo y abrí el copón apoyando mi cabeza en el borde del cáliz y todas las lágrimas cayeron silenciosamente sobre el Corazón de Aquel que es el único que comprende el dolor y el sufrimiento. Y en ese sufrimiento experimenté dulzura y mi alma deseó esta dulce agonía que no habría cambiado por ningún tesoro del mundo. El Señor me concedió la fuerza del espíritu y el amor hacia aquellos por los cuales me viene el sufrimiento[128].

San Pío de Pietrelcina también lloró por amor al Señor y nos exhorta a todos a llorar:

> No te apartes del altar sin derramar lágrimas de dolor y amor por Jesús, crucificado para salvarte. La Madre de los Dolores te acompañará y será tu dulce inspiración.

---

[128] Santa Faustina Kowalska, *Diario,* № 1454.

3–B: Cerrando la brecha

— San Pedro le siguió de lejos —

San Pedro es un gran ejemplo de cómo nuestras heridas y miedos nos mantienen lejos del Señor, pero también de cómo Jesús nos trae al amor filial, el amor de verdaderos amigos.

Después de la pesca milagrosa, Pedro «se echó a los pies de Jesús y le dijo: '¡Aléjate de mí, Señor, porque soy un pecador!'» (*Lc* 5, 8). Pedro manifiesta su amor por el Señor, pero más tarde vemos que su corazón seguía controlado por el miedo a sufrir. Cuando Jesús les dijo a los discípulos que Él debía ir a Jerusalén a sufrir y morir, Pedro lo reprende diciéndole: «Dios no lo permita, Señor, eso no sucederá» (*Mt* 16, 22). Pedro pensó que amaba a Jesús, pero su amor era todavía imperfecto, centrado en su amor propio y su deseo de evadir el sufrimiento; por lo tanto, no es capaz de comprender que el amor perfecto de Jesús lo llevará a dar su vida por todos.

Cuando arrestaron a Jesús y lo llevaron ante Caifás para tramar su muerte, «Pedro lo seguía de lejos» y «se sentó con los servidores, para ver cómo terminaba todo» (*Mt* 26,58). Pedro se quedó como observador mientras condenaban a muerte a Jesús, «lo escupieron en la cara y lo abofetearon. Otros lo golpeaban»[129].

Pedro luchó consigo mismo intensamente porque amaba mucho a Jesús. Poco antes, en la Última Cena, Pedro había dicho: «Señor, ¿por qué no puedo seguirte ahora? Yo daré mi vida por ti» (*Jn* 13, 37). ¿Qué le impedía a Pedro actuar como realmente deseaba?; ¿Qué lo mantenía distante de Jesús, incapaz de participar en sus sufrimientos? Era el miedo y el amor propio. su temor era mayor que su amor, por lo que procedió a negar a Jesús tres veces con las palabras: «Yo no conozco a ese hombre».

---

[129] *Mt* 26, 66-67.

Dios Padre enseña a santa Catalina de Siena sobre el amor imperfecto de Pedro:

> Con este amor imperfecto amaba san Pedro a Jesús, mi dulce y bueno y Unigénito Hijo, regocijándose suavemente en la dulzura de su conversación; pero en el tiempo de la tribulación faltó, llegando a tanto que no solo temió sufrir en sí la pena, mas también afirmó con juramento que no le conocía. Por lo cual en muchos inconvenientes cae el alma que sube esta escalera solo con temor servil y amor mercenario, pues debe levantarse y ser hijo, y servirme sin respeto de sí mismo[130].

Somos como Pedro. Amamos mucho a Jesús, sin embargo, aún queda, sin que nos demos cuenta, una distancia entre nosotros. Todavía no somos *Uno* con la pasión del amor de Jesús. Para que esto suceda, el Espíritu Santo debe transformar nuestros corazones, para que nuestro amor sea mayor que nuestros miedos. «En el amor no hay lugar para el temor: al contrario, el amor perfecto elimina el temor» (*1 Jn* 4, 18).

[130] *Diálogo*. https://books.google.com.

— Cómo el Espíritu Santo salva la distancia que nos separa de Cristo —

El siguiente resumen nos ayudará a entender:

a) Conocimiento del amor de Dios

Al conocer el amor de Dios, el miedo a Dios es remplazado por el don del Espíritu llamado **«temor de Dios»**. Por amor, tememos ofenderle y separarnos de Él por causa de nuestros pecados; nos maravillamos de su majestad y vivimos en amor filial. San Pablo nos exhorta, «Trabajen por su salvación con temor y temblor» (*Flp* 2, 12). No se trata del temor de nuestros primeros padres que, después de pecar, «se ocultaron de Él» (*Gen* 3, 8), ni del temor servil del siervo infiel que escondió los talentos[131]. Jesús le dice a santa Catalina de Siena:

> Por medio del amor se quitó la imperfección de temer el castigo y quedó la perfección del santo temor, es decir, el temor de ofender, no por miedo a ser condenados, sino de ofenderme a mí, que soy el bien supremo[132].

Pregúntate:

- ¿Realmente confío que Jesús está comprometido conmigo, a amarme y llevarme al cielo, o le tengo miedo?
- ¿Me abandono completamente en manos de Dios o hago obras para justificarme?

---

[131] Cf. *Mt* 25, 18-26.

[132] *Diálogo,* Tratado de la Discreción.

b) Autoconocimiento

Conocerse a sí mismo es esencial para cerrar la distancia entre Jesús y nosotros. Este don lo adquirimos examinando nuestro comportamiento ante el Señor, especialmente nuestras luchas, pecados y desordenes. Al conocernos, conocemos nuestros pecados y podemos arrepentirnos y seguir a Jesús de cerca.

El gran obstáculo al autoconocimiento es que creemos que amamos a Jesús, pero no vemos que nuestro amor está manchado con egoísmo. Nuestras intenciones son mixtas. El egoísmo es tan natural para nosotros que puede estar presente aun cuando buscamos hacer el bien.

Dios enseñó a santa Catalina de Siena sobre este amor imperfecto:

> Me sirven por propio interés, por la satisfacción o gusto que encuentran en mí. ¿Sabes cómo se manifiesta claramente lo imperfecto de su amor? Cuando se ven privados del consuelo que en mí hallan [...] Obro así para que se conozcan a sí mismos, lo poco que pueden por sí mismos[133].

Pregúntate:

- ¿Sigo sirviendo con amor cuando no saco ningún placer de ello?
- ¿Cómo reacciono cuando Jesús retira sus consuelos y permite que entre en batallas y momento difíciles?
- ¿Reconozco mis debilidades y mi necesidad de Dios?

[133] Ibíd.

c) Sufrir todo con Jesús, uniendo nuestras heridas a las Suyas para ser *Uno* con Él

Este ejercicio, como ya vimos, es esencial para cerrar la distancia entre Jesús y nosotros.

Pregúntate:

- ¿Creo que el Señor, en su infinito amor, quiere transformar mis heridas y sufrimientos para hacerme una nueva creación?
- ¿Creo que mis heridas, una vez sanadas, son medios para que la gracia sanadora de Dios fluya a otros?
- ¿Creo que mis heridas, unidas a las de Jesús, se convierten en el poder de Dios, el poder de la Cruz en mi vida?

d) Perseverancia en la oración y en las obras

Santa Catalina escribe: «Si estas almas no abandonan el ejercicio de la santa oración y de sus otras buenas obras, sino que siguen adelante, con perseverancia, aumentando sus virtudes, llegarán al estado del amor filial»[134]. Dios le advierte que, durante las pruebas, muchos tienden a «retroceder impacientemente y, a veces, **abandonar, bajo apariencia de virtud,** muchos de sus ejercicios, diciéndose a sí mismos: "Este trabajo no me aprovecha". Tal alma... aún no ha desenrollado el vendaje del amor propio»[135].

Pregúntate:

¿Practico fielmente lo que el Señor me ha pedido?

¿Cómo justifico mi abandono de la oración, la confesión, la vida comunitaria, etc.?

¿Permitirás que el Espíritu Santo cierre la brecha que te separa de Dios, transformando tu amor imperfecto en amor filial?

---

[134] Ibíd.

[135] Ibíd.

Jesús da su vida al Padre por esta unión: «Yo les he dado la gloria que Tú me diste, para que sean *Uno*, como nosotros somos *Uno*» (*Jn* 17, 22).

Dios describe a santa Catalina esta maravillosa unión:

> Quien me ama será una cosa Conmigo y Yo con él, y Me manifestaré a él y habitaremos juntos[136]. Esta es la unión de los que me aman porque, aunque son dos cuerpos, sin embargo, son un alma por el afecto de amor, porque el amor transforma al amante en el objeto amado y, cuando dos amigos tienen una misma alma, no puede haber secretos entre los dos[137].

[136] Cf., *Jn* 14, 23.
[137] *Diálogo*, Tratado de la Discreción.

3–C:
El martirio oculto del corazón

3–C–1
— Martirio oculto de Jesús durante toda su vida —

San Gregorio de Nisa escribió: «En esta fiesta de la Natividad [...] comienza el misterio de la Pasión»[138]. Quince siglos después, el Señor le dijo a la beata Conchita:

> Desde el primer instante de mi Encarnación ya la Cruz estaba plantada en mi Corazón, me oprimía y las espinas lo penetraban; la lanzada hubiera sido un desahogo para abrir aquel volcán de amor y dolor, pero no lo consentí hasta después de mi muerte[139].

Esta Cruz interior es el martirio que Jesús vivió porque su amor por nosotros no tiene límites. Su Sagrado Corazón sufre al vernos separados de Él. Jesús le dijo a Conchita:

> En la Cruz exterior que todos ven fui víctima agradable a mi Padre en el derramamiento de mi sangre, **pero por la Cruz interna principalmente se obró la Redención**[140].

El Corazón de Jesús es amor puro y por eso sufre infinitamente. Jesús llevó la corona de espinas en su Corazón antes de recibirla

---

[138] San Gregorio de Nisa (c.335-395), «Sermón de la Natividad de Cristo»; PG 46, 1128f.
[139] *Diario* (T. 4, p. 197-199, 25 de sept de 1894), citado por Marie-Michel Philipon, Conchita: *Diario espiritual de una madre de familia*, http://www.apcross.org/conchita/DiarioConchita-Spanish.pdf.
[140] Ibíd. T. 7, p. 333, 7 de sept. de 1896.

sobre su cabeza. Su Corazón fue herido, traspasado y desfigurado al cargar las heridas, el quebranto y los pecados de todos. Jesús vio nuestras heridas y sufrió nuestro dolor, oscuridad, ceguera espiritual, orgullo, arrogancia... También sufrió por los corazones endurecidos de todos los que viven por la ley y no por el amor. Jesús sufrió esta tortura de su Corazón en silencio, oculto. Solo lo sabía su madre que estaba unida con Él en el dolor.

Es asombroso pensar que Jesús, como Sacerdote y Víctima, sufrió su martirio interior cada día de su vida ordinaria, ofreciéndose a sí mismo al Padre por nuestra redención. **La Cruz, por lo tanto, hace visible para nosotros todo lo que Jesús había vivido toda su vida**. De hecho, Jesús reveló a Conchita que su crucifixión interior fue mucho peor que su crucifixión en el Calvario:

> Quiero que se honren particularmente los dolores internos de mi Corazón, que comenzaron en mi Encarnación hasta la Cruz y prosiguen místicamente en Mi Eucaristía. Desconocidos son estos dolores al mundo [...] Siempre han habido, hay y habrán ingratitudes y por tanto siempre mi tierno y amoroso Corazón sentirá las espinas y la Cruz. En el cielo no podía sufrir como Dios y para buscar esta Cruz que allí no existía, bajé al mundo y me hice hombre y como Dios-hombre podía en grado infinito padecer para comprar la salvación a tantas almas. No ansié en mi vida otra cosa más que Cruz y más Cruz, queriendo enseñar al mundo que esta es la única riqueza y felicidad en la tierra, la moneda con que se compra una eternidad feliz.
>
> En la Cruz del Calvario solo estuve tres horas clavado; pero en la de mi Corazón lo estuve toda la vida... eran ocultos estos dolores aún en mi vida oculta y Yo sonreía y trabajaba, y solo mi Madre vislumbraba aquel martirio que trituraba a mi Corazón amante. ¡Mi pasión externa duró

unas horas, y fue como el rocío, el alivio de la otra pasión que cruelísimamente llevaba siempre mi alma[141]!

Me sentí identificada con Jesús al leer estas palabras de Conchita: «Eran ocultos estos dolores aún en mi vida oculta y Yo sonreía y trabajaba». Yo también vivo mi vida diaria ordinaria trabajando con los deberes de mi vocación, con mis tristezas ocultas dentro de mi corazón. Muchas veces me preguntan, «¿Cómo estás?» Me sonrío y digo: «¡Estoy bien!» Sin embargo, escondidas en mi corazón están mis penas. No puedo comparar mis sufrimientos con los de Cristo, sin embargo, estas palabras de Jesús comenzaron a revelarme cómo vivir mis sufrimientos ocultos.

La mayoría de las personas pueden apreciar que el amor une los corazones «en las buenas y en las malas, en la salud y en la enfermedad», pero el amor de Cristo por nosotros va más allá de lo que podemos entender a nivel natural. Por eso, **la revelación de su amor crucificado es la mayor gracia, y el responder a esta gracia es el mayor regalo que le podemos ofrecer a Dios**. Cuando no respondemos a su amor, su sufrimiento aumenta, sin embargo, Él nos ama aun sabiendo que nosotros le vamos a traicionar una y otra vez.

Ya hemos visto que, al unir nuestro sufrimiento con Jesús, entramos en una unión más profunda con Él. Ahora Jesús nos pide que compartamos el martirio interior de su Corazón:

[141] Ibíd. *Diario* T. 4, p. 197-199, 25 de sept. de 1804.

39. Martirio del corazón —Diario de una MDC

> *El martirio del corazón es el martirio de sufrir con Amor y por Amor. Hija mía, si solo pudieras comprender el fruto del martirio del sufrimiento no desearías otra cosa en la tierra. La vida oculta de sufrir con Amor y por Amor tiene mucho más valor que grandes y pequeñas obras donde se busca el reconocimiento humano. Cree en la fuerza oculta del martirio del corazón. Esta es la fragancia más pura de amor que tiene el poder de conquistar a los enemigos de Dios* (9/11/12).

En la Cruz, Cristo revela la plenitud de su amor. San Pablo llama a esta revelación «**La Palabra [el mensaje] de la Cruz**», y enseña que es «**el poder de Dios y sabiduría de Dios**»[142]. Esto significa que, contrario a la opinión del mundo, si queremos tener el verdadero amor, poder y sabiduría, tenemos que ir a la Cruz con un corazón abierto y humilde para ser traspasados y seguir a Jesús como mártires ocultos de amor.

No vamos a seguir a Jesús a la Cruz si tenemos una idea errónea de la redención. Muchos piensan que no tenemos que hacer nada para salvarnos, sino solo creer que Jesús pagó por nuestros pecados. Según este concepto, la redención es meramente el acto legal de pagar la deuda. Esto es una mala interpretación de la redención. Ciertamente el sacrificio de Jesús es absolutamente necesario para nuestra salvación, pero aún es necesario poner en práctica lo que Jesús requiere de sus discípulos: tomar la Cruz y seguirle. En las palabras del Papa Benedicto XVI: «**Siguiendo el ejemplo de Cristo, tenemos que aprender a entregarnos por completo. Cualquier otra cosa no es suficiente**»[143].

Reflexionemos sobre la crucifixión interior de Jesús tal como la conocieron dos santas.

---

[142] *1 Co* 1, 18.24.
[143] Audiencia general, 9 de enero de 2013, pontifexcontent.

Santa Ángela de Foligno:

> Ya desde el vientre de su madre, su santa alma comenzó a sentir el sufrimiento más extremo como reparación perfecta a Dios, y esto no por sus propias faltas, sino por las faltas de la humanidad. ... Por lo tanto toda la vida de Cristo fue acompañada de sufrimientos continuos.
>
> ¿Cómo va el alma infeliz, que solo desea recibir consuelo en este mundo, ir a Él, que es el camino de sufrimiento? En verdad, el alma perfectamente enamorada de Cristo, su amado, no desearía tener otra cama o estado en este mundo que la que Él tenía. Creo que incluso María, viendo su amado Hijo lamentándose y muriendo en la Cruz, no le pidió sentir dulzura sino sufrimiento. Es en un alma signo de amor muy débil el querer de Cristo, el Amado, otra cosa en este mundo que no sea sufrimiento[144].

La mística Ana Catalina Emmerick describe en detalle la crucifixión interior de Jesús en Getsemaní, donde su Corazón y Alma son aplastados, como en una prensa de vino, por el pecado, la indiferencia y la ingratitud de la humanidad:

> Después de un tiempo su alma quedó aterrorizada ante la vista de los innumerables crímenes de los hombres, y de su ingratitud hacia Dios, y su angustia era tan grande que tembló y se estremeció, exclamando: «Padre mío, si es posible, que pase lejos de mí este cáliz», pero al momento añadió: «pero no se haga mi voluntad, sino la tuya»[145]. [...] Vi todos los pecados, maldades, vicios, y la ingratitud de la humanidad, torturándolo y aplastándolo en la tierra; el horror de la muerte y el terror que sentía como hombre a la vista de los sufrimientos expiatorios que venían sobre Él[146].

---

[144] http://www.catolico.org/santos/angela_foligno.htm
[145] *Mt* 26, 39.
[146] A. C. Emmerich, *La Dolorosa Pasión de Nuestro Señor Jesucristo.*

¿Quién ve el martirio del Corazón de Jesús en Getsemaní? Sus apóstoles duermen. Solo su Abba, su madre María que está unida de corazón y espíritu a Él, y el ángel que viene a consolarlo y fortalecerlo, participan de su agonía. Abrumado por el dolor y el terror, Jesús busca a sus amigos, Pedro, Santiago y Juan, y les pide: «permanezcan aquí y vigilen conmigo» (*Mt* 26, 38). Los apóstoles están desconcertados al ver a su Mesías tan débil y abrumado, la apariencia de Jesús los conmociona, entonces se duermen. Dormidos no son capaces de sentir las penas del Señor y, por lo tanto, no son capaces de sufrir con Él. **Nosotros también, como los apóstoles, aprendemos a buscar maneras de evitar los sufrimientos de nuestro propio corazón y los sufrimientos de los demás. Nosotros también «nos desconectamos».**

Aún muchos no entienden ni conocen la fuerza oculta del martirio interior del corazón. Sin embargo, Jesús sigue viniendo a nosotros, sus amigos, para pedirnos que lo acompañemos y que oremos mientras Él continúa sufriendo en la Eucaristía por la humanidad. Entrar en Getsemaní con Jesús, vigilar y orar con Él, es participar íntimamente con Él en su agonía de amor. El arzobispo Fulton Sheen destacó que «la única vez que el Señor pidió algo de los apóstoles fue la noche que entró en agonía. No les suplicó actividad sino una hora de compañía[147]».

---

[147] *A Treasure in Clay*, the autobiography of Archbishop Sheen, citada por www.ignatiusinsight.com.

40. La vida oculta es un compartir en la actividad de Dios
—Diario de una MDC

Siento a mi Señor en mi alma sosteniendo Su cáliz. Sus lágrimas de dolor por nuestro quebranto caen una por una en el cáliz. **Tiene sed de mi compañía**. Su mirada me invita a permanecer con Él, a tan solo estar con Él. Yo permanezco junto a Él, con Él, mientras Él llora las lágrimas de dolor de Dios por cada uno de nosotros. No estoy llamada a hacer, sino solamente a estar con Él, a acompañarlo en Sus penas. Por gracia de Dios, mi alma está viviendo la vida oculta. El mundo no entiende la vida oculta. Es Dios quien hace, quien sufre, quien redime, pero yo entro y vivo según las palabras de la Misa: «con Él, por Él y en Él.» Esta vida oculta no es un estado de inactividad sino de gran actividad. Es una participación en la actividad de Dios Mismo. Estoy acompañando a mi Señor, quien sufre por todos. ¡Esto es paz y el fruto de esta paz es GOZO! (6/2/13).

Jesús concede a sus mártires el don de recibir en sus corazones las heridas, la opresión y los desórdenes de otros, y sufrirlos con Él para la sanación y santificación de ellos, participando así en la obra de la redención.

41. La corona de la gloria es la corona de espinas
—Diario de una MDC

> *La corona de gloria es la corona de los mártires. Se reserva para los que entran en la corte del Rey. Es para los que entran en la cámara interior para morar con Dios. Persevera llevando la corona de muchas espinas. Estoy permitiendo que recibas la opresión de los corazones de otros, siendo* Uno *Conmigo... Sufre esos ataques, pequeña mía, con confianza y amor perfectos, obteniendo así gracias para muchos que están oprimidos. Esta vida oculta, sufriendo la opresión de otras almas Conmigo, obtendrá para ti la corona de gloria* (26/12/13*).*

3–C–2
— Somos llamados a ser mártires de amor —

— TERCER SECRETO DE FÁTIMA —

Cuando leí por primera vez el Secreto de Fátima, no pensé que aplicara a mi vida. Habla de mártires que derraman sangre, y nunca me vi como mártir así que me olvidé del secreto. Entonces leí la interpretación del secreto según el Cardenal Ratzinger, publicada por el Vaticano y comprendí **que algunos derramarán su sangre, pero que todos somos llamados a ser mártires** y vivir el secreto de Fátima, viviendo el misterio del martirio interior de Cristo. De esta manera, todos podemos ser esperanza para la Iglesia y para el mundo.

Este es parte del comentario del Cardenal Ratzinger, explicando cómo somos una «iglesia de mártires»:

Los ángeles recogen bajo los brazos de la Cruz la sangre de los mártires y riegan con ella las almas que se acercan a Dios. La sangre de Cristo y la sangre de los mártires están aquí consideradas juntas: la sangre de los mártires fluye de los brazos de la Cruz. su martirio se lleva a cabo de manera solidaria con la pasión de Cristo y se convierte en una sola cosa con ella. Ellos completan en favor del Cuerpo de Cristo lo que aún falta a sus sufrimientos (cf. Col 1,24). Su vida se ha convertido en Eucaristía, inserta en el misterio del grano de trigo que muere y se hace fecundo. La sangre de los mártires es semilla de cristianos, ha dicho Tertuliano. Así como de la muerte de Cristo, de su costado abierto, ha nacido la Iglesia, así la muerte de los testigos es fecunda para la vida futura de la Iglesia.

La visión de la tercera parte del «secreto», tan angustiosa en su comienzo, se concluye pues con una imagen de esperanza: **ningún sufrimiento es en vano** y, precisamente, una Iglesia sufriente, una Iglesia de mártires, se convierte en señal orientadora para la búsqueda de Dios por parte del hombre. En las manos amorosas de Dios no han sido acogidos únicamente los que sufren como Lázaro, que encontró el gran consuelo y representa misteriosamente a Cristo que quiso ser para nosotros el pobre Lázaro; hay algo más, del sufrimiento de los testigos deriva una fuerza de purificación y de renovación, porque es actualización del sufrimiento mismo de Cristo y transmite en el presente su eficacia salvífica[148].

[148] Congregación de la Doctrina de la Fe, «Fátima», 26 de junio de 2000, www.vatican.va.

42. Gracia mediante la vida oculta de sufrimiento

—Diario de una MDC

Pequeños Míos, no os desaniméis, pues estoy haciendo algo nuevo. Vosotros sois mis pequeños siervos de amor, despreciados e incomprendidos por el mundo. Permaneced en Mí y Yo en vosotros, y así el poder de Dios fluirá como agua viva para Mi Iglesia. No tengáis miedo ni os desaniméis al ser rechazados y no aceptados. ¿No veis que este es el camino del amor, el camino de la Cruz? Es precisamente en este camino de rechazo y humillaciones que vais a comprar muchas gracias para el mundo. Estoy muy complacido con cada uno de vosotros.

Mi Padre recogió tus lágrimas anoche unidas a las de Mi Madre para la misión que te he encomendado. Continúa en el camino de santidad por el que vas. Pequeña Mía, voy a hacer nuevas todas las cosas por medio de Mi Sangre preciosa y la sangre de Mis mártires. Esta espiritualidad de sufrir por amor a Mí no se entiende, incluso dentro de Mi Iglesia. Sin embargo, es aquí donde se encuentra el poder de Dios y el poder del Espíritu Santo. Más gracia se obtiene para el mundo por medio de una vida oculta de sufrimiento por amor que en la vida pública... Vive la vida oculta a la perfección en Mí y en el corazón de Mi Madre (14/09/10, fiesta de la Exaltación de la Cruz).

El secreto de Fátima nos enseñó que nuestro martirio interior no es menos real que el martirio de sangre porque es el martirio de nuestro corazón y participación en el martirio del Corazón de Jesús.

Muchos Papas lo confirman. El Papa Pío XII dijo en la canonización de santa María Goretti:

> No todos estamos llamados a sufrir el martirio, pero sí estamos todos llamados a la consecución (acción y efecto de conseguir) de la virtud cristiana. Pero esta virtud requiere una fortaleza que, aunque no llegue a igualar el grado cumbre de esta angelical doncella, exige, no obstante, un largo, diligentísimo e ininterrumpido esfuerzo, que no terminará sino con nuestra vida. Por esto, semejante esfuerzo puede equipararse a un **lento y continuado martirio**, al que nos amonestan aquellas palabras de Jesucristo: El Reino de los Cielos se abre paso a viva fuerza, y los que pugnan por entrar lo arrebatan. Animémonos todos a esta lucha cotidiana, apoyados en la gracia del cielo[149].

San Juan Pablo II nos dice que debemos tener el mismo espíritu de los mártires romanos:

> Es necesario recordar el drama que experimentaron en su alma, en el que se confrontaron el temor humano y la valentía sobrehumana, el deseo de vivir y la voluntad de ser fieles hasta la muerte, el sentido de la soledad ante el odio inmutable y, al mismo tiempo, la experiencia de la fuerza que proviene de la cercana e invisible presencia de Dios y de la fe común de la Iglesia naciente. Es preciso recordar aquel drama para que surja la pregunta: **¿algo de ese drama se verifica en mí?**[150].

Benedicto XVI nos invita a vivir un «martirio cotidiano en fidelidad al Evangelio»:

---

[149] Papa PIO XII, 24 de junio de 1950, Citado en el Oficio de Lectura del 6 de julio, memorial de Sta. María Goretti, http://www.catolico.org/santos/maria_goretti.htm

[150] St. Juan Pablo II, Discurso, 30 de agosto de 2001, w2.vatican.va

> Celebrar el martirio de san Juan Bautista nos recuerda también a nosotros, cristianos de nuestro tiempo, que el amor a Cristo, a su Palabra, a la Verdad, no admite componendas. La Verdad es Verdad, no hay componendas. La vida cristiana exige, por decirlo así, **el «martirio» de la fidelidad cotidiana al Evangelio**, es decir, la valentía de dejar que Cristo crezca en nosotros, que sea Cristo quien oriente nuestro pensamiento y nuestras acciones[151].

Podemos ver que el martirio mencionado por los Papas no se limita a los sacrificios necesarios para evitar el pecado; el amor de Cristo nos impulsa a acompañarle en todo el camino a la Cruz para morir con Él.

Todos los santos son testigos del poder de vivir como mártires con Cristo. San Juan de Ávila escribe:

> Trabajemos nosotros en ser mártires con la paciencia que, aunque no es tan grande nuestro trabajo como el de aquellos (los mártires de sangre), es más largo. Y debemos desear que esta vida no sea apacible, mas un puro martirio, que esta fue la vida de nuestro Señor, y este quiere que sea la nuestra. Muchos mártires hubo por la fe, mas en fin muchos han ido al cielo sin serlo; mas **mártires de amor todos lo hemos de ser si queremos ir allá**[152].

El martirio del corazón es tan agradable a Dios y tiene tan gran poder porque es la donación más pura de nosotros mismos a Dios; es la donación que más se asemeja a la de Cristo. Solo en la tierra podemos vivir como mártires con Cristo, como víctimas de amor. Pienso con frecuencia que, en el momento de la muerte, nuestro mayor pesar será no haberle dado totalmente a Dios el don de nuestra vida. Wilfred Stinnissen escribió:

---

[151] Papa Benedicto XVI, 29 de agosto de 2012, w2.vatican.va.

[152] *Obras del venerable maestro Juan de Ávila, clérigo, apóstol de la Andalucía*, vol VI, N.° 2717. http://bdh-rd.bne.es/viewer.vm?id=0000013889&%3Bpage=1.

Si estamos sometidos a pruebas aquí en la tierra, si tenemos que esforzarnos para decirle sí a Dios, es porque en la eternidad Dios nos podrá decir: «Me has dado algo. No soy yo el único que da, sino que nos damos el uno al otro. También yo puedo ser agradecido porque me has dado algo que me podrías haber negado. Ahora ya no puedes darme nada, pero lo hiciste en su momento y tiene valor eterno. Yo jamás olvido».

La teología siempre ha enseñado que no podemos «merecer» nada ni en el cielo ni en el purgatorio. «Merecer», es decir, hacer algo por Dios es propio de la vida en la tierra[153].

3–C–3
— Martirio interior de María —

María participó de la manera más perfecta en el martirio interior del Corazón de su Hijo y, por nuestra consagración, ella nos forma para ser los mártires de amor de Cristo.

El Papa Francisco habla del «martirio del corazón» de María:

> A través de su vida, la Madre de Cristo cumplió sus deberes en unión total con Él y llegó a su cima en el Calvario. María se une a su Hijo en el martirio del Corazón y en la ofrenda de vida al Padre por la salvación de la humanidad.
>
> Nuestra Señora hizo suyo el dolor de su Hijo y con Él aceptó la voluntad del Padre, en esa obediencia que da fruto, que da la verdadera victoria sobre el mal y la muerte[154].

---

[153] Wilfrid Stinissen, *Into Your Hands, Father: Abandoning Ourselves to the God Who Loves Us* (San Francisco: Ignatius Press, 2011) p.74. Our translation..

[154] «Como María, la Iglesia debe traer Cristo al Mundo», Audiencia general, 23 de oct. de 2013.

San Bernardo escribe sobre el martirio de María:

> El martirio de la Virgen queda atestiguado por la profecía de Simeón y por la misma historia de la pasión del Señor. Este —dice el santo anciano, refiriéndose al Niño Jesús— está puesto como una bandera discutida; y a ti —añade, dirigiéndose a María— una espada te traspasará el alma.
>
> En verdad, Madre santa, una espada traspasó tu alma. Por lo demás, esta espada no hubiera penetrado en la carne de tu Hijo sin atravesar tu alma. En efecto, después que aquel Jesús —que es de todos, pero que es tuyo de un modo especialísimo— hubo expirado, la cruel espada que abrió su costado, sin perdonarlo aun después de muerto, cuando ya no podía hacerle mal alguno, no llegó a tocar su alma, pero sí atravesó la tuya. Porque el alma de Jesús ya no estaba allí, en cambio la tuya no podía ser arrancada de aquel lugar. Por tanto, la punzada del dolor atravesó tu alma, y, por esto, con toda razón, te llamamos más que mártir, ya que tus sentimientos de compasión superaron las sensaciones del dolor corporal[155].

María se unió a la «Palabra de la Cruz»[156] (Jesús), desde que le llevó en su vientre. En su vida ordinaria y oculta, era UNO con Cristo, y de esta manera poseía, con su Hijo, «el poder de Dios y la sabiduría de Dios»[157]. Ella vivió sus pruebas y sufrimientos diarios abandonada completamente a Dios. María es la «fuerza oculta» unida a su Hijo. María es amable, humilde, callada… y también es fuerte. Ella posee la fuerza espiritual que las almas solo pueden alcanzar a medida que se unen a la «Palabra de la Cruz». Ella es un canal constante de la fuerza y consuelo de Dios para Jesús y los

---

[155] San Bernardo, citado en el Oficio de lectura de la fiesta de María Madre Dolorosa, 15 de sept.

[156] Cf. *1 Co* 1,18.

[157] Cf. *1 Co* 1,24.

apóstoles. Es en esta fuerza divina que ella participa como corredentora en la salvación de la humanidad.

El Papa Benedicto XVI dijo en una homilía:

> En Jesús crucificado la divinidad queda desfigurada, despojada de toda gloria visible, pero está presente y es real. Solo la fe sabe reconocerla: la fe de María, que une en su corazón también esta última tesela del mosaico de la vida de su Hijo; ella aún no ve todo, pero sigue confiando en Dios, repitiendo una vez más con el mismo abandono: «He aquí la esclava del Señor»[158].

El sacrificio de María se perfeccionó en los últimos años de su vida durante su sufrimiento de soledad. Después de la Ascensión de Jesús, María vivió en perfecta fe y esperanza ya no sentía la presencia de la Trinidad. Jesús revela a Conchita el martirio oculto de soledad que vivió su madre:

> El Corazón de María compró estas gracias en el martirio de su Soledad desamparada, no de los hombres porque tenía a san Juan, a los Apóstoles y a muchas almas que la amaban intensamente; no de Mi presencia material, que Ella se consolaba con la Eucaristía, siendo su fe muy viva y perfectísima, sino con el desamparo espiritual, desamparo divino de la Trinidad que se le escondía[159].

Las vidas de Jesús y María nos revelan que no es HACIENDO grandes obras como mejoramos al mundo. Lo que Dios desea es que SEAMOS *Uno* con el Amor. Solo entonces nuestro «hacer» dará el fruto que Él quiere.

La vida de María fue más fecunda en sus años de mayor sufrimiento en soledad. Por medio del martirio interior de su

---

[158] Papa Benedicto XVI, homilía a los cardenales, 21 de nov. de 2010, w2.vatican.va.

[159] Conchita Cabrera de Armida, cita de Marie-Michel Philipon ed., *Conchita: Diario espiritual de una madre de familia*, p. 132. http://www.apcross.org/conchita/DiarioConchita-Spanish.pdf

corazón derramó una lluvia de gracias sobre la Iglesia naciente. Cuando comenzamos a vivir como *Uno* con Jesús y María en el martirio oculto de nuestros corazones, nuestras vidas también adquieren el poder de Dios. ¡Podemos ir más allá del tiempo y del espacio para salvar muchas almas!

43. El martirio del corazón vivido con nuestra Madre Dolorosa —Diario de una MDC

De nuevo, mi corazón se consume de pena y entro en esta fatiga. Me es difícil hacer las tareas más simples. No encuentro palabras para describir este dolor que me consume. Siento que estoy viviendo el martirio oculto del corazón, que, a un nivel muy pequeño, estoy compartiendo el sufrimiento de soledad de María. ¿Quién puede comprender un sufrimiento tan profundo, y aún tan oculto? Trato de mantener una sonrisa en mi rostro, pero mi alma y mi corazón lloran. Hay momentos en los que no puedo evitar que las lágrimas broten de mis ojos. Medito las palabras de mi Señor:

«Soy el Cordero inocente del Padre que se abandona a sí mismo para ser sacrificado para que tengas vida. Soy el Amor, el Amor encarnado...»

Me duele el alma, sabiendo quién es Jesús y viendo a mi familia vivir con tal indiferencia. El Amor no es conocido; el Amor no es amado. ¡Qué dolor! Lo único que puedo hacer es lo que mi Señor me ha enseñado: «Súfrelo todo Conmigo». Me siento unida a nuestra Madre Dolorosa.

Mi Señor y mi Dios, recibe mis lágrimas de dolor, que sean una con las de María en Jesús Crucificado por mi familia, por todos tus hijos amados y todos los corazones endurecidos ante tu amor (12/12/11).

En nuestra relación con nuestra madre María, asumimos el papel de san Juan, el discípulo amado. Ella nos lleva a la Cruz, nos da el poder de amar la Cruz y de entrar en el amor que Jesús forjó entre ella y san Juan en la Cruz. Esta unión con María nos permite estar con ella en el Cenáculo y quedar llenos del Espíritu Santo. Cuando llevamos a María a nuestro hogar, seguimos sufriendo con Ella, de esta manera, somos la «fuerza oculta» tan necesitada en la Iglesia.

3–C–4
—Nuestra vida ordinaria es una fuerza oculta—

En nuestras vidas diarias se nos da la oportunidad de vivir el martirio oculto de amor. Podemos hacer de cada una de nuestras obras, incluso de nuestras tareas diarias, obras de amor. Entonces nos convertimos en la «fuerza oculta» de Dios que tiene el poder para transformar los corazones y las naciones y para traspasar toda la oscuridad. Jesús nos prometió este poder de amor cuando le dijo a santa Faustina: «Grande será tu poder cuando intercedas por alguien». Conchita, escribió sobre el mismo poder del amor en su vida oculta como ama de casa:

> El puro amor es de mayor fecundidad apostólica que las obras más deslumbrantes realizadas con menor amor. Fue en el atardecer de su vida, en el silencio y en el aislamiento, en la plegaria y en el sacrificio, cuando la Madre de Dios alcanzó su cumbre en el amor y su plenitud de fecundidad apostólica al servicio de la Iglesia, así como Cristo salvó al

mundo no en el esplendor de su Palabra y de sus milagros, sino sobre la Cruz[160].

Nuestra naturaleza humana busca hacerse notar, ser apreciada, ser importante y hacer cosas supuestamente grandes. Es por eso que el mundo de hoy no aprecia la maternidad. **La verdadera maternidad es una vocación al martirio oculto, que refleja la maternidad perfecta de nuestra Santísima Madre.** Aquí se encuentra el «poder oculto» de la maternidad espiritual. ¡Este martirio oculto, unido a María, levantará el ejército de sacerdotes santos de Dios para el Reino del Corazón Inmaculado de María y el nuevo Pentecostés!

El Papa Francisco habla sobre los «**Mártires de todos los días**»:

> Tenemos más mártires que en los primeros siglos. Pero está también el martirio cotidiano, que no comporta la muerte, pero que también es un «perder la vida» por Cristo, realizando el propio deber con amor, según la lógica de Jesús, la lógica del don, del sacrificio. Pensemos: ¡cuántos padres y madres, cada día, ponen en práctica su fe ofreciendo concretamente la propia vida por el bien de la familia! [...] También ellos son mártires. Mártires cotidianos, mártires de la cotidianidad[161].

44. Persevera en lo cotidiano —Diario de una MDC

> *Al perseverar viviendo lo ordinario de tu estado de vida por amor a Mí, te vas perfeccionando en muchas virtudes.*
>
> *Los deberes cotidianos de la maternidad han sido muy atacados por Satanás porque le son muy agradables al Padre, y cuando se viven en Mi amor*

---

[160] Ibíd. p. 134.
[161] Ángelus, 23 de junio de 2013, w2.vatican.va.

crucificado, como los vivió María, poseen el poder de Dios para ayudar a la santificación y la salvación de muchas almas. Es por esto que tu formación comenzó en lo más ordinario de tu estado de vida como madre (la caricia tierna, el beso, la bendición, el hacer leche con chocolate).

Es aquí, viviendo los detalles de lo más ordinario, que comenzaste a crecer más en el amor. Vivir los detalles de lo ordinario se convirtió en tu oración de bendición y honor a tu Dios. Es en la vida más ordinaria y oculta que un alma encuentra el rostro de Dios. Yo me disfrazo de lo que el mundo ve como tedioso. Por eso todas las Madres de la Cruz han comenzado a encontrarme limpiando, cocinando, lavando ropa, amamantando...

Las tareas cotidianas de la maternidad son preciosas para el Padre porque son el latir del corazón de la iglesia doméstica. Ahora sabes por qué Satanás ha hecho tanto para atacar la maternidad. Restaurando la maternidad fortaleceré la iglesia doméstica, ayudaré a sanar la paternidad y traeré la restauración a Mi Iglesia universal (12/12/11).

— TESTIMONIO —
UNA MADRE UNE SU VIDA ORDINARIA DIFÍCIL AL AMOR CRUCIFICADO DE JESÚS

Voy a dar algunos detalles de mi vida en el Medio Oriente. Las mujeres tienen que llevar la tradicional *abaya* (túnica musulmana) siempre que salen de su casa. No podemos ir a ninguna parte solas, por lo tanto, para cualquier cosa, tengo que depender de mi marido. Al principio estas situaciones me agobiaban, pero el Señor me ha enseñado a ofrecer las dificultades de esta vida por los sacerdotes contemplativos que viven en monasterios aislados del mundo y por el Medio Oriente.

Me preocupaba por no tener suficiente tiempo para el silencio y la oración. Aquí los niños tienen que llegar a la escuela a las seis. Así que, por mucho que intento, no tengo mucho tiempo en las mañanas. Pero después de que fui aceptada en nuestra familia (Comunidad Amor Crucificado), el Espíritu Santo me guio, gracias a vuestras oraciones, para aprovechar las situaciones más ordinarias como tiempo de oración.

Me gustaría compartir con vosotros algunas de ellas. Cada mañana empiezo mi trabajo en la cocina, encendiendo la estufa. Le digo al Señor: «Señor, enciende los corazones de tus sacerdotes con amor por Ti, para que puedan encender el mismo fuego en los corazones de todas las almas confiadas a ellos». Mientras que baño a los niños: «Señor, purifica los corazones de todos tus queridos sacerdotes de todas las afecciones a las cosas mundanas»; mientras limpio la casa, toda sucia por los niños, lo ofrezco por los sacerdotes que pasan horas en el confesionario para limpiar nuestras almas, y así sucesivamente. De esta manera, el Espíritu de Dios me ayuda a estar en la presencia de nuestro Señor durante todo el día y hace mis cargas diarias muy ligeras.

45. Mi vida oculta —Diario de una MDC

Hija Mía, el tiempo es corto... la voluntad del Padre es poseerte con Su amor y que, por Mí, Conmigo y en Mí llegues a ser Uno *con el AMOR. Hacer la voluntad del Padre debe convertirse en tu alimento diario, tu vida diaria. Nada más debería importar: persecuciones, encarcelamientos, malentendidos, soledad, hambre... porque cuando vives en la voluntad del Padre lo posees todo. ¿No fue así Mi vida aquí en la tierra?*

Hija Mía, has de vivir cada momento EN EL AMOR, así vivirás en perfecta paz. Has de aprender a esperar al Señor, esto es amor. ¿No fue así como viví Mi vida aquí en la tierra? Aunque a la edad de doce años estaba listo para comenzar Mí misión, que ya consumía Mi Corazón, regresé con María y José para esperar el tiempo de Mi Padre; luego Mi misión pública solo duró tres cortos años. Pero ves, hija Mía, Mi misión ya había comenzado y se estaba cumpliendo a lo largo de toda Mi vida oculta, desde el momento de Mi encarnación. El poder de Dios para la redención del mundo estaba actuando en Mi vida oculta, y María Santísima participaba, siendo Uno *Conmigo en Mi vida oculta, en la obra de la redención* (18/07/11).

Jesús habla a santa Faustina:

> Hija Mía, quiero enseñarte a salvar las almas con el sacrificio y la oración. Con la oración y el sacrificio salvarás más almas que un misionero solo a través de prédicas y sermones. Quiero ver en ti una ofrenda de amor vivo, ya que solo entonces tiene el poder frente a Mí [...] Por fuera tu sacrificio debe ser: escondido, silencioso, impregnado de amor, saturado de oración. Exijo de ti, hija Mía, que tu sacrificio sea puro y lleno de humildad para que pueda complacerme en él[162].

46. Ama como Cristo nos ama —Diario de una MDC

> Me encuentro ahora en mi vida tratando de vivir como una Madre de la Cruz. Por la inmensa misericordia de mi Señor, Él ha comenzado a purificar mi corazón en el horno de Su Corazón y me encuentro amando con mayor pureza y también sufriendo con mayor intensidad. Veo y siento la oscuridad y los corazones endurecidos de los que están más cerca de mí, y mi corazón llora. Salgo al mundo y veo y siento la ceguera espiritual de mis hermanos (porque ahora también veo a todas las personas como mis hermanos en Cristo) y mi corazón es traspasado por el dolor. Veo tantas mujeres de todas las edades vestidas provocativamente porque es la moda, y mi corazón llora por ellas.
>
> Tantas almas no conocen el amor de la Trinidad y mi corazón parece que quiere ofrecerse a sí mismo aún más, como un sacrificio vivo. Mi Señor y mi

[162] *Diario*, N.° 1767.

Dios ¿cómo puede ser que muchas almas no conozcan Tu amor? ¿Cómo puede ser que el Amor no es amado por muchos, especialmente por Tus hijos queridos, Tus sacerdotes?

El Espíritu Santo parece estar llevándome a la vida oculta de Jesús y de María, porque aquí se encuentra el secreto de cómo puedo vivir mi vida ayudando a salvar las almas de mi familia y de muchos más. Entiendo con gran claridad que es por medio de mi vida oculta que seré capaz de vivir la máxima unión con la «Palabra de la Cruz» (Jesús), y por lo tanto, poseer el poder de Dios para salvar almas, siendo UN mártir de amor en Jesús y María (5/12/10).

Las siguientes palabras fueron dirigidas por Jesús a las Madres de la Cruz, que viven sus vidas como mujeres comunes y corrientes en el martirio del corazón:

47. Una con María para renovar la Iglesia
—Diario de una MDC

Vosotras, Mis pequeñas, sois el consuelo de Mi Corazón sufriente porque cada una se ha unido a María, la Madre de Dios y la Madre de todos. Al mirar a cada una de vosotras veo que irradiáis su belleza. Permítanle formarlas hasta la perfección.

Las necesito, mis hijas fieles, para traer vida a Mis Misioneros de la Cruz. Son Mis mártires ocultos de amor en unión perfecta con la Reina de los Mártires, quienes levantarán a Mis Apóstoles de la Luz. Sepan que he hecho Mi morada en cada uno de vuestros corazones, por lo tanto, irradien la humildad y la pureza de Mi Madre.

No se cansen en su vida oculta de sufrirlo todo Conmigo, pues sois Mi resto Santo que Dios Padre usará para purificar Mi Iglesia y traspasar la oscuridad que la penetra. Por lo tanto, vayan hijas Mías, siendo Mis guerreras santas con María, a capturar al dragón y lanzarlo al infierno. Las bendigo con Mi Preciosa Sangre y las sello con el poder de Mi Cruz (1/4/11).

48. La vida oculta de las madres espirituales
—Diario de una MDC

Es por medio de la vida oculta de las Madres de la Cruz que se levantará Mi ejército de santos sacerdotes. Estas madres espirituales vivirán las lágrimas y penas de sus corazones siendo una con Mi Madre Dolorosa. Los dolores de Mi Madre continúan derramando una lluvia de gracias sobre el mundo y, a medida que Mis MDC se hagan una con Mi madre, la lluvia se convertirá en un torrente de gracias. Por lo tanto, cada MDC debe ser perfeccionada en su vida ordinaria con todas sus pruebas, penas, agotamiento... con amor puro y, de esta manera, encontrará su alegría: la alegría de saber que está participando en los dolores ocultos de Mi madre para la salvación de muchas almas.

Permítanle a Mi madre formar a cada una de vosotras, hijas Mías. Es la Rosa Mística la que quiere formar vuestros tiernos corazones. María revela los dolores de su Corazón traspasado, que siguen estando ocultos, y las rosas de la oración, del sacrificio y de la penitencia. Deben imitar a María, así vuestras vidas se convertirán en dulce fragancia de oración y viviréis vuestros sacrificios y penitencias en los más ordinarios deberes como mujeres.

Vuestras vidas como víctimas de Mi amor, pasarán desapercibidas para el mundo, pero las verán los ojos del Padre. Él usará vuestras vidas ocultas de amor para humillar a los soberbios. Sepan que sois Mi consuelo (31/5/11).

3–C–5
— La Eucaristía —

La Pasión de Cristo abarca la institución de la Eucaristía y el Viernes Santo. Son inseparables. Santa Teresa de Calcuta escribió:

> La Eucaristía está vinculada a la Pasión... Cuando miras al crucifijo, entiendes cuánto te amó Jesús; cuando miras a la Hostia Sagrada entiendes cuánto Jesús te sigue amando.

Cuando Cristo dijo, «He deseado ardientemente comer esta Pascua con vosotros antes de mi Pasión»[163], manifestó su deseo de darse como Eucaristía a su esposa, la Iglesia, para ser *Uno* con ella. Entonces rezó que nosotros también le seamos fieles[164].

La Eucaristía nos debe consumir de amor, gratitud y celo por el Señor de tal manera que nos olvidemos de nosotros mismos y con gusto suframos por Él cualquier prueba. Sería infidelidad recibir al

---

[163] *Lc* 22, 15.
[164] Cf., *Jn* 17, 24.

Señor en la Eucaristía y después abandonarlo, rehusando acompañarlo al Calvario. El Papa Benedicto XVI nos lo recuerda:

> No hay amor sin sufrimiento, sin el sufrimiento de la renuncia a sí mismos, de la transformación y purificación del yo por la verdadera libertad. Donde no hay nada por lo que valga la pena sufrir, incluso la vida misma pierde su valor. La Eucaristía, el centro de nuestro ser cristianos, se funda en el sacrificio de Jesús por nosotros, nació del sufrimiento del amor, que en la Cruz alcanzó su culmen. Nosotros vivimos de este amor que se entrega. Este amor nos da la valentía y la fuerza para sufrir con Cristo y por él en este mundo, sabiendo que precisamente así nuestra vida se hace grande, madura y verdadera[165].

— AL CONTEMPLAR LA VIDA EUCARÍSTICA DE JESÚS, APRENDEMOS A AMAR EN NUESTRAS VIDAS OCULTAS Y ORDINARIAS—

¿Luchas a veces para amar a aquellos que no te aman, no te aprecian, no reconocen todo lo que haces, te han sido infieles, son indiferentes a tu amor, te ignoran, te critican…? Pues bien, es así como Jesús es tratado y, sin embargo, Él sigue amándonos en la Eucaristía. Nos busca a pesar de lo que hemos hecho y de cómo lo hemos tratado.

49. Yo Me doy a los buenos y a los malos

—Diario de una MDC

> *La Eucaristía es el poder de Dios en el mundo. El amor de Dios es la Eucaristía y se transmite por medio de la Eucaristía.*
>
> *Aprended sobre la vida oculta contemplando Mi vida Eucarística. No estoy visible al ojo humano,*

[165] Homilía, 28 de junio de 2008, http://w2.vatican.va.

pero estoy totalmente presente. Estoy verbalmente en silencio, y sin embargo Mi alma le habla a tu alma. Yo soy humilde, puro, simple, silencioso, generoso, compasivo, misericordioso, paciente y tierno. Yo Me doy plenamente a los buenos y a los malos, a quien es digno y al indigno, a los que Me aman y a los que Me persiguen, pues cuando uno no es obediente a los preceptos de Mi Iglesia, Yo soy perseguido. Yo sigo amando a esos que no Me aman. Yo sigo amando los que Me usan. Yo sigo amando a los infieles. Yo sigo amando a los indiferentes a Mi amor. Me dejan solo en los tabernáculos del mundo y son pocos los que vienen a estar Conmigo, a adorarme y a agradecerme. Yo lloro, pero Mis lágrimas permanecen ocultas. Continuamente intercedo por todos ante el trono de nuestro Padre. Abba, que lo ve todo, bendice Mi vida oculta en la Eucaristía.

Tu vida ordinaria y oculta, por medio de la Cruz, se une a Mi vida Eucarística. Tu vida oculta toma el mismo poder que Mi vida oculta porque ya no somos dos, sino Uno. Así son Mis hostias vivas. En esta unión de amor, entras y vives en el Reino de Dios. Por Mí, Conmigo y en Mí, tu vida, por más ordinaria que sea, es el poder de Dios. Tus pensamientos, palabras y obras, pero especialmente tus lágrimas y penas del corazón, poseen el poder de Dios para bendecir al mundo. Tu vida oculta, aunque nadie la vea, Dios la ve y, por Mí, Conmigo y en Mí, Él bendice a muchos. Tu vida, siendo Uno *con Mi vida Eucarística, va más allá del tiempo y del espacio.*

Medita sobre Mi vida Eucarística con el Espíritu Santo y María. Deseo que me ayudes a formar muchas hostias vivas para que brillen con la luz de Dios y traspasen la oscuridad. Creces en santidad a medida que vives con mayor perfección en Mi vida oculta (5/7/12).

50. Por qué quise quedarme en la tierra en una Hostia
—Diario de una MDC

¿Por qué quise quedarme en la tierra en una hostia? Porque de esta manera estoy presente para todos, para que Me contemplen y reciban como Pan vivo. Me he quedado con vosotros para nutrir vuestras vidas con vida divina, para prepararos, fortaleceros y para hacerme Uno *con vosotros mientras vais por el camino a la vida eterna en Dios. Yo me quedo en esta forma oculta y ordinaria para que vuestras vidas ocultas y ordinarias puedan transformarse en divinidad y así participéis, aquí en la tierra, en la unidad y la divinidad de la Santísima Trinidad.*

La Eucaristía es la vida de Dios que tiene el poder para sanaros y transformaros desde dentro. En la pequeñez de la Hostia se revela el esplendor, la majestad y la grandeza de Dios. La Eucaristía es el milagro más grande de Dios para la humanidad; la Eucaristía revela la fidelidad de Dios con Su Pueblo; la Eucaristía revela lo que cada uno de vosotros ha sido llamado a ser (12/7/12).

— Terribles abusos contra la Eucaristía no disminuyen el deseo de Nuestro Señor de estar con nosotros —

San Alfonso María de Ligorio escribe:

> [Jesús] previó también los insultos de los pecadores contra su Sagrado Corazón, que dejaría en la tierra en el Santísimo Sacramento como prueba de su amor. Estos insultos son casi demasiado horribles para mencionarlos: Personas pisoteando las hostias sagradas, echándolas en canaletas o montones de basura, ¡incluso usándolas para adorar al mismo diablo!
>
> Ni siquiera el saber que ocurrirían estas y otras difamaciones, impidió que Jesús nos diera la Sagrada Eucaristía, esta gran demostración de su amor [...] ¿Acaso no deberíamos derretirnos de amor, al igual que las velas que adornan los altares donde se conserva el Santísimo Sacramento? Allí el Sagrado Corazón sigue ardiendo de amor por nosotros. ¿No deberíamos nosotros también quemarnos de amor por Jesús?[166].

El Ángel de Fátima dijo a los niños:

> Hagan un sacrificio de todo lo que realizan, y ofrézcanlo como un acto de enmienda por todos los pecados por los cuales Dios está ofendido, y como una petición por la conversión de los pecadores [...] Sobre todo, acepten y soporten con sumisión los sufrimientos que les envíe Nuestro Señor.

---

166 San Alfonso María Ligorio, citado en http://vultuschristi.org/index.php/category/holy-eucharist/page/18/.

En la siguiente aparición, el ángel dijo que esos sacrificios y sufrimientos son eficaces, «**ofreciéndolos en unión con el Sacrificio Eucarístico**»[167].

51. Confía, Yo soy el poder de la vida oculta
—Diario de una MDC

Confía y pon toda tu confianza en el poder de la vida oculta que se te está revelando ahora en Mi presencia Eucarística. Yo Soy el poder de la vida oculta. Yo quiero poseerte con Mi vida oculta, que es la Eucaristía y transformarte en Hostia Viva. Esta transformación ocurrirá al vivir tu vida oculta e interior unida a Mi crucifixión interior, sufriendo todo Conmigo y en Mí. De esta manera, el poder de la fuerza oculta se intensificará con el fuego del Espíritu Santo (15/6/11).

52. Forma a Mis mártires ocultos —Diario de una MDC

Has de formar a Mis mártires ocultos de amor, porque Dios Padre los está utilizando para llevar a cabo Su plan de salvación durante estos tiempos decisivos. Vivid vuestras vidas ocultas siendo Uno Conmigo en Mi vida oculta en la Eucaristía y creceréis en el poder de Dios, que es AMOR. Esta es la Fuerza Oculta que se extenderá por la faz de la tierra para vencer la oscuridad de Satanás. La Eucaristía es el poder de Dios en el mundo y Dios desea haceros Hostias vivas (30/6/11).

[167] http://www.catolico.org/maria/fatima/a_fatima_frames.htm

53. *Uno* con Mi Hijo Eucarístico —Diario de una MDC

> María: *Estoy preparando Mi ejército de almas víctimas para estos tiempos decisivos, ya que son sus vidas ocultas, unidas como* Uno *con mi Hijo Eucarístico, las que están recibiendo el poder del cielo para vencer a Satanás y todos sus principados y para formar la cohorte de sacerdotes santos de Mi Hijo que han de instaurar Mi Reino* (16/6/11).

3–C–6
— Hostias vivas —

Cuando un alma, llena del Espíritu Santo, está unida a Jesús tan profundamente que comparte sus sufrimientos y gozos, en total abandono al Padre, ella es una «hostia viva».

El Venerable arzobispo Luis María Martínez explica que el sacramento del orden une al sacerdote a Jesús de tal manera que, en el momento de la consagración, Jesús —en el sacerdote— cambia la sustancia del pan y del vino en la suya propia por el poder del Espíritu Santo. Pero la «transformación total» en «hostia viva» requiere algo más: que un ser humano —sacerdote, religioso o laico— haga el «maravilloso intercambio» de su voluntad humana independiente por la voluntad divina, permitiéndole al Espíritu Santo unirle a Jesús en todos sus actos. «Entonces, en todo momento, podemos renovar sin cesar el sacrificio de Cristo»[168].

---

[168] Arzobispo L.M. Martínez (1881-1956), Citado por Hugh Owens en *«"New and Divine": The Holiness of the Third Christian Millennium»* (John Paul II Institute of Christian Spirituality), 39.

54. Mis hostias vivas —Diario de una MDC

Hija Mía, Yo Estoy vivo y presente en el mundo en Mi Eucaristía. Pero Mi presencia viva toma forma humana en Mis hostias vivas. Cuando Yo tomo vida en ti, por el poder del Espíritu Santo, ya no eres tú, sino Yo quien vive y viene a morar en ti[169]*. Puedo hablar por medio de tus labios; Mi voz se hace audible por medio de ti; Mis manos tocan y sanan por medio de tus manos...* ***Salgo fuera del tabernáculo a través de ti****, y así llego a los confines de la tierra. El poder de Dios se extiende por medio de Mis hostias vivas y muchos reciben nueva vida por medio de los cálices vivos de Mi Preciosísima Sangre.*

Debes proclamar a los cuatro vientos lo que Me escuchas susurrar en tu corazón[170]*. Esta es Mi fuerza oculta que se propagará por el mundo y tiene el poder de Dios* (9/7/11).

[169]Cf. *Ga* 2, 20.
[170] Cf. *Mt* 10, 27: “desde lo alto de las casas”.

55. Participa en Mi Cuerpo y Sangre

—Diario de una MDC

La mayoría de las personas ***toman*** *Mi Cuerpo y Sangre, pero pocas desean* ***participar*** *en Mi Cuerpo y Sangre.*

«La copa de bendición que bendecimos, ¿no es acaso ***participación***[171] *en la sangre de Cristo? El pan que partimos, ¿no es* ***participación*** *en el Cuerpo de Cristo?»*[172].

Para llegar a ser un solo cuerpo en Mí debes responder a participar en vivir en Mi Cuerpo y Sangre. En la Eucaristía Me doy totalmente a ti y tú participas, lo cual significa que Me recibes, pero entonces debes responder a este regalo de amor dándote tú misma a Mí. Debes darme tu sangre en sacrificio y tu cuerpo, que es tu voluntad.

En la Eucaristía Yo soy la Víctima de amor. Para que te conviertas en UN CUERPO, UNA SANGRE en Mí, debes responder a convertirte en Mi víctima de amor, víctima unida como Uno *con la Víctima. Lo que se requiere de Mi criatura es su respuesta, su «fiat», entonces el poder de Mi Espíritu, el Espíritu Santo, produce esta unión perfecta. Es a los pies de la Cruz, con Mi madre, que recibes la efusión del Espíritu Santo de Mi costado traspasado. Es Él quien te llevará por el camino estrecho de Mi Cruz a la unión perfecta en Mí.* (El

---

[171] «Participación» o «comunión», en griego: **«koinōnia».** Se refiere a la unión efectuada por la Eucaristía: somos Cuerpo y Sangre de Cristo (Unión de esposos.) Esto es lo que constituye la comunidad cristiana. Cf. http://www.catolico.org/_ENG/bible/homilies_audio/ord23_saturday-en-sp.html#sp

[172] *1 Co*10, 16.

perfecto camino estrecho desde los pies de Jesús crucificado hasta recibir Su beso) (6/26/11, Corpus Christi*)*.

Consejo de san Cayetano:

No recibas a Cristo en el Santísimo Sacramento para usarlo como te parezca mejor, sino más bien entrégate a Él y permítele que te reciba en este Sacramento, para que Él mismo, Dios tu Salvador, pueda hacer contigo y por medio tuyo lo que Él quiera[173].

56. Permanece pequeña —Diario de una MDC

Hija Mía, desea ser solo Mi vaso insignificante, ya que es en tu humildad y pobreza de espíritu que he encontrado una gran alegría. Permanece pequeña y te revelaré Mi poder. Desea solamente la Cruz y Mi amor triunfará a través de ti. Cree en el poder de Mi fuerza oculta siendo Uno *con el poder de Mi vida Eucarística. Esta es la fuerza que Dios está acrecentando para la batalla decisiva. Perfecciona a tu familia en la vida oculta que te he revelado* (06/07/11).

[173] «Carta a Isabel Porto», Oficio de Lectura, de la fiesta de S. Cayetano, 7 de agosto.

— La «fuerza oculta» no es una idea romántica—

Ser la «fuerza oculta» es sufrir el martirio del corazón. Al principio sufrimos por nuestras propias luchas diarias, penas y pecados, pero, a medida que crecemos en unión con Cristo como mártires de amor y bebemos directamente de su amargo cáliz, sufrimos también con Él las heridas y la opresión de nuestros hermanos y hermanas.

Estamos viviendo en medio de una batalla espiritual real y grande. Satanás y sus principados están trabajando constantemente para oprimir a la obra de Dios. Los mártires de nuestro Señor son guerreros del amor de Dios enviados directamente al campo de batalla. Ellos reciben en sus corazones la carga del pecado de aquellos que Satanás está atacando y por eso muchas veces sienten físicamente la batalla. Sufren gran cansancio y agotamiento que puede durar varios días, aun cuando una visita al médico muestra que están saludables. Hemos llegado a comprender que este tipo de fatiga es espiritual porque estamos recibiendo las cargas, pecados y opresiones de otras almas, con el fin de ayudarlas a obtener las gracias que necesitan. No debemos tener miedo de esta experiencia porque estamos en las manos de Dios. Hemos aprendido el valor de esta fatiga, así que, en lugar de luchar, entramos en ella y la vivimos con paciencia y oración más profunda por las almas.

«Yo hago nuevas todas las cosas» (*Ap* 21, 5)

San Arnoldo Janssen escribió: «El Señor nos reta a realizar algo nuevo, precisamente cuando tantas cosas en la Iglesia se están derrumbando»[174].

El Señor nos dijo en nuestra comunidad: «Estoy haciendo algo nuevo, crean que el martirio del corazón es una fuerza oculta».

[174] San Arnoldo Janssen, sacerdote fundador de la congregación del Verbo Divino.

57. Nos purificamos por medio de situaciones y personas —Diario de una MDC

El ***propósito del Camino*** *es hacer de vosotros Mis hostias vivas. Siendo Mis hostias vivas, sois los guerreros de Dios para la gran batalla que se acerca. Los países se levantarán y combatirán esta batalla con misiles y armas, pero la maldad se intensificará. Permitidme poseeros con Mi Vida.*

Considerad cada relación y situación en vuestras vidas en que no estáis amando Conmigo, por Mí y en Mí. Preguntaos, «¿Por qué es tan difícil amar a esta persona o amar en estas situaciones?» Es precisamente en esas situaciones y con esas personas que debéis purificaros. Solo de esta manera podéis ser Uno *con Mi vida Eucarística y transformaros en Amor. Mis víctimas puras de amor son los guerreros de Dios para estos tiempos decisivos* (1/9/14).

Deseo de intimidad de corazones en el matrimonio

A través de años hablando de corazón a corazón con muchas mujeres casadas, Dios me reveló un sufrimiento profundo y muy oculto en sus corazones: el no poder vivir la intimidad del corazón que anhelan con sus maridos. Muchas veces viven con el temor oculto de que no sienten amor hacia sus esposos. Este sufrimiento profundo rara vez se reconoce y mucho menos se habla. Algunos hombres sufren la misma situación, sobre todo cuando han entrado profundamente en la vida espiritual y sus esposas no. Cuando este dolor no se reconoce y se entierra, se manifestará en ira y resentimiento hacia el cónyuge. Sin embargo, al vivir lo que el Señor nos ha enseñado en este Camino, este profundo dolor oculto puede ser el medio para entrar en la vida oculta de los sufrimientos de Cristo en la Eucaristía. Este sufrimiento interior es el camino para que nuestra verdadera feminidad y masculinidad alcance su mayor potencial de amar hasta el extremo de la Cruz.

— Testimonio —
Nuestro sufrimiento interior puede transformarnos en hostias vivas

Compartí con un amigo mi dolor al ver cómo el Señor está tan abandonado. Me lamenté de que no se le puede mencionar en muchos lugares. No es amado; no se le invoca. Incluso los suyos, que creen en su presencia real, no lo visitan; pocos quieren entrar en lo profundo de su corazón. Me puse en el lugar de Jesús y pensé en lo triste que yo estaría si mis hijos me hicieran lo mismo: si no quisieran estar conmigo, si no me llamasen, si no me quisieran. Recordé una enseñanza acerca de nuestro Señor prisionero en los tabernáculos del mundo, solo en un mundo lleno de gente.

Entonces, mis pensamientos se dirigieron a mi marido. No pensaba hablar de nuestra relación, pero las palabras fluyeron desde el fondo de mi corazón. Me di cuenta de que hay un gran dolor en mi alma con respecto a nuestra relación. Somos fieles el uno al otro, e incluso existe la paz y la alegría en la superficie de nuestro matrimonio; pero también hay cierta soledad, un vacío que he llegado a aceptar como una parte normal del matrimonio.

Soy muy consciente de que él es un buen hombre, un buen marido y un buen padre. También soy consciente de las heridas en su corazón y cómo él guarda sus emociones y vive en la superficie, sin poder salir de ese lugar donde se siente seguro.

Mientras hablaba, las palabras que salieron de mi boca eran de resentimiento, ira y decepción. Compartí cómo me disgusta mucho que mi esposo esté presente para los niños físicamente, pero no con sus sentimientos, conversaciones, o con el compartir de su corazón. Me molesta que estoy sola para enseñarles la fe. Me molesta el no poder compartir mi corazón con él. Él conoce mi vida en general, pero no tiene idea de lo que hay en lo profundo de mi corazón.

Es difícil para mí entrar en este dolor y vivirlo. Ni siquiera estoy segura si conozco su profundidad. Así que había guardado mis sentimientos ocultos o tal vez «apagados», como quien apaga una computadora cuando no la utiliza. A pesar de que mi corazón deseaba encontrar intimidad con él, sentía que no podía llegar a él. Incluso me había preguntado si realmente lo amaba o si había llegado a un punto en nuestro matrimonio donde nos habíamos resignado a cumplir nuestras tareas diarias sin tener que compartir lo más profundo de nuestros corazones.

Fue entonces que el Señor, con la ayuda de mi amigo, me recordó que Él también sentía mi distanciamiento y se quedaba solo en el tabernáculo. Vi que frecuentemente me acercaba a la Eucaristía como un deber, en lugar de unirme a Él para ser *Uno* y consolarlo, para realmente acompañarlo en su soledad.

Esto me hizo ver cuán profunda era mi herida, cuan escondida, a menudo expresada con emociones perjudiciales. Comprendí que debía ir al Señor para acompañarlo en su soledad y permitirle que me acompañe en la mía. Cuando sus heridas tocan las mías y le permito que me una a Él, entonces Él me hace su cáliz vivo, hostia viva para mi esposo, nuestros hijos y otros.

Mi querida hermana me dijo que muchas mujeres viven la misma soledad oculta. Veo la importancia de estar unida a la Virgen de los Dolores. Siento que ella realmente entiende este sufrimiento oculto del que muchas mujeres no hablan. Nuestra Madre vivió su soledad a la perfección, dando así mucho fruto para la Iglesia. Ella será nuestra maestra, nuestra fuente de fortaleza y ayuda a medida que avancemos en este proceso necesario.

En el testimonio de esta valiente mujer que expone su más profundo sufrimiento oculto, vemos que, a través de su marido, Jesús la está perfeccionando en el amor. A medida que ella abraza su dolor oculto uniéndolo con el de Jesús en la soledad del tabernáculo, su sufrimiento la transforma en víctima de amor y la ira y el resentimiento se derriten gradualmente en el fuego del Espíritu Santo. ¡Entonces, su sufrimiento —*Uno* con Jesús— recibe el poder de Dios para bendecir a su marido, sus hijos y a todo el mundo! Recuerda que un tronco en el fuego necesita tiempo para ser consumido, así también la ira y el resentimiento que han surgido de nuestro dolor, toman tiempo para derretirse en el fuego del Sagrado Corazón. ¡Es la PERSEVERANCIA en el sufrir todos nuestros dolores ocultos con la crucifixión interior de Jesús la que nos transforma en amor!

58. El triunfo de la Cruz se cumple en mí
—Diario de una MDC

Al contemplar la Cruz gloriosa y entrar en contacto con el Amor, encuentro el amor, la verdad y la felicidad que buscaba. Veo en mi vida el triunfo de la Cruz de Dios. Al morir con mi Señor y Salvador, mi vida, aun siendo insignificante, se convierte en el triunfo de la Cruz, el triunfo del amor. El triunfo de la Cruz de mi Señor se cumple en mí, que soy Su cuerpo y Su esposa. En esta íntima unión de amor, participo de las penas y las lágrimas de mi Señor sufriendo con Jesús la horrible realidad de mi propio pecado y el pecado de la humanidad. Esta unión de dolores me sana de mi amor propio y de mi egoísmo porque me lleva a conocer el amor. Mi feminidad encuentra su identidad en mi Madre Dolorosa, porque el amor puro nos mueve soportar todo por el Otro y con el Otro.

La unión con mi Amor Crucificado me extiende igual que el cuerpo de Jesús fue extendido en la Cruz. Mi corazón, como una tienda de campaña, se extiende cuando Dios me llama a amar más allá de mi capacidad humana o de mi deseo. Siento que mi vida, con toda su realidad espiritual y física, es bendecida, continuamente partida y ofrecida para que otros puedan comer y alimentarse con el Pan de Vida que vive en mí.

En esta docilidad de corazón, voluntariamente permitimos que Dios nos extienda en Jesús crucificado, para que lleguemos a ser transformados en Amor, ¡que ya no seamos nosotros los que vivimos, sino que Jesús crucificado viva en nosotros! (14/09/12).

La prueba de fuego para saber si la Eucaristía está transformando verdaderamente nuestras vidas en hostias vivas es la pregunta, **«¿Respondo al mal con bien en mi vida cuando mi cónyuge, hija, hijo, padre, madre, amigo, jefe... me hieren?»**[175]. Pidamos a María, la primera hostia viva, que cada vez **que participemos en la Eucaristía, nos** «ofrezcamos como hostias vivas a Aquel que con tanto amor se entregó por nosotros[176].

3–C–7
— Cálices vivos —

En las bodas de Caná (*Jn* 2, 1-11) había seis tinajas, pero pasaban desapercibidas, ya que parecían ser innecesarias para la necesidad actual. Esas tinajas representan las almas víctimas, ocultas e insignificantes de Dios. Hay pocas tinajas, solamente seis, sin embargo, cada una tenía capacidad para treinta galones de agua. Una vez que Jesús realiza el milagro de convertir el agua en vino, el vino de las tinajas se vierte y todos beben en la fiesta de boda. De esta manera las multitudes reciben la gracia del milagro de Jesús.

Nosotros, como insignificantes almas víctimas de Dios, nos dejamos vaciar y purificar, a medida que avanzamos por el Camino estrecho de la Cruz. El Señor nos está transformando en sus puros cálices de oro que están llenos de su sangre, la cual es su vida misma. Nuestras vidas entonces se vierten sobre muchas almas, sobre multitudes, llevándoles la gracia sanadora de Cristo y nueva vida.

---

[175] Cf. *Rm* 12, 51.
[176] Papa Benedicto XVI, homilía, La Habana, Cuba, 28 de marzo de 2012.

59. Permíteme llenarte con Mi Preciosa Sangre
—Diario de una MDC

Estoy preparando Mis vasijas puras y santas, lavándolas con Mi Preciosa Sangre. Estos cálices vivos se llenarán de Mi Preciosa Sangre cuando Yo los una a la «Palabra» de la Cruz y sufran Conmigo. Mi sangre se derramará sobre Mi Iglesia para purificarla por medio de ellos.

A vosotros se os ha dado la misión particular de purificar a Mi sacerdocio.

«¡Ay de ti, Jerusalén, que no te purificas!
¿Hasta cuándo seguirás así?»[177]

Recibir Mi sangre es recibir Mi sufrimiento, Mi amor y vida nueva... Como Mis mártires de amor, estáis llamados a sufrir Conmigo para que podáis amar conmigo... De esta manera, os convertís en Mis cálices vivos de gracia sanadora para muchos... (7/10/2010*).*

El Evangelio nos dice que el propósito de las tinajas es el «rito judío de purificación» (*Jn* 2, 6). Esto también tiene un simbolismo importante para nuestras vidas de almas víctimas. Nosotros, como vasijas de Cristo, recibimos los corazones sucios y heridos para lavarlos con nuestras lágrimas unidas con Cristo crucificado.

[177] Cf. *Jer* 13,12-27.

60. Dios bendecirá a las multitudes por medio de sus almas víctimas —Diario de una MDC

> *Quiero que vivas con todo tu amor, con todas tus fuerzas, con todo tu poder, como Mi fuerza viva. Sufre Conmigo en lo secreto de tu corazón. Llora Conmigo por tus hermanos, por tus hijos. No te canses de vivir Conmigo las penas por una humanidad que ha perdido su camino.*
>
> *Dios, en su infinita misericordia, bendecirá a las multitudes por medio de Su resto santo de almas víctimas. No temas proclamar el poder que hay en sufrir con la Víctima de Amor* (09/06/13).

La gente no pone atención a las tinajas que contienen el vino, lo que sí notan es el «buen vino» (*Jn* 2,10). Esta es la ALEGRÍA de las almas víctimas: nuestras vidas están ocultas y pasan desapercibidas y muchas veces no son apreciadas, sin embargo, a través de nuestros sacrificios, llevamos a muchos la gracia de encontrarse con Cristo. Somos pequeñas almas víctimas, pero al estar UNIDAS con el Amor Crucificado y con María, somos vasijas que derraman abundantes gracias como una libación sobre las multitudes.

> Aunque mi sangre debiera derramarse como libación sobre el sacrificio y la ofrenda sagrada, que es la fe de ustedes, yo me siento dichoso y comparto su alegría (*Flp* 2, 17).

RECOGE LAS LÁGRIMAS DEL SEÑOR EN EL CÁLIZ DE TU CORAZÓN

Mientras que la Sangre de Cristo brota de su Cuerpo, lágrimas fluyen de su Corazón. Él se da a sí mismo por nosotros en su totalidad, con todas las facultades de su alma. El Señor nos invita a recibirlo como don, convirtiéndonos en *cálices vivos*, capaces de recoger sus lágrimas —lágrimas de amor y dolor— que fluyen de su sensible Corazón. Estamos llamados a recoger las lágrimas de Jesús en los cálices de nuestros corazones con gratitud y veneración. **Esta es nuestra más oculta vida interior: la unión de padecimientos con Dios.**

61. El poder de las lágrimas —Diario de una MDC

Nuestro Señor me reveló Su rostro en el centro de la Eucaristía. Era Su rostro crucificado y estaba derramando lágrimas. Entonces me vi colocando un cáliz de oro bajo la Eucaristía para recoger sus lágrimas. Sentí que el cáliz representaba mi corazón.

Jesús: ***¿Participaréis en Mis lágrimas?*** *¿Lloraréis Conmigo por Mi pueblo que se ha extraviado? La justicia de Dios está próxima. Sed Mis hostias vivas en el mundo. Un tiempo de gran justicia se acerca. Por un tiempo, Mi presencia solamente se verá a través de Mis hostias vivas. Mis hijos, el tiempo es corto, os imploro que multipliquéis Mis hostias vivas en el mundo, Mis cálices vivos. ¿Quién escuchará? ¿Estáis dispuestos a sufrir Conmigo, como Mi madre, para que podáis redimir Conmigo? Muchos se perderán.*

Sufrid Conmigo, familia Mía. Tendréis que padecer muchas pruebas. La única seguridad que tenéis está en Mi Cruz. Traed a muchos a Mi abrazo crucificado donde puedo protegerles. Mantened vuestros ojos fijos en Mi mirada crucificada y Yo seré siempre vuestra fuerza, en todas partes y en todas las cosas. Tened una esperanza perfecta en el Dios que los ama. Amaos los unos a los otros como yo os he amado. Os bendigo esta noche con mis lágrimas y las lágrimas de Mi madre y os invito a llorar con nosotros y a presentar vuestras lágrimas al Padre, unidas a las nuestras, por la salvación de muchos. Vosotros sois Mi pueblo y Yo soy vuestro Dios. No me abandonen (9/2/2012).

— LA TRANSFORMACIÓN DE NUESTRAS HERIDAS EN CÁLICES VIVOS — MEDITACIONES DE UNA MADRE DE LA CRUZ

Una herida, no importa de qué tipo sea, siempre es un hueco en el corazón. Este hueco profundo en tu psiquis, este traspaso de tu corazón, Dios lo quiere transformar en un cáliz perfecto para recibir las lágrimas y la sangre de tu Señor Crucificado, el torrente de Divina Misericordia que no tiene a dónde ir sino a un corazón herido que esté dispuesto a recibirlo. No tenemos otra cosa que ofrecer sino solo nuestros corazones heridos.

La herida profunda debe ser atendida y debe limpiarse totalmente para que se convierta en el cáliz que se llena con la Preciosa Sangre y las Lágrimas de Jesús para que la misericordia de Dios se desborde sobre nuestro territorio de almas. A medida que las heridas profundas se convierten en cálices, nuestros corazones martirizados se llenan de la misericordia de Dios para las multitudes.

Somos transformados en cálices vivos según nuestra capacidad, comprensión, voluntad y compromiso. Solo el corazón herido que se ha hecho vulnerable, abierto, impotente y receptivo a Él, se convertirá en cáliz vivo.

Jesús dice a Santa Faustina, «Se ha desilusionado Mi Corazón: no encuentro el abandono total en Mi amor. Tantas reservas tanta desconfianza, tanta precaución»[178].

---

[178] *Diario*, N.° 367.

—JESÚS SE ENTREGA COMO EUCARISTÍA—

El don de convertirnos en cálices vivos es la comunión plena con Nuestro Señor Eucarístico. Él es el don del amor del Padre que llena nuestro cáliz y nos permite ser un regalo para otros. Jesús en nosotros se da en nuestras vidas ordinarias y ocultas como hombres y mujeres. La Eucaristía tiene el poder de la vida oculta de Jesucristo, sin embargo, está oculto, humilde, en la apariencia ordinaria de pan. La Eucaristía revela cómo Dios vive «para» nosotros y pacientemente anhela por su Esposa, siglo tras siglo, que lo venga a visitar con agradecimiento, alabanza y adoración.

Él se entrega a los buenos y malos, a los que lo merecen y a los que no lo merecen. Jesús nos pregunta a cada uno en la Eucaristía: «¿Amarás como Yo te amo?, ¿amarás a los que no te aprecian, a los que te condenan, te malinterpretan, te abandonan y rechazan?, ¿amarás y esperarás por ellos con paciencia?, ¿te darás como don a aquellos que te ridiculizan e ignoran?»

Hombres y mujeres, esposos y esposas, ¿están dispuestos a amar de esta manera? Este es el AMOR DE LA CRUZ; este es el amor de todas las almas víctimas. Nuestra vida oculta y ordinaria nos transforma en la «FUERZA OCULTA» en unión con Cristo. Esta fuerza oculta penetrará y conquistará la oscuridad que consume el mundo y que se ha filtrado en nuestras familias.

Hay una URGENCIA EN NUESTRO TIEMPO y Dios NOS NECESITA para ser sus mártires, sus cálices vivos, en estos tiempos decisivos. Nuestro Señor quiere que seamos hostias vivas, bendecidas, partidas y dadas a muchos.

Hablando sobre la familia católica, el Padre Hardon señaló:

> O bien son santas —que significa, «santificadas»— o desaparecerán. **Las únicas familias católicas que quedarán vivas y florecientes en el siglo XXI son las familias de mártires**. Padres, madres e hijos deben estar dispuestos a morir por las convicciones que han recibido de Dios [...] Lo que el mundo más necesita hoy en día son familias de mártires, que se reproducirán en espíritu a pesar

del odio diabólico contra la vida familiar por parte de los enemigos de Cristo y su Iglesia de nuestro tiempo[179].

[179]Padre John A. Hardon, S.J, *The Blessed Virgin and the Sanctification of the Family*, http://www.markmallett.com/blog/a-priest-in-my-own-home-part-ii/.

Capítulo Cuatro

En el Sagrado Corazón de Jesús

4–A: Purificación en el Sagrado Corazón

En *El Camino de Unión con Dios* siempre nos estamos moviendo hacia un nivel más profundo, creciendo y madurando en nuestra vida espiritual. Ahora el Señor nos atrae a su Corazón. Al igual que con los niños, Él nos lleva de lo visible a lo invisible, al corazón del misterio. San Pablo enseña: «No pude hablarles como a hombres espirituales, sino como a hombres carnales, como a quienes todavía son niños en Cristo. Los alimenté con leche y no con alimento sólido, porque aún no podían tolerarlo»[180]. El Camino ahora nos lleva a una comida más sólida, una mayor participación en el amor y el sufrimiento con el Señor, para que nuestros corazones se conviertan gradualmente en *Uno* con el Suyo.

Hace unos años, al reflexionar sobre la historia del Evangelio del joven rico, le pregunté al Señor: «¿Qué es lo más grande que aún me queda por entregarte?» Para mi sorpresa, el Señor me respondió rápidamente: «Tu reputación». Me quedé asombrada.

---

[180] *1 Co* 3, 1-2.

¡Oh, que difícil me ha sido el despegarme de mi reputación!, no dejarme afectar por la forma en que otros me perciben, si les caigo bien o si me aceptan. Este ha sido un proceso largo y difícil para mí. Ahora me doy cuenta de que el apego a mi reputación está conectado a las mentiras que me he creído sobre mí misma. Mi baja autoestima me ha mantenido atada a la necesidad de agradar a todos, de hacer lo que otros consideran sea lo correcto, con el fin de ser aceptada, caer bien y ser amada por todos. He sido toda mi vida una mujer «menos libre, menos espontánea, menos jovial», como el hijo mayor de la parábola en el libro de Henri Nouwen, *El Regreso del hijo pródigo*[181]. Soy consciente de que toda mi vida he envidiado secretamente a hombres y mujeres a quienes percibo como libres: libres para reír, para ser espontáneos, para jugar y para amar, sin preocuparse de lo que otros piensen.

El Señor me sigue guiando con ternura por el difícil proceso de crucificar el apego a mi reputación, para que la nueva mujer pueda surgir, la mujer que ha sido profundamente tocada y abrazada por el amor y ahora tiene la libertad y el valor de amar a otros como Dios la ha amado; un amor que no teme tocar y ser tocada, abrazar y ser abrazada, mirar profundamente a los ojos de los demás; un amor que tiene la libertad de decir la verdad; un amor que es vulnerable e íntimo y, como el Señor me ha dicho desde el principio, un amor que está dispuesto a ser malinterpretado, juzgado y perseguido.

El Papa Francisco habla sobre la importancia de este amor:

> Una sociedad sin proximidad, donde la gratuidad y el afecto sin contrapartida —incluso entre desconocidos— van desapareciendo, es una sociedad perversa. La Iglesia, fiel a la Palabra de Dios, no puede tolerar estas degeneraciones. Una comunidad cristiana en la que

---

[181] Padre Henri J. M. Nouwen, *El regreso del hijo pródigo: Meditaciones ante un cuadro de Rembrandt:* (Buenos Aires: Ágape libros, 1992), http://www.mercaba.org/FICHAS/Meditacion/nowmen2.htm.

proximidad y gratuidad ya no fuesen consideradas indispensables, perdería con ellas su alma[182].

Como los «nuevos Adanes» y «nuevas Evas», viviendo en la pureza del Amor divino aquí en la tierra, vamos a ser incomprendidos, juzgados como inadaptados y escandalosos, y perseguidos. El Camino del Amor Divino nos lleva al tercer clavo, que es la persecución, el clavo que nos crucifica —*Uno* con Cristo—, para que el Amor pueda triunfar.

Este Camino en el Sagrado Corazón nos llevará a morir completamente a nuestro hombre viejo; morir a nuestras propias percepciones, a nuestros prejuicios, a nuestros deseos, a nuestras tendencias; morir a nuestro fariseísmo que está muy oculto en cada uno de nosotros bajo el disfraz de la obediencia, del deber, de la adhesión a la ley, del trabajo intenso, del respeto, de la admiración, de la elocuencia y de la piedad. Conforme el Espíritu Santo expone las mentiras que se han hecho parte de nosotros, el «hermano mayor» que vive en nosotros saldrá a la luz. El hijo mayor de la parábola vivió como el hijo perfecto la mayor parte de su vida hasta que la situación con su hermano menor expuso su mentira oculta. El amor del padre permitió esta situación para que su hijo pudiese ser liberado del resentimiento, del orgullo y del egoísmo que seguían profundamente escondidos en él.

Por el Camino, sobre todo cuando estemos en su Sagrado Corazón, cada uno vivirá personalmente la parábola del hijo pródigo. Dios, en su infinito amor por cada uno de nosotros, permitirá muchas situaciones en nuestras vidas que pondrán al descubierto el «santo resentido» que se esconde detrás de nuestros deseos de ser buenos y virtuosos; entonces nos encontraremos en el cruce del Camino. Al igual que el hijo mayor, podemos continuar obstinadamente en nuestro fariseísmo y orgullo, o podemos llegar a conocer nuestro propio corazón, reconocer la oscuridad de nuestro orgullo oculto y postrarnos arrepentidos ante nuestro Padre, dispuestos a abrazarlo y entrar en la alegría de su fiesta.

---

[182] Audiencia, 4 de marzo de 2015, w2.vatican.va.

62. Mi fuego purifica —Diario de una MDC

> *Pequeña Mía, quiero que entiendas lo que ocurre en un alma que entra en el fuego de Mi Sagrado Corazón. Mi fuego purifica (tu alma) como el oro es purificado. Como el vidrio colocado en el fuego se ablanda para que pueda ser moldeado en la forma deseada. Mi fuego, el fuego del Espíritu Santo, purifica toda dureza de tu corazón, haciéndolo suave y flexible. Es entonces cuando Yo puedo formarte y hacer de ti una nueva creación, la creación que estabas destinada a ser desde el principio de los tiempos, pura y radiante, a imagen y semejanza de Dios. Este proceso de purificación en Mi corazón es diferente a la purificación a Mis pies y costado.*
>
> *El fuego de Mi amor, el Espíritu Santo, les está convirtiendo en cálices de oro, puros y radiantes* (02/09/11).

¿Cuál es la diferencia entre la purificación en el Sagrado Corazón y la purificación a sus pies y costado?

Comenzamos el Camino besando los pies de Jesús. Nuestros corazones comenzaron a abrirse y a ser vulnerables. Nos llevó a conocer a Dios, a conocernos nosotros mismos y al oro precioso del arrepentimiento, para que podamos recibir misericordia. Fue el principio del Camino de intimidad con Cristo. Ahora que estamos en el Corazón de Jesús, Él nos lleva a sus pies de nuevo, pero esta vez el Señor quiere crucificar nuestros pies con los Suyos. Ya no caminamos según nuestra propia voluntad o deseos que tienen sus raíces en nuestro ego. Cristo ahora nos crucifica con su divina voluntad.

4–B:
Los tres clavos que nos crucifican con Jesús

En el Sagrado Corazón vivimos tres tipos de mortificación y de morir a nosotros mismos. Estos representan los tres clavos que crucificaron a Jesús. Por el don de sus clavos, somos crucificados con Él para ser ya no dos, sino *Uno*.

4–B–1
— El primer clavo traspasó los pies de Jesús —
Fruto: Purificación de nuestros deseos

63. La purificación de tus deseos —Diario de una MDC

> *La purificación de tus deseos es la primera etapa de purificación en Mi Sagrado Corazón.* ***Comienzas a actuar solo de acuerdo a Mis deseos*** *y no a los tuyos. Ya no haces lo que quieres, ni vas a donde quieres ir, sino que ahora solo vas a donde Yo te llevo. Eliges vivir cada día según lo que es más difícil, y no lo que es más fácil. Esto requerirá una mayor disciplina de tu voluntad, un mayor silencio y quietud del alma en Mí.*
>
> *Has llegado a reconocer Mi voz y los impulsos de Mi Espíritu Divino. A veces Dios requiere obediencia inmediata; otras veces vives tu obediencia esperando en el Señor. Esta última*

> *obediencia requiere mayor abandono y confianza, y, por lo tanto, le agrada más a Abba, nuestro Padre. Esto es morir por completo a actuar en tu voluntad* (16/1/14).

Basado en el mensaje anterior, vamos a reflexionar paso a paso la primera etapa de purificación en el Sagrado Corazón:

> **Comienzas a moverte solo de acuerdo a Mis deseos y no a los tuyos. Ya no haces lo que quieres, ni vas a donde quieres ir, sino que ahora solo vas a donde Yo te llevo.**

Esto plantea preguntas importantes: ¿Qué nos mantiene caminando de acuerdo con nuestra propia voluntad y deseos? ¿Cómo podemos discernir la diferencia entre nuestros deseos y los de Jesús? A medida que humildemente vivimos esta purificación vamos descubriendo las respuestas. Jesús nos dice lo que debemos hacer para entrar en esta purificación: ***Elige vivir cada día según lo que es más difícil, no lo que es más fácil.*** Entonces nos dice lo que se requiere para escoger lo más difícil: ***Una mayor disciplina de tu voluntad, mayor silencio y quietud del alma en Mí.***

— SILENCIO, CONFIANZA Y GRATITUD —

Estas son virtudes esenciales para vivir la disciplina de la voluntad. **El Silencio** está en la sección 5-B.

— CONFIANZA —
EXPONER LAS MENTIRAS Y COMENZAR A CONFIAR

Hemos aprendido que en el camino estrecho de la Cruz recibimos sanación, purificación y liberación. Ahora, nos enfrentamos a una tarea más difícil: exponer las mentiras que creemos sobre nosotros mismos para poder conocernos de verdad. Esto es difícil porque Satanás ha plantado esas mentiras en nuestras heridas y las hemos integrado en nuestra personalidad y en la manera en que nos vemos a nosotros mismos. Las mentiras han definido nuestra identidad. Además, hemos cubierto estas mentiras con falsa humildad. Por ejemplo, si yo creo la mentira que me dice que yo no sirvo para nada, esto se reflejará en mi modo de ser y actuar y pensaré que estoy siendo humilde. De esta manera, Satanás nos mantiene oprimidos. Vivimos las mentiras con timidez, ansiedad, miedos, comparaciones...

Solo cuando hemos descubierto y rechazado esas mentiras y hemos aceptado la verdad sobre quiénes somos, podemos confiar en nosotros mismos y en el Señor que desea que volvamos a casa. En su reflexión sobre el Hijo Pródigo, Henry Nouwen escribe:

> Sin confianza, no me puedo dejar encontrar. Confianza es esa profunda convicción interior de que el Padre me quiere en casa. Mientras yo dude de que valgo tanto para el Padre que Él quiere encontrarme y mientras yo siga denigrándome, pensando que soy menos amado que mis hermanos menores [estas son las mentiras], no me podrán encontrar. Tengo que decirme a mí mismo continuamente, «Dios te está buscando. Él irá a cualquier sitio hasta encontrarte. Él te ama, Él te quiere en casa, Él no puede

> descansar hasta que te tenga junto a Él.» [Estas son las verdades].
>
> Hay una voz fuerte y oscura en mí que me dice lo contrario: «Dios realmente no está interesado en mí, Él prefiere al pecador arrepentido que regresa a casa después de sus aventuras. Él nunca me presta atención, a mí que nunca me he ido de casa, Él da por sentado que estoy aquí, no soy su hijo preferido, no espero que me dé lo que realmente quiero»[183].

Todos conocemos bien esa voz que nos habla en nuestro interior, la voz de Satanás, el Príncipe de las Mentiras, que nos habla con voz fuerte por medio de las mentiras que nos hemos creído. A través del Camino, hasta ahora, hemos venido creciendo en confianza al conocer que somos amados por Dios y que Él desea que vivamos en su regazo. **Ahora debemos ejercitar esta confianza disciplinando la voluntad para vencer las mentiras y vivir en la verdad.** Estas mentiras TIENEN que salir a la luz de nuestra conciencia a medida que abrazamos la VERDAD de quiénes somos en Cristo. La verdad es el poder que arroja las mentiras al «fuego del fundidor» (*Mal* 3, 1-4).

Esta lucha interna requiere mucha energía espiritual, por eso el Señor nos dice que necesitamos entrar en el silencio y en la quietud de nuestro corazón. Esto es parte del proceso de purificación a través de la Cruz que nos transforma, poco a poco, en una nueva creación, puros y radiantes, a imagen y semejanza de Dios. Es así como se forma nuestra nueva identidad.

En esta etapa es importante llevar un diario y anotar las heridas que has descubierto en ti mismo, así como las mentiras relacionadas con esas heridas que te has creído de ti mismo. Junto a cada mentira, escribe la verdad respectiva. Practica el decirte la verdad en voz alta. Satanás no puede crear nada, solo tuerce la verdad. Por lo tanto, una vez que identificamos las mentiras, estas nos dan un indicio de la verdad sobre nosotros y podremos alabar y darle

---

[183] Henry Nouwen, *The Return of the Prodigal Son* (The Crown Publishing Group, 2013) pp. 84-85.

gracias al Señor por la verdad. Por ejemplo, si Satanás te hizo creer que jamás alguien te amará, ahora puedes ver que sí.

Con frecuencia, cuando comenzamos a decir la verdad, la creemos con el intelecto, pero aún no con el corazón. La verdad nos parece extraña porque la mentira ha sido nuestra identidad durante toda nuestra vida. Es necesario que entendamos esto y perseveremos en la verdad.

Tabla de ejemplos del ejercicio propuesto

<table>
<tr><th>HERIDA</th><th>MENTIRA</th><th>TENDENCIAS-DESÓRDENES</th><th>VERDAD</th></tr>
<tr><td rowspan="2">•Herida paterna: rechazo</td><td rowspan="2">•Soy fea.
•Soy bruta, inútil, incapaz de hacer algo bien.
•No merezco que me amen.</td><td rowspan="2">•Timidez
•Llamar la atención de los hombres a través de mi lenguaje y expresión corporal, mi vestir sensual, «a la moda.»
•Esto continuó incluso durante mi etapa de conversión, aunque solo para eventos sociales. En círculos cristianos me vestía con modestia.
•Bulimia.
•Alcoholismo.
•Inseguridad en todas las relaciones, especialmente con hombres.
•Codependencia especialmente con los novios y amistades cercanas.</td><td>•Soy hija amada de Dios, capaz de amar y ser amada.
•Tengo talentos, belleza e inteligencia.</td></tr>
<tr><td>NUEVA VIDA
•Soy libre para dar y recibir amor.
•No busco llamar la atención.
•Saber que no soy la más inteligente o bella, ya no me molesta.</td></tr>
</table>

— Ejemplos de mentiras que nos hemos creído —

- No soy digno de ser amado.
- Ser vulnerable es señal de debilidad.
- Si muestro intimidad y amor con ternura, me van a herir.
- La intimidad del corazón no es para hombres.
- Los hombres no lloran.
- Solo me van a amar si hago lo que quieren, si soy inteligente, si produzco, si soy perfecto…
- Debo ser autosuficiente en todo.
- Soy una mala persona.
- Mis pecados son muchos y demasiado grandes para que Dios me perdone.
- Necesito estar «en control».
- Dios no me va a guiar, ni va a proteger mi vida.
- El amor de Dios depende de cómo yo le responda.
- Nunca seré lo suficientemente bueno.
- No tengo nada que pueda aportar o decir.
- Soy feo.
- Soy estúpido.
- No tomo buenas decisiones.
- Solo valgo cuando agrado a los demás.
- Nadie me quiere.
- Todos me rechazan.
- Ser humilde es ser pisoteado.
- No soy importante.
- Cuando alguien empieza a conocerme, deja de amarme.
- No puedo defenderme si me juzgan mal o me acusan de algo.
- No puedo decir que «no» porque tengo que complacer a todos.
- Nunca seré apreciado.
- Si me equivoco o cometo un error es prueba de que soy estúpido.
- Tengo que ser perfecto en todo lo que haga.
- Mi opinión o lo que yo siento no importa.
- Nadie me escucha.
- No valgo la pena como para que alguien me atienda o proteja.
- Todo es mi culpa. Los males que otros me hacen son mi culpa.
- Los hombres [las mujeres], no son dignos de confianza.

— TESTIMONIO —
UNA MADRE QUE PRACTICÓ LA DINÁMICA ANTERIOR

Mi mamá me contó que ella no me quería y que lloró los nueve meses de embarazo. Cuando nací, a ella y a mi papá les dio gripe durante mis primeras dos semanas de vida y nos fuimos a casa de mi abuela. Mi hermano era un año mayor y compartimos la misma cuna; él se tomaba su tetero y luego se tomaba el mío. Mis padres se enojaban conmigo porque yo lloraba mucho. Me dicen que les tomó bastante tiempo descubrir lo que estaba sucediendo. A raíz de esto, los sentimientos de no sentirme amada ni tomada en cuenta comenzaron a muy temprana edad y, con ello, vinieron las mentiras: no me quieren, no me aman, no tengo nada importante que decir.

Mi mamá quería tener dos hijos y una carrera; en cambio, tuvo ocho hijos: yo soy la segunda y tengo siete hermanos hombres. Desde muy joven intentaba complacer a todos, esperando así recibir algo de atención o reconocimiento. Mi papá me pedía que cediera y que cambiara mis planes para complacer a mi mamá, a mis hermanos, o a cualquiera. Yo amaba a mi papá y quería complacerlo, entonces cedía y cedía. Después de un tiempo, me fue difícil saber realmente lo que yo quería porque nunca le importó a nadie y, de todas formas, no lo iba a conseguir. Después vinieron las mentiras: no soy importante, si quiero que me amen tengo que hacer lo que otros digan. Solo soy útil si alguien necesita que lo cuide.

Traté siempre de hacer feliz a mi madre. Limpiaba la casa, lavaba los platos, cuidaba a mis hermanos. Nunca era suficiente, nunca escuché un «gracias» sino solo la crítica de algo que no hice a la perfección. Nunca me sentí amada por ella —solo manipulada y controlada—. Cuando algo salía mal, me echaba la culpa —nunca dio la cara por mí, ni me defendió. Criticaba todo y se burlaba de mí delante de la gente, así que no es de sorprenderse que mis hermanos, tíos, primos y otros también se burlaran de mí. Mis hermanos se turnaban para hacer chistes de mí por ser niña o por ser fea. Entonces vinieron las mentiras: nunca seré lo suficientemente buena, no valgo la pena para nadie.

Crecí en una familia que no se comunicaba. No se me permitía enojarme o expresar algún tipo de desacuerdo, solo podía decir: «Sí señor», «No señor», «Diga señor». Cuando estaba en la universidad, mi hermano se llevó mi carro nuevo sin mi permiso, un carro que me había costado mucho trabajo, y lo chocó. Fue pérdida total. Me dieron un carro viejo y me dijeron que debería estar feliz de que él no estuviese herido —ese fue el final de la discusión—. Las mentiras vinieron: no tengo nada importante que decir o que aportar en ninguna conversación.

Todo caía sobre mí. No tenía a quién acudir para pedir un consejo o compartir mis sentimientos. Mirando hacia atrás, entiendo por qué se aprovechaban de mí, me ignoraban y abusaban. No es sorprendente que el instructor de deportes de bachillerato abusase sexualmente de mí y que cuando fui a hablar con un amigo sacerdote para pedirle ayuda, me dijera que eso no había sucedido; y cuando le insistí, me dijera que él no quería involucrarse. De nuevo sentí que yo no valía como para que alguien me tomara en cuenta.

Cuando me violaron durante una cita, cometí el error de acudir a mi madre para que me ayudara, pero me dijo que todo había sido mi culpa. Sufrí horriblemente por esto. No me sentía digna de un hombre decente, así que, no es de sorprenderse que me enamoré de un chico que, al principio, me colmó de elogios y piropos. Cuando las cosas comenzaron a cambiar, le dije a mi mamá que no quería casarme con él y me dijo que era muy tarde porque ya había mandado hacer las invitaciones. Así me «vendieron» por cien dólares. Mi cuñada tomó todas las decisiones sobre los detalles de la boda y yo solo acataba cualquier cosa que se decidiera.

Cuando le dije a mi papá, «No me quiero casar con él», me respondió, «esos son tus miedos». Ese fue el final de la discusión. No podía lograr que me escucharan. El sacerdote que no me ayudó cuando me abusaron, fue quien ofició la boda —me pareció inútil hablar con él—. Cuando estaba frente al altar no podía concentrarme en lo que se decía, ya que lo único que yo quería era irme, pero estaba atrapada y, cuando me vine a dar cuenta, ya estaba casada con un hombre que no amaba y ni siquiera me gustaba. Lloré durante toda la noche de bodas y desde entonces, todo se vino en picada en los siguientes ocho años. Era un hombre muy abusivo, física y emocionalmente.

Nos mudamos a otro estado sin nada y sin conocer a nadie. Una semana después de mi hija cumplir tres años y mi hijo uno, mi esposo nos abandonó; se llevó hasta el último centavo y yo estaba sin trabajo. Le pedí a mi mamá si podía cuidar de los niños durante dos meses mientras que yo me recuperaba y ella me respondió: «Esa es tu carreta, tú la tiras». Lo más difícil fue tener que llevar a mis hijos a un preescolar para que los cuidaran extraños. Yo estaba amamantando a mi hijo y no tuve tiempo de destetarlo; me tocó dejarlo allí, llorando. Eso fue muy duro para mí.

Como consecuencia de todo esto, cuando empecé el proceso de sanación de las heridas, me tomó mucho tiempo el admitir y hablar sobre ellas. No estaba segura de que pudiera confiar, no estaba segura si me aceptarían, o si les caería bien, o si me dejarían ir al retiro si se enteraban, aunque fuese un poquito, de lo desastrosa que soy. Me tomó mucho más tiempo ponerles nombre a mis heridas, simplemente no sabía. La hermana que me acompañó les puso nombre a las heridas y fue entonces que pude verlas y decir: «Sí, así es». Es la herida materna, la herida de ser rechazada, abandonada, traicionada, y la herida de no ser amada.

Por mucho tiempo había sentido que mi relación con el Señor estaba bloqueada. Había pasado horas en adoración, amándolo lo mejor que podía, pero no fue hasta que comencé este proceso de entender mis heridas y mi forma de actuar y reaccionar a partir de mis principales heridas, que la verdadera sanación comenzó. ¡Al principio fue muy doloroso! Una vez que empecé a ver mis heridas, fue como un volcán de emociones y tuve que enfrentarme a los pecados que tenía escondidos pues estaban en mi subconsciente: odio, amargura, resentimiento, orgullo y, sobre todo, el no perdonar. Yo pensaba que había perdonado por cada una de las heridas, pero la verdad es que ni siquiera había tocado la superficie. Fui a confesarme una y otra vez, pidiéndole a nuestro Señor que me perdonara y que me sanara de cada uno de esos pecados ocultos a medida que surgían las emociones y reconocía sus diversas fases. Con esto no quiero decir que mi proceso ha finalizado, sino que ser capaz de reconocer y admitir que hay un problema es el primer paso, ya que durante toda mi vida estuve en estado de negación.

Cavar profundo fue el proceso de ir atrás, al principio, con Jesús y, en mi corazón, ver a mis padres individualmente y expresarles el dolor que me habían causado y, con Nuestro Señor, nombrar cada herida y perdonarlos de corazón. Tuve que hacer esto varias veces antes de ser capaz de ir al próximo paso y pedirles perdón por guardarles resentimientos y por mi amargura inconsciente a través de los años.

Le pedí al Señor que sanara todas mis emociones y que, con el poder del Espíritu Santo, consumiera cada uno de mis sentimientos negativos que llevaba reprimidos, y que sanara nuestras relaciones. Confío que lo está haciendo y continuará haciéndolo por el tiempo que sea necesario. También me di cuenta de que mis padres actuaron lo mejor que pudieron. El Señor me permitió ver el interior de sus corazones, sus heridas, sus penas, y comprender que esas heridas se reflejaban en sus acciones. Esto fue un gran don que nunca había pasado por mi mente.

A través de los años, siempre he estado muy cerca de nuestra Madre María y he acudido a ella, pero esta vez le pedí que fuese mi mamá, que fuéramos atrás en el tiempo y que me permitiera nacer en Belén, que me cargara y que me diera todo el amor que yo tanto quería y necesitaba en todas las etapas de mi vida, pero especialmente en los momentos más duros. Este proceso de sanación me está liberando porque es la luz del Espíritu Santo la que brilla en mis heridas y expone la oscuridad.

Veo mi necesidad de humildad y pureza de corazón. Veo cuánto tiempo he perdido preocupándome ensimismada. No es nada agradable y le ruego a Dios que me perdone. Al mismo tiempo, me doy cuenta de cuánto necesito entender Su verdadero amor por mí: Él me ama a pesar de mis pecados y veo cuán paciente ha sido conmigo. No puedo dejar de alabarlo y agradecerle por todo lo que ha sucedido —lo bueno y lo difícil—, por estar siempre a mi lado y nunca abandonarme. Ahora entiendo un poquito más lo que significa morir a mí misma.

Ahora veo cómo las mentiras que me enseñaron durante toda mi vida, me han formado y me han hecho quien soy. He vivido temerosa, oprimida, odiándome a mí misma. Mientras me esfuerzo por andar nuestro Camino Sencillo de Unión con Dios, estoy aprendiendo a sufrir cada una de esas experiencias con nuestro Señor. Sufrir ya no como dos, sino siendo *Uno* en Su sacrificio de amor. Esto ha sido muy poderoso.

Estoy pasando tiempo con Jesús, viendo sus sufrimientos, contemplando sus ojos y viendo su dolor al ser usado, abusado, no amado, no querido, rechazado, abandonado, traicionado, despojado, olvidado, despreciado, no tomado en cuenta. Estoy uniendo mi dolor a sus heridas y vertiendo mi sangre con la suya para la sanación y salvación de ellos y por la sanación de las almas de mi árbol genealógico. Jesús estaba conmigo, aun cuando yo no lo reconocía. Qué gran privilegio es que Él quiera sanar, a través de mis sufrimientos, a todos los que me hicieron daño. Quiero ser verdaderamente transformada en una mujer nueva. Le ruego al Señor que me libere y me llene con su amor para ser suya y amar a otros como Él me ama a mí.

— SANTOS FALSOS —

Este proceso nos llevará a ser auténticos. Ya no pretendemos ser santos y perfectos, porque sabemos que Dios nos ama tal como somos. Ahora podemos reconocer con honestidad nuestros pecados sin miedo y permitir que el Señor continúe sanándonos.

El Papa Francisco nos advierte sobre la mentira de ser «santos falsos»:

> Dios perdona generosamente… Lo que no perdona es «la hipocresía, la santidad fingida» … Dios prefiere «pecadores santificados»: personas que, a pesar de sus pecados del pasado, aprenden a hacer un mayor bien. «Santos falsos» son personas que están más preocupadas en parecer santos que en hacer el bien …
>
> «Nosotros somos astutos», como pecadores: «siempre encontramos un camino que no es el justo, para aparentar ser más justos de lo que somos: es el camino de la hipocresía». Fingen convertirse, pero su corazón es una mentira: ¡Son mentirosos! … En efecto, «su corazón no pertenece al Señor; pertenece al padre de todas las mentiras, a Satanás. Y este es el "fingimiento" de la santidad». Es una actitud contra la cual Jesús usó siempre palabras muy claras. Él, de hecho, prefería «mil veces» a los pecadores en vez de los hipócritas. Al menos los pecadores decían la verdad sobre sí mismos: '¡Apártate de mí, Señor que soy un pecador!' había dicho Pedro, una vez»[184].

La falsa santidad es una mentira común que ocurre cuando creemos que, si aparentamos ser santos, seremos amados y reconocidos. Entonces hacemos lo que luce bien exteriormente, pero no enfrentamos las mentiras en que vivimos. A medida que traemos a la luz de nuestra consciencia las mentiras enquistadas en nuestra identidad, somos capaces también de identificar nuestros

---

[184] Homilía en Sta. Marta, 3 de marzo del 2015.

deseos y tendencias desordenadas que están arraigadas en las mentiras. Entonces podemos discernir la diferencia entre los deseos de Dios y nuestros deseos y tendencias. El amor nos mueve a la obediencia y elegimos vivir según los deseos de Dios sin importarnos cuán difíciles o imposibles parezcan.

64. Morir a nuestros deseos —Diario de una MDC

> *Con este primer clavo comienzas a crucificarte Conmigo. Mis deseos comienzan a anteponerse a tus deseos y tendencias. La obediencia es la virtud que ahora te mueve a actuar de acuerdo a Mi voluntad, a pesar de tus deseos* (18/1/14).

Las heridas y mentiras nos llevan a muchas tendencias: A compararnos, a segregar, y a juzgar a los demás. Cuando nos «comparamos» con los demás, terminamos sintiéndonos fuera de sitio, indignos, inseguros y ansiosos. Entonces nos ponemos máscaras para aparentar exteriormente lo que pensamos que deberíamos ser para ser amados y aceptados.

También caemos en la «**segregación**»: nos separamos de Dios y unos de otros. Piensa en las consecuencias de la segregación en nuestro país: ira, odio, división, heridas profundas y sufrimiento. También nosotros podemos vivir la segregación en nuestro corazón y sufrir los mismos efectos. **Cuando nos sentimos heridos por personas, tendemos a separarnos de ellas emocional y físicamente. Inmediatamente viene la murmuración (queja) y la mentira.** Estos son mecanismos de defensa que hemos aprendido a una edad temprana para poder enterrar nuestras heridas y justificar nuestra falsa imagen. Caemos en esta trampa porque no hemos llegado a creer la verdad de quienes somos en Dios.

Otra táctica del enemigo es incitarnos a juzgar. El Papa Francisco explica:

> La capacidad de avergonzarse y acusarse a sí mismo, sin descargar la culpa siempre en los demás para juzgarlos y condenarlos, es el primer paso en el camino de la vida cristiana que conduce a pedir al Señor el don la misericordia...
>
> En cambio, «todos nosotros somos maestros, somos doctores en justificarnos a nosotros mismos».
>
> Por ejemplo, «cuando encuentro en mi corazón una envidia y sé que esa envidia es capaz de hablar mal del otro y matarlo moralmente», me tengo que preguntar: «¿Soy capaz de ello? Sí, yo soy capaz». Y precisamente «así comienza esta sabiduría, esta sabiduría de acusarse a sí mismo».
>
> «Cuando uno aprende a acusarse a sí mismo es misericordioso con los demás». Y puede decir: «¿Pero quién soy yo para juzgarlo, si soy capaz de hacer cosas peores?»... El Señor es claro: «no juzguéis y no seréis juzgados; no condenéis y no seréis condenados; perdonad y seréis perdonados». **Es un camino ciertamente «no fácil», que «inicia con la acusación de uno mismo, inicia con esa vergüenza delante de Dios y con la petición de perdón a Él: pedir misericordia»**[185].

[185] "Meditaciones Diarias, 2 de marzo de 2015, w2.vatican.va.

— GRATITUD —

La gratitud es otra importante virtud necesaria para vivir en la disciplina de nuestra voluntad. Es lo opuesto al resentimiento. Henry Nouwen escribe:

> La disciplina de la gratitud es el esfuerzo explícito para reconocer que todo lo que soy y lo que tengo se me ha dado como un regalo de amor, un regalo para ser celebrado con alegría. La gratitud como disciplina implica una elección consciente. Puedo elegir ser agradecido incluso cuando mis emociones y sentimientos aún están impregnados de dolor y resentimiento. Es asombroso cuántas ocasiones se presentan en las que puedo elegir gratitud en vez de la queja. Puedo elegir ser agradecido cuando me critican, incluso cuando mi corazón todavía responde con amargura. Puedo elegir hablar acerca de la bondad y la belleza, incluso cuando mi ojo interior todavía busca a alguien a quien acusar o algo que pueda llamar feo. Puedo optar por escuchar las voces que perdonan y mirar a las caras que sonríen, incluso mientras todavía oigo palabras de venganza y veo gestos de odio[186].

Vivir en silencio, confianza y gratitud, sin comparar ni juzgar, es muy difícil, por eso el Señor nos dice que debemos elegir vivir cada día según lo que es más difícil y no lo que es más fácil. ¡Debemos disciplinarnos en creer que somos amados y para amarnos los unos a los otros!

---

[186] Henry Nouwen, *Return of the Prodigal Son,* citado en *Escritos Esenciales*, (Santander: Sal Terrae, 1999) https://books.google.com.

— OBEDIENCIA —

La práctica de estas virtudes nos lleva a una obediencia amorosa a Dios.

65. La virtud de la obediencia se perfecciona en el Sagrado Corazón —Diario de una MDC

La obediencia es el fruto de la confianza, de la entrega y del amor puro. La obediencia es la virtud que se perfecciona en Mi Sagrado Corazón. Yo hice solo la voluntad de Mi Padre, porque Yo vivo en Él y Él en Mí. En nuestra unión, siendo Uno, Yo nunca podría actuar fuera de Él. Esto es amor. Este amor puro te mueve a ser obediente a la voluntad del Padre. Por lo tanto, un signo de amor genuino en el Corazón de la Trinidad es la obediencia perfecta a Mi Santa Voluntad (16/1/14).

Hebreos 5, 8-9

Aunque era Hijo de Dios, aprendió por medio de sus propios sufrimientos qué significa obedecer. De este modo, Él alcanzó la perfección y llegó a ser causa de salvación eterna para todos los que le obedecen.

66. La obediencia es el fruto de la transformación Interior

—Diario de una MDC

La virtud de la obediencia es fruto de una gran transformación interior pues requiere que veas con los ojos de tu alma y escuches la voz de tu Dios que te guía. Es la virtud que crece de la humildad y la pureza de corazón. Requiere mucho abandono de tu voluntad. Requiere que tu alma «crea» en la forma que te he enseñado.

La obediencia es fruto de la confianza. La obediencia es fruto del amor. Es por eso que Soy perfectamente obediente a la voluntad de Mi Padre. Cada respiro Mío aquí en la tierra estaba en perfecta armonía y obediencia con el Padre, porque vivo en perfecta unión con el Padre y el Espíritu Santo.

Crecer en obediencia es crecer en una profunda atención a los movimientos y mociones del Espíritu Santo en tu alma. Es por eso que te he enseñado tanto sobre el silencio. La perfecta obediencia a Mi voluntad es tu respuesta de amor a Mí. La pobreza engendra castidad y la castidad produce obediencia, que es la esencia del amor (14/12/11).

— TESTIMONIO —
RESPUESTA AL DESEO DE JESÚS DE QUE AMEMOS HASTA EL EXTREMO DE LA CRUZ

Carta de una madre a sus hermanas de la comunidad

Mientras reflexionaba sobre estas palabras (el mensaje de arriba), me di cuenta de cuán grande canal de gracia es la vida rutinaria de una madre. Nuestras vidas sirven como el clavo en el pie de Jesús. Este es un ejemplo:

No puedo estar en esta mañana con ustedes como quisiera, porque estoy sentada en el estacionamiento de un campo de fútbol esperando que comience el juego. No puedo escoger otro lugar para estar porque sería desobediente a mis deberes como madre.

Qué bendición ver con tanta claridad lo que tengo que hacer. El negarme a mí misma se me hace mucho más fácil de soportar. A veces los deberes de la maternidad son tantos, tan intensos, tan constantes, que llego a un punto en que me pregunto si yo —mi persona— aún existe, o si no soy más que un cuerpo que funciona incesantemente, sirviendo a las necesidades de los demás.

Pero esta mañana he visto cómo cada una de nosotras ama de una manera única y personal y que el Sagrado Corazón no es solo la fuente de este amor, sino que las llamas de su amor nos forman a cada uno en un canal particular de amor. No hay nadie en el mundo que ame como yo. No hay nadie que ame como tú. Solo yo sé exactamente cuánta leche verter en el tazón de cereal de mis hijos; solo yo sé cuánto apretar los cordones de sus zapatos, o exactamente dónde colocar la cola de caballo en la cabeza de mi hija. Así que no soy solo un cuerpo, sino otro Cristo para ese niño y ese niño es el Niño Jesús para mí.

Ahora tengo que irme. El juego va a empezar y tengo que estar allí sonriendo, callada, porque mi hijo se avergüenza demasiado si grito.

A medida que empezamos a vivir en el Sagrado Corazón de Jesús, vemos con los ojos de Jesús lo egocéntricos que somos. A través del largo proceso de «sufrir TODO con Jesús», el Espíritu Santo poco a poco transfiere nuestra mirada hacia los demás. Ahora, las heridas en los corazones de los demás son más importantes que las nuestras. Comenzamos a vivir para otros cuando comenzamos a vivir para el Otro. Entonces el amor nos mueve a sufrir el quebranto de los demás con Jesús para obtener sanación para ellos. Esto es más difícil cuando nos ofenden; pero lo podemos hacer cuando el deseo de Jesús de salvar y transformar almas se convierte en el deseo más profundo de nuestros corazones, un deseo que nos mueve más allá de nosotros mismos.

No podemos superar nuestro egocentrismo y orgullo por nuestra cuenta. Debemos permitir que otros nos digan nuestros defectos, aunque nos parezca una experiencia humillante.

— Testimonio —
Una Madre de la Cruz descubre sus heridas

Mi alma estaba desgarrada por una decisión que tenía que tomar con mi marido. Mi director espiritual me ayudó a ver que mis heridas y pecados habían distorsionado mi identidad. Cuando se tocan estas heridas, reacciono con ira, resentimiento y falta de perdón.

De niña, me era difícil adaptarme a las frecuentes mudanzas de mi familia. Aunque mis padres me amaban, mi padre estaba emocionalmente ausente y mi madre era agobiante. Una manera en que esto me afectó es que, cuando tengo que tomar una decisión importante, me debato entre lo que creo que es correcto y lo que creo que mis padres aprueban. Durante muchos años, tuve una doble vida entre el «verdadero yo» y el «yo que busca complacer».

Como mujer casada, mi familia se trasladó cerca de mis padres, algo que no quería hacer. Al estar lejos, solo tenía que «actuar» delante de mis padres un par de veces al año, pero mi marido y yo sabíamos que la mudada era parte del plan de Dios para enfrentar y sanar mis heridas con mi familia. Tuve que elegir entre ser la cristiana, víctima de amor que Dios quiere que yo sea, y la mujer que mis padres querían que fuera.

El Camino Sencillo de Unión con Dios fue el comienzo de mi proceso de sanación. Entré en el camino estrecho, lleno de sufrimientos y desafíos. Es muy incómodo porque tenía que encontrarme y enfrentarme a la oscuridad de mi propia alma. Muchas de mis heridas y pecados eran muy difíciles de reconocer, pero ahora podía permitir que mi marido, con su amor, paciencia y fidelidad, viajara conmigo a través de mis heridas y me ayudara a traerlas a la luz.

Mi primera reacción fue la de negar mis heridas, pero el Señor me dio la gracia para enfrentarme a mi orgullo y ver las heridas que había ignorado durante años. Estaban infectadas con pecados y eran feas. **Me di cuenta de que una de las partes más dolorosas de este camino estrecho es cuando alguien saca a la luz la oscuridad de nuestras almas; entonces tenemos que enfrentar nuestro orgullo. Esta es la clave. Nuestro orgullo es la bestia que mantiene a nuestras almas encerradas en la oscuridad. Hay que matar este orgullo para que la luz del Espíritu Santo pueda penetrar en la profundidad de nuestra alma, para sanar nuestras heridas y eliminar la infestación del pecado.**

— NO HAY HUMILDAD SIN CORRECCIÓN FRATERNA —

El Padre Raniero Cantalamessa, explica por qué:

No cometamos el error de pensar que hemos alcanzado la humildad solo porque la palabra de Dios nos ha llevado a descubrir nuestra nada y nos ha enseñado que debe manifestarse en servicio fraterno. Vemos hasta qué punto hemos alcanzado la humildad cuando la iniciativa pasa de nosotros a los demás, es decir, cuando ya no somos nosotros los que reconocemos nuestros defectos y errores, sino otros; cuando no solo somos capaces de decirnos a nosotros mismos la verdad, sino que también de buen agrado permitimos a otros que lo hagan [...] En otras palabras, **el punto en que estamos en la lucha contra el orgullo se ve en la forma en que reaccionamos, externa e internamente, cuando nos contradicen,** nos corrigen, nos critican o nos ignoran. Pretender que matas tu orgullo golpeándolo tú mismo, sin que nadie intervenga desde fuera, es como usar tu propio brazo para castigarte: nunca te harás realmente daño. Es como si un médico tratase él mismo de extirpar un tumor de su propio cuerpo[187].

---

[187] Padre Raniero Cantalamessa O.F.M. Cap, *In Love With Christ, the Secret of Saint Francis of Assisi*, Zenit books, 2014, 56.

4–B–2
—El Segundo clavo de purificación crucifica nuestras emociones —

El oscurecimiento de nuestros sentidos interiores

Desde el comienzo del Camino, nuestros corazones han ido creciendo en su capacidad de «ver» y «escuchar» a Cristo interiormente. Ahora ya no sentimos sus consuelos como antes y debemos caminar en la oscuridad de la fe, en confianza perfecta. Seguimos teniendo emociones, pero ahora, habiendo entrado en profunda intimidad con Dios, nuestra unión ya no depende de los consuelos. Estamos ahora en el amor puro.

67. Mi llama de amor ha tomado posesión de tus facultades —Diario de una MDC

Ahora vives en paz, en la oscuridad de la fe, sin Mi dulce consuelo. Mi llama de amor ha tomado ahora posesión de tus facultades de la vista, el tacto, el oído y el habla. Es Mi Espíritu en ti quien ve el interior de los corazones; es Dios quien toca por medio de tus manos; vives ahora en el «silencio» de la Trinidad y tus palabras son, en sí mismas, sabiduría y comprensión (26/5/14).

68. Llama de amor —Diario de una MDC

Mi llama de amor es el Espíritu Santo. Por medio de Mi Camino, Mi llama de Amor ha poseído vuestras mentes, corazones y facultades, de modo que ya no sois vosotros quienes vivís, sino Yo quien vive en vosotros. De esta manera, Yo vivo en vosotros como vosotros vivís en Mí, y el Padre vive

en nosotros. No tengáis miedo de ser enviados como Mis heraldos de la esperanza para dar paso a Mi era de paz. No tengáis miedo de hacer frente a las fuerzas del mal siendo Mi luz, ya que es la luz de Mi resto santo la que conquistará las fuerzas de la oscuridad. Creed que son la Luz del mundo y tenéis el poder de Dios (26/5/14).

69. Desolación unida a Mí —Diario de una MDC

En tiempos de desolación es cuando tu vida tiene el mayor poder y fecundidad. En Mi desolación en la Cruz, Mi vida mostró con más brillo el amor de Dios Padre. Mi desolación hizo que Mi fe en Mi Padre irradiara su perfección.

—Por medio de Mi desolación, di a luz a Mi Iglesia y a todos sus sacramentos.

—Por medio de Mi desolación, di a luz a todos Mis hijos, Mis sacerdotes.

—Por medio de Mi desolación, el Espíritu Santo amplió el corazón maternal de Mi madre para abrazar a toda la humanidad.

—Es en tus tiempos de desolación que el Espíritu Santo y Mi Madre desean unirte más íntimamente a Mí.

—Es en tus tiempos de desolación que se te da la oportunidad y la gracia de sufrir Conmigo.

—Es por medio de tu desolación que puedes llegar a conocer el dolor, el sufrimiento y el amor de Mi Corazón.

—Es a través de tu desolación unida a la Mía que tu vida también tendrá la mayor fecundidad.

Mi desolación era tan importante para la salvación del mundo que el Padre quiso que Mi madre continuase sufriendo Mi desolación en la tierra. Con su sufrimiento de soledad ella continuó Mi desolación y produjo y sigue produciendo una lluvia de gracias para el mundo.

Yo deseo que las almas que me aman vivan sus momentos de desolación unidas a Mí y completamente abandonadas al Espíritu Santo. De esta manera, Mi fuerza oculta adquirirá el poder de Dios para vencer a la oscuridad del mundo. Mi Cruz no es Mi Cruz sin el poder de las desolaciones vividas con perfecta fe (2/3/11).

— TESTIMONIO —
UNA ESPOSA Y MADRE VIVE EL PROCESO DE PURIFICACIÓN EN EL SAGRADO CORAZÓN

Creo que todo comenzó hace meses cuando no sentía sino sequedad, como si nuestro Señor me hubiese abandonado. Ya no podía sentir sus consuelos, ni escuchar su voz... Solo sentía la muerte en mi vida espiritual. Varios meses más tarde, dos hermanas de la comunidad se expresaron con palabras que traspasaron mi corazón: tocaron una herida. No hablé sobre esto con ellas, ni con mi acompañante (la persona de mi comunidad que me acompaña en el Camino), lo que fue un error, ya que me llevó a aislarme. Una y otra vez, durante semanas, escuché las palabras que habían entrado en mi herida. Esto fue una apertura para que Satanás entrara.

Un día, unas hermanas de mi comunidad oraron por mí con mucho amor y preocupación. Poco después, rompí mi silencio: abrí mi corazón un sábado en la reunión de las madres. Ellas rezaron fervorosamente sobre mí y luego comenzó mi proceso de sanación.

Por medio de la oración de la comunidad por mí y de mi acompañante espiritual, empecé a ver que yo había caído en una profunda oscuridad que yo misma había permitido, pero que el Señor también la había permitido para que muchas cosas salieran a la luz. Jesús quería sacar a la luz todas las mentiras con que el enemigo me había estado alimentando y que durante años se habían hecho parte de mí, creando una falsa identidad. Durante años, me habían dicho que nadie me querría, que no soy lo suficientemente buena, que soy un fracaso y muchas mentiras más.

Satanás se aprovecha de nuestras heridas y pecados, viene a matarnos, alimentándonos con mentiras para infectar nuestras heridas. El Señor quiere eliminar todas esas mentiras que se han hecho parte de nosotros y quiere decirnos la verdad en nuestros corazones, dándonos en este proceso nuestra verdadera identidad.

He tenido en mi mente una imagen de mi corazón como una roca que se está desmoronando y derrumbando. Siento que esto es lo que Dios está haciendo: derrumbando todas las mentiras, desmantelando el viejo yo y haciendo una nueva creación. Me siento como si me estuvieran quitando el balance, pero en realidad me están dando un nuevo centro de gravedad. Mi centro de gravedad siempre había sido yo misma: mis heridas, mis desórdenes, mi egoísmo, las mentiras que me mantienen en ese centro creando una falsa identidad, un falso centro de gravedad. Nuestro Señor quiere ser mi centro de gravedad, donde hay orden y no un orden falso o una falsa identidad. Debido a esta sensación de desequilibrio, siento que me estoy cayendo y trato de aferrarme al viejo yo, lo que siempre he sido. Sin embargo, Él me está tallando como un escultor cincela un pedazo de mármol crudo para hacer una nueva creación. Como todavía no puedo ver el producto acabado, ni siquiera puedo imaginármelo, me agarro a lo que me es conocido: el hombre viejo. Lo que tengo que hacer es soltar los controles, pero aquí es donde mi fe es débil. Al mismo tiempo, Satanás sabe lo que está sucediendo y ve una oportunidad. Por eso amplifica las mentiras y la batalla se vuelve más feroz. Ataca con más fuerza porque sabe que estoy siendo liberada de las mentiras que me han mantenido oprimida durante años.

La otra imagen que sigo viendo es la del puerto del catéter que me implantaron quirúrgicamente para administrarme quimioterapia cuando estaba enferma con cáncer hace unos años. Con el tiempo, este puerto se ha hundido en mi pecho y ahora está cubierto por una capa de carne más gruesa. Ahora, para extraerlo, el corte tiene que ser más profundo. Veo que ocurre lo mismo con las mentiras. He escuchado esas mentiras durante tanto tiempo que ahora están profundamente dentro de mí y son parte de mi carne. Para arrancarlas, debo ser profundamente traspasada, nuestro Señor tiene que ir profundo en mi interior. No puedo hacerlo sola. Al igual que yo necesitaba un cirujano para sacar el puerto, también necesito que Jesús cure mis heridas espirituales.

Cavar hasta las profundidades de mi alma, hasta los recovecos más profundos de mi corazón, hasta mi herida principal, ¡es tremendamente doloroso! Tanto es así, que tuve que parar toda actividad extra y hacer solo mis deberes diarios. Tuve que encontrar «un mayor silencio y quietud de alma» mientras que el Señor me purificaba y continúa purificándome.

Esta purificación es una crucifixión de nuestro viejo yo, de nuestros deseos y tendencias; es una liberación de todo mal que nos mantiene oprimidos. Nuestro Señor nos dijo en la comunidad: «Mis deseos comienzan a sobrepasar tus deseos y tendencias». Lo que veo que está sucediendo es que mi voluntad está siendo perfeccionada. Esto, como uno puede imaginarse, puede ser un proceso largo porque la persona que hemos sido durante toda nuestra vida ya no puede vivir y es necesario que tengamos la voluntad de movernos en obediencia a Dios.

Durante mucho tiempo he sido oprimida por muchas mentiras y el Señor quiere liberarme, hacerme nueva para ser un «cáliz puro». Él quiere eliminar todas las mentiras que crearon en mí una identidad falsa, y reemplazarlas con mi verdadera identidad que Él planeó para mí desde el principio de los tiempos.

El proceso de vivir la experiencia del primer clavo es muy difícil y doloroso. Requiere obediencia completa y una mayor fuerza de voluntad. Nuestro Señor nos dice: «La obediencia es la virtud que ahora te mueve a actuar según mi Voluntad, a pesar de tus deseos». Confieso que al principio me rebelé. Creí las mentiras porque estaban perfectamente hechas a la medida de mis heridas, por lo que eran muy creíbles. Me encuentro luchando contra estas mentiras constantemente, tratando de echarlas fuera. La falta de consolaciones lo hace aún más difícil. Ahora tengo que elegir seguir a Cristo, ser alma víctima, permanecer en la comunidad, hacer lo que es más difícil, amar cuando no quiero amar. Actúo en obediencia y no por emociones. He estado en una gran batalla espiritual por meses, constantemente luchando contra mis propias tendencias y contra los muchos demonios que me llenan de sus mentiras. De vez en cuando… en realidad muy a menudo… caigo, pero el Señor continúa fortaleciéndome y enviándome a nuestra Madre para que me levante, como ella le ayudó a Él a levantarse cuando Él cayó en el camino de la Cruz.

Es importante decir que nuestro Señor no me ha abandonado a lo largo de este proceso. De hecho, mirando hacia atrás ahora, veo que escribir todo lo que Él ha hecho por mí en los últimos meses, sería demasiado largo. Jesús me ha prodigado con tantos regalos. Él ha proveído por mi familia de una manera tan hermosa. Es extraño porque, aunque no he sentido consolaciones, Él ha respondido a muchas oraciones y me ha dado muchos, muchos, muchos regalos. El regalo más grande por venir, creo que es el de una nueva identidad.

4–B–3 — El Tercer clavo nos lleva a la unión perfecta — El clavo de la persecución

70. Como Me persiguieron… —Diario de una MDC

Como me persiguieron, te perseguirán; como me odiaron, te odiarán. Este último clavo fusiona tu corazón a Mi Sagrado Corazón: amas siendo Uno Conmigo a todos los enemigos de Dios y así completas tu crucifixión en Mí, y el triunfo del amor de Dios se manifiesta a través de ti en la unidad de Mi Cuerpo. Prepárate en silencio y oración para vivir la última etapa de Mi Camino divino (26/5/14).

71. Todos serán llamados a sufrir persecución —Diario de una MDC

El tiempo está cerca cuando todos serán llamados a sufrir persecución por Mi causa. Este tiempo de persecución dividirá a Mis seguidores en dos bandos: los que están Conmigo y los que están contra Mí. Pocos permanecerán Conmigo en el tiempo de la gran tribulación. Vosotros, Mis pequeños, estáis siendo preparados para este tiempo. Vuestras vidas vividas en humildad y pureza de corazón, unidas a Mí, serán la luz en esta oscuridad. Vuestras vidas ocultas y transformadas en Mi amor crucificado, propiciarán el Nuevo Pentecostés para el mundo (25/2/14).

San Pablo escribe sobre la persecución:

Recuerden los primeros tiempos: apenas habían sido iluminados y ya tuvieron que soportar un rudo y doloroso combate, unas veces expuestos públicamente a injurias y atropellos, y otras, solidarizándose con los que eran tratados de esa manera. Ustedes compartieron entonces los sufrimientos de los que estaban en la cárcel y aceptaron con alegría que los despojaran de sus bienes, sabiendo que tenían una riqueza mejor y permanente. No pierdan entonces la confianza, a la que está reservada una gran recompensa. Ustedes necesitan constancia para cumplir la voluntad de Dios y entrar en posesión de la promesa[188].

[188] *Hb* 10, 32-36.

72. El éxtasis del amor de Dios transforma el dolor en la espada del Espíritu —Diario de una MDC

Algunos santos recibieron los estigmas con el dolor físico de las heridas de los clavos, pero TODOS Mis santos se crucificaron Conmigo místicamente por medio de Mis clavos. La crucifixión mística no es menos real y dolorosa que la física; al igual que el martirio blanco no es menos real y doloroso que el martirio rojo.

La unidad en la Santísima Trinidad es el fruto de hacerse Uno *Conmigo en Mi crucifixión, porque esto es amor perfecto. El éxtasis del amor del Padre, del Hijo y del Espíritu Santo transforma el dolor en la Espada del Espíritu que traspasa la oscuridad de Satanás. Pocos logran esta unión de amor debido a la falta de perseverancia y amor desinteresado.*

El santo que llega a ser* Uno *Conmigo en Mi amor crucificado tiene el poder de transformar una sociedad entera*. Estoy formando a Mis santos para los tiempos decisivos que se aproximan, para luchar mi guerra santa y propiciar la era de paz* (28/12/14).

4–C:
Verdadera intimidad en el sufrimiento

4–C–1
— Intimidad verdadera: sufrir como un solo Corazón con el Amado para entrar en unión de sufrimientos—

En el Huerto de Getsemaní Jesús expresa el inmenso dolor de su Corazón cuando le dice a Pedro, a Santiago y a Juan: «Siento en mi alma una tristeza de muerte. **Quédense ustedes aquí y permanezcan despiertos conmigo**» (*Mt* 26, 38). Nuestro Señor se va entonces a orar: «Padre mío, si es posible, aparta de mí este cáliz; pero hágase tu voluntad y no la mía» (*Mt* 26, 39).

73. Amar es sufrir —Diario de una MDC

El amor del Padre, del Hijo y del Espíritu Santo estaba plenamente contenido en Mi Corazón humano. En Mi humanidad, siendo el Verbo Encarnado, Mi amor se manifestaba en Mi sufrimiento. Mi océano de misericordia fluía de Mi amor al sufrir por ustedes.

A causa del pecado, amar aquí en la tierra es amar sufriendo. Solo en el Cielo existe el amor sin sufrimiento. Deseas que tu corazón sea Uno *con el Mío, ¿deseas entonces sufrir Conmigo? Amar es sufrir. Porque los amo, sufro la condición en que se encuentran sus corazones, heridos y quebrantados.*

Fuisteis creados desde el principio de los tiempos para conocer el AMOR y vivir en el AMOR.

Esto es la felicidad, pero el pecado vino al mundo y la oscuridad ha vencido a la Luz en los corazones de muchos de nuestros hijos. Mi Sagrado Corazón, consumiéndose en el Fuego de Amor, sigue amando y desea incendiar al mundo con Mi fuego. Esto es amor.

Que no te engañen, hija Mía, Mi muerte y resurrección han vencido al pecado y a la oscuridad. La oscuridad de Satanás nunca puede extinguir Mi fuego de amor dentro de ti. Más bien es Mi fuego dentro de ti el que tiene el poder de extinguir la oscuridad que te rodea (1/7/11).

Nuestro Señor desea que permanezcamos con Él y participemos de su cáliz, el cáliz de sus sufrimientos por los pecados del mundo. El fuego del amor del Espíritu Santo que consume al Sagrado Corazón de Jesús también consume nuestro corazón, y comenzamos a desear beber y participar en sus sufrimientos. Esto es puro amor. Santa Gema Galgani expresa esta intimidad en el sufrimiento en su oración:

> Oh, Dios mío, concédeme que, cuando mis labios se acercan a los tuyos para besarte, pueda probar la hiel que te fue dada; cuando mis hombros se apoyan en los tuyos, hazme sentir tu flagelación; cuando mi carne está unida a la tuya, en la Sagrada Eucaristía, hazme sentir tu pasión; cuando mi cabeza se acerca a la tuya, hazme sentir tus espinas; cuando mi corazón esté cerca del tuyo, hazme sentir tu lanza.

En esta unidad, nuestros deseos son los del Señor. El alma desea la desolación antes que consolación porque el cáliz del sufrimiento de nuestro Señor está lleno de desolación. El alma desea las dificultades antes de los placeres porque el cáliz de nuestro Señor está lleno de dificultades. El alma desea agotamiento antes de descansar porque nuestro Señor no tenía dónde reclinar su cabeza. Nuestra alma desea lágrimas antes de la risa porque su cáliz está lleno de las lágrimas de sus penas por cada alma. ¿Quién beberá del cáliz de nuestro Señor y sufrirá con Él tan solo para ser *Uno* con el Amor?

Cuando entramos en la Pasión de Jesús, la devoción a su Sagrado Corazón no puede ser una piedad superficial. San Pablo nos recuerda: «¿Un miembro sufre? Todos los demás sufren con él. ¿Un miembro es enaltecido? Todos los demás participan de su alegría. Ustedes son el Cuerpo de Cristo»[189].

74. Entra en el Sagrado Corazón de Jesús

—Diario de una MDC

Entrar en el Sagrado Corazón de Jesús es entrar más íntimamente en Su agonía de amor; entrar en el Corazón de Jesús es participar de forma más íntima en Su amargo cáliz. Llegar a amar con Jesús es compartir Sus dolores y participar de Sus lágrimas. Entrar en el Sagrado Corazón de Jesús es recibir directamente Sus lágrimas en nuestros corazones siendo Sus cálices vivos. Nuestras lágrimas y las lágrimas de Jesús se unen; nuestros dolores son Sus dolores; nuestra desolación es Su desolación; nuestra soledad es Su soledad. Ya no somos dos, sino Uno. Esto es vivir en el Sagrado Corazón de Jesús; es vivir en la agonía de amor de Dios por las almas; es participar en la crucifixión interior de Jesús; es el martirio del corazón y, en esta unión de sufrimiento, está la unión de amor más

---

[189] *1 Co* 12, 26-27.

perfecta, un amor que es la realización de los deseos de nuestra alma (5/9/12).

4–C–2
— Recibiendo la corona de espinas —

Santa Margarita María Alacoque vio al Sagrado Corazón de Jesús:

> El Divino Corazón se me presentó en un trono de llamas, más brillante que el sol, y transparente como el cristal, con la Llaga adorable, rodeado de una corona de espinas y significando las punzadas de nuestros pecados, y una Cruz en la parte superior, la cual significaba que, desde los primeros instantes de su Encarnación, es decir, desde que se formó el Sagrado Corazón, quedó plantado en Él la Cruz, quedando lleno, desde el primer momento, de todas las amarguras que debían producirle las humillaciones, la pobreza, el dolor, y el menosprecio que su Sagrada Humanidad iba a sufrir durante todo el curso de su Vida y en su Santa Pasión[190].

Fíjate que, en la visión de santa Margarita, el Sagrado Corazón de Jesús está coronado de espinas y encima tiene la Cruz. Por lo tanto, para que nos unamos en la intimidad del amor del Sagrado Corazón, también debemos estar dispuestos a compartir sus espinas y su Cruz.

Santos, como santa Rita y santa Faustina[191], estaban tan unidos a la pasión de Cristo que sufrían místicamente sus espinas. Estas espinas eran un signo de las espinas que soportaron en las pruebas y tentaciones de la vida cotidiana. San Pablo pidió al Señor que lo

---

[190] Jesús a Sta. Margarita, segunda revelación, 1674. http://monjassalesas.blogspot.com/p/el-sagrado-corazon-de-jesus.html

[191] Cf. Sta. Faustina Kowalska, *Diario* №1399.

librara del aguijón que le afligía, pero el Señor le dijo: «Mi gracia te basta, que mi fuerza se muestra perfecta en la flaqueza»[192]. San Pablo luego vio su aguijón como una poderosa gracia. Recibió autoconocimiento para enfrentar todas las adversidades confiando en el Señor. Exclamó: «Por eso me complazco en mis flaquezas, en las injurias, en las necesidades, en las persecuciones y las angustias sufridas por Cristo; pues, cuando estoy débil, entonces es cuando soy fuerte»[193].

Cuando santa Teresita de Lisieux sufrió la espina de una amarga decepción, la aceptó como un regalo de Jesús y le escribió a su hermana:

> ¡Oh, qué golpe! Pero siento que es el golpe de una mano divina celosa [...] Es Jesús quien ha guiado a este asunto; es Él, y he reconocido su toque de amor [...] No es una mano humana la que ha hecho esto: es Jesús, sus ojos han caído sobre nosotros. **Aceptemos con un buen corazón la espina que Jesús nos presenta**[194].

75. Mi Corazón está coronado con tu pecado

—Diario de una MDC. Solemnidad de Cristo Rey

> Jesús: *Recibe la corona de gloria, la corona de espinas. El Rey de Reyes permite que lo coronen con la corona de espinas. Permití esto para que toda la humanidad supiera y viera las espinas que coronan Mi Corazón humano y divino.*
>
> *Viví Mi crucifixión interior a través de las espinas de la ingratitud, el rechazo, el ridículo, las murmuraciones, las mentiras, la deslealtad, la infidelidad, el engaño, la arrogancia, el orgullo en*

[192] *2 Co* 12, 9.

[193] *2 Co* 12, 9-10.

[194] Teresa del Niño Jesús, citado por el obispo A.A.Nosert, *Joy in Suffering According to St. Therese of the Child Jesus* (Rockford: Tan Books and Pub. 2006), p. 67.

todos sus disfraces... Mi Corazón está coronado con la oscuridad de vuestro pecado (de la humanidad). Así viví Mi Reinado en la tierra y es como sigo viviendo Mi Reinado en la Eucaristía, porque esto es Amor.

Participar en Mi Reinado en la tierra es participar en Mi corona de espinas... debes recibir con mayor docilidad, abandono y amor Mis espinas por medio de la oscuridad de los corazones de nuestros hijos. Esta es la participación perfecta en la vida de Tu Amado, la vida del Amor (24/11/13).

76. María recibe las espinas —Diario de una MDC

Mira el Corazón (Corazón Inmaculado de María) que Me ha amado y mira sus lágrimas derramadas por amor a Mí y por vosotros (la humanidad). Este corazón (de María) que se te revela, es el corazón de un alma víctima. ***Recibe cada espina que te presento como un regalo más precioso que las joyas,*** *como lo hizo Mi Madre. Llora lágrimas de amor (lágrimas de sangre) por Sion...*

Está muy cerca el tiempo en que los sonidos que oigas serán de lamentos y de terror... Pero has de saber que Mi esposa (la Iglesia) está siendo purificada por la justicia de Dios, Mi Sangre preciosa y las lágrimas de Mi madre, que son Una con las lágrimas de todas Mis víctimas de amor.

¿Estáis dispuestos, pequeños Míos, a permitir que vuestros corazones sean traspasados como Uno *con el de Mi madre para la purificación de Mi*

> *sacerdocio y la salvación de muchos? No seáis obstinados, más bien perseverad en el amor, sufriendo todo como* Uno *con Mi Sagrado Corazón Traspasado y el Corazón Inmaculado y Traspasado.*
>
> *Animaos unos a otros siendo Mis mártires de amor, porque la batalla es feroz. Pequeños Míos, sabed que la corona de gloria les espera*[195]*. No os canséis de ser Mis mártires de amor, más bien sed fuertes y constantes en el poder de Dios siendo* Uno *con el mensaje de la Cruz*[196] (20/10/11).

Recientemente, mientras rezaba el rosario, me vino una imagen de María. Ella estaba sentada, con la cara entre sus manos, llorando, como nuestra Señora de La Salette. Luego levantó su rostro y me miró. Llevaba una gran corona de espinas en la cabeza. Ella no dijo nada, pero las palabras «con tal que sufras con Él» vinieron a mi mente, entendí que María es la que sufrió más perfectamente con su Hijo porque es también la que más perfectamente le amó.

La Virgen me dio también la imagen de un tractor arando con grandes discos en un campo abierto. Pude ver los discos entrar profundo en la tierra. **Nuestros corazones son como el campo; deben ser arados para poder producir abundancia de fruto**, pero producen poco porque el pecado los ha hecho duros como rocas y la Palabra y la gracia no entran. Cada espina de sufrimiento sirve para arar nuestros corazones, haciéndolos dóciles, humildes, tiernos, pacientes, perfeccionados en la obediencia, firmes en la fe y la esperanza, y ensanchados en el amor. Cada espina que recibimos es una fuente de sanación para los demás y para nosotros mismos[197].

---

[195] Cf. *Rm* 8, 17.
[196] Cf. *1 Co* 1, 18.
[197] Cf. *Hb* 5, 9.

4–D:
Participación en los gemidos del Sagrado Corazón

Dios desea llevarnos a tal profundidad de unión que podamos participar en los mismos gemidos del Corazón traspasado de Jesús. San Pablo escribió: «El mismo Espíritu viene en ayuda de nuestra debilidad porque no sabemos orar como es debido; pero el Espíritu intercede por nosotros con gemidos inefables» (*Rm* 8, 26).

Lo que está en el corazón no siempre puede expresarse en palabras, pero el Espíritu puede hacerlo con gemidos. El Señor crucificado, lleno del Espíritu Santo, expresa su pasión de amor con gemidos inefables. Nosotros también somos movidos por el Espíritu a escuchar y participar en su pasión y gemidos de amor.

77. Escucha Mis gemidos —Diario de una MDC

> *¿Puedes escuchar Mis gemidos que surgen de lo más profundo de Mi Corazón Crucificado? Los gemidos de Mi agonía de amor. Escucha Mis gemidos de amor* (11/3/12).

78. Tabernáculo vivo de Dios —Diario de una MDC[198]

Ser Uno Conmigo significa que te conviertes en el tabernáculo vivo de Dios. Mi Corazón, palpitante y amoroso, vive en ti siendo Uno *contigo. Sientes Mis dolores y participas de Mis gemidos para que se realice la transformación de la humanidad en AMOR.*

El martirio del corazón humano es la unión íntima de amor en Mi Sagrado Corazón. Vives los dolores del Corazón que es amor en la medida que Me permites compartir Mi cáliz contigo. Por lo general, es solo un sorbo de una gota hasta que tu ser adquiere el gusto a Mi Sangre y pierde su amargura en la dulzura divina de Mi amor.

Hija Mía, Mi Corazón se desborda con las penas del rechazo. Comparte Mi rechazo al igual que compartes Mis palabras y no te avergüenzas (de ellas) (15/10/12).

Esta unión de amor en el sufrimiento, participando en los gemidos de la agonía de amor de Jesús, es una poderosa oración ante el trono de Abba y siempre trae nueva vida. Cuando comenzamos a oír los gemidos del Sagrado Corazón de Jesús y participamos voluntariamente en ellos, nuestra intercesión por las almas nos lleva a los campos de batalla, a los moribundos, a las viudas y a los huérfanos… **Santa Benedicta de la Cruz** lo explica así:

> **El mundo está en llamas**. El incendio puede llegar también a nuestra casa; pero en lo alto, por encima de todas las llamas, se elevará la Cruz. Ellas no pueden destruirla.

---

[198] Cf. *Mk* 8, 31-38.

Ella es el camino de la tierra al cielo y elevará hasta el mismo seno de la Trinidad a quien la abraza con fe, amor y esperanza.

¡El mundo está en llamas! ¿Te apremia extinguirlas? Contempla la Cruz. Desde el Corazón abierto brota la sangre del Salvador. Ella apaga las llamas del infierno. Libera tu corazón con el fiel cumplimiento de tus votos; entonces se derramará el caudal del Amor divino en tu corazón hasta inundar y hacer fecundos todos los confines de la tierra.

¿Oyes el gemir de los heridos en el campo de batalla? Tú no eres médico, ni enfermera, y no puedes vendar sus heridas. Tú estás recogida en tu celda y no puedes acudir a ellos.

¿Oyes el grito agónico de los moribundos y quisieras ser sacerdote y estar a su lado?

¿Te conmueve la aflicción de las viudas y de los huérfanos y querrías ser un ángel consolador y ayudarles? Mira al Crucificado. Si estás unida a Él como esposa en el fiel cumplimiento de tus santos votos, tu *ser* es sangre preciosa. Unida a Él eres omnipresente como Él. Tú no puedes ayudar aquí o allí como el médico, la enfermera o el sacerdote, **pero, en el poder de la Cruz, puedes estar en todos los frentes, en todos los lugares en que hay aflicción. Tu amor misericordioso, amor del Corazón divino, te lleva a todas partes y derrama Su Sangre Preciosa, sangre que** alivia, santifica y salva.

Los ojos del Crucificado te contemplan —preguntando, indagando. **¿Harás de nuevo tu alianza con el Crucificado con toda seriedad?** ¿Qué le responderás? «¿Señor, a dónde iremos? Solo Tú tienes palabras de vida eterna» ¡Ave Crux, Spes unica![199].

---

[199] Sta. Benedicta de la Cruz, (ESA, Ave Crux, spes unica, 14 de sept. de 1939, Exaltación de la Cruz). http://www.laici.va/content/dam/laici/documenti/donna/teologia/espanol/edith-stein-una-mujer-intelectual-y-santa.pdf

Nuestras vidas, en nuestros hogares y lugares de trabajo ordinarios, trascienden el tiempo y el espacio. El Señor me permitió experimentar esta realidad años atrás cuando una mañana mi hijo se despertó y entró en la cocina. Inmediatamente fui a él, como lo hago todas las mañanas, para darle un beso. Entonces, como si el tiempo se hubiera detenido por un instante, me arrodillé para abrazar a mi hijo y supe sin lugar a dudas que otro niño en algún lugar del mundo, que necesitaba desesperadamente el beso de una madre, recibió el mío. El Señor, en su infinita misericordia, permitió esta experiencia para que yo pudiera creer que el gesto más simple de amor en mi vida ordinaria como madre, unida con Él, podría trascender los confines de mi mundo. Sabía que algún día en el cielo encontraría a ese niño.

4–E: Convirtiéndonos en Uno

—El Corazón de Jesús anhela por nosotros—

Jesús reveló a **santa Margarita María Alacoque** el profundo deseo de su Sagrado Corazón de que le correspondamos. Ella escribió: «Me hizo reposar por muy largo tiempo sobre su pecho divino, en el cual me reveló todas las maravillas de su amor». Entonces Jesús le dijo:

> Mi Divino Corazón está tan apasionado de Amor por los hombres, en particular hacia ti, que, no pudiendo contener en Él las llamas de su ardiente caridad, es menester que las derrame valiéndose de ti y se manifieste a ellos [la humanidad]...

Sta. Margarita:

> Luego me pidió el corazón, el cual yo le suplicaba tomara y lo cual hizo, poniéndome entonces en el suyo adorable, desde el cual me lo hizo ver como un pequeño átomo que se consumía en el horno encendido del suyo.

Durante la cuarta aparición, Jesús le dijo:

> He aquí el Corazón que tanto ha amado a los hombres y que no ha ahorrado nada hasta el extremo de agotarse y consumirse para testimoniarles su amor. Y, en compensación, solo recibe, de la mayoría de ellos, ingratitudes... Pero lo que más me duele es que se porten así los corazones que se me han consagrado[200].

— ¿CÓMO RESPONDEMOS? —

Cristo quiere atraernos a Él para hacerse *Uno* con nosotros, pero a menudo lo limitamos al papel de **benefactor.** Lo que se quiere de un benefactor es ayuda para financiar proyectos, pero no se quiere que este se apodere de nuestras vidas. De manera similar, queremos estar cerca de Jesús y beneficiarnos de Él, pero tenemos miedo de un amor que requiere una entrega total.

No es suficiente habernos consagrado a Jesús o decir que tenemos a Jesús en nuestros corazones. Tenemos muchas cosas en nuestros corazones. Más bien, la pregunta es, **¿quién está en el trono de nuestros corazones?**, ¿Están nuestros corazones tan inflamados de amor por Él que Él tiene plena autoridad sobre todo en nuestras vidas? ¿Podemos decir con san Pablo: «Yo estoy crucificado con Cristo, y ya no vivo yo, sino que Cristo vive en mí»? (*Ga* 2, 19-20). El amor de Cristo en la Cruz fue su pasión, la fuerza motriz de todo lo que hizo. Esta es la fusión de corazones que Jesús desea con cada uno de nosotros.

---

[200] Autobiogratía de santa Margarita Maria Alacoque. Primera y cuarta aparición. http://www.catolico.org/santos/margarita_maria_alacoque.htm.

La gente puede unirse por una causa, un proyecto, una misión, **pero solo a través de una fusión de corazones podemos llegar a ser verdaderamente *Uno*.** San Pablo podía sufrir todas las cosas sin desaliento porque sabía que Cristo lo amaba: «Vivo en la fe en el Hijo de Dios, que me amó y se entregó por mí» (*Ga* 2, 20).

— FUSIÓN DE AMOR —

La fusión de amor con Dios lleva a la comunión entre las personas. Los que están unidos con Dios comparten el mismo fuego y por lo tanto pueden estar unidos entre sí. Esta es la razón por la cual los santos crecen en racimos, ellos viven un amor profundo entre sí que el mundo no puede entender, sin embargo, esta fusión no aniquila su singularidad. Es como el cuerpo que, siendo uno, tiene órganos distintos y cada uno contribuye su parte a la unidad.

79. La fusión de corazones es el beso de la unión
—Diario de una MDC

> *La fusión de corazones tiene lugar por medio de la espada del sufrir como Uno. Por medio de la unión en el sufrimiento, mueres más y más a ti misma, hasta que ya no eres tú quien vive, sino que soy Yo quien vive en ti... La fusión de corazones es el beso de la unión, el abrazo del Espíritu Santo, el abrazo del Amor* (3/12/12).

— TESTIMONIO —
UNA MADRE DE LA CRUZ ENTRÓ EN EL SAGRADO CORAZÓN

Durante mucho tiempo, el Señor me ha estado llamando a amar con todo mi corazón a un miembro de la familia que está en grave pecado y a confiar en que el amor echa fuera las tinieblas. Sin embargo, era difícil para mí amar, sobre todo por la preocupación de exponer a mis hijos. Yo estaba cargada de dudas y temores. Sabía en lo profundo de mí que nuestro Señor me estaba llamando a amar a los más difíciles de amar. También sabía que Él tendría cuidado de mis hijos si me decidía a amar. Finalmente, mi corazón se transformó durante la Cuaresma.

80. Abandonaos —Diario de una MDC

Abandonaos simplemente aceptando todo en la forma en que se os da... Entregaos por completo sirviendo a todos por amor a Mí. La misión irá adelante de acuerdo a Mi plan y a Mi Voluntad. Estáis llamados a ser amor sacrificándoos completamente por Amor. Este simple abandono en cada una de las circunstancias en que os he puesto en vuestras vidas, producirá la fuerza oculta necesaria para vencer la oscuridad que cubre la tierra. Abandonaos para amar a aquellos más cercanos a vosotros que os son más difíciles de amar. Besad cada mañana Mis pies traspasados e id como guerreros en misión a servir con amor, con paciencia, con ternura y lentos a la cólera (26/2/11).

Continúa el testimonio:

El Señor me permitió reconocer que yo había quitado mis ojos de Él, como Pedro que quitó sus ojos de Jesús y se hundió en el agua, después de haber caminado sobre ella. En ese mismo momento, tomé la decisión consciente de unirme a Jesús en el jardín de Getsemaní, donde Él me había estado invitando a entrar, pero en mi debilidad, yo había sido descuidada y no había respondido plenamente como Él deseaba. Al entrar en el Jardín, inmediatamente me sentí tan unida a sus sufrimientos por ser injustamente acusado, incomprendido, rechazado, traicionado y abandonado. Él estaba solo. Fue entonces cuando comprendí que nuestro Señor permitió esta situación para fortalecerme, para mostrarme que debía depender solo de Él, para adquirir conocimiento de mí misma y también para entrar en una unión más profunda con Él, como dijo santa Margarita María Alacoque: «Y cada vez que venga algún castigo, aflicción o injusticia, díganse: 'Acepta esto como enviado por el Sagrado Corazón de Jesucristo para unirte a Él'».

81. Como entrar en su Sagrado Corazón

—Diario de una MDC

> *Entrar en Mi Corazón es entrar en el fuego consumidor de Dios, que es el Espíritu Santo; entrar en Mi Corazón es beber de Mi cáliz amargo de amor; entrar en Mi Corazón es consumirse en Dios, hacerse* Uno *con Dios, no siendo ya dos, sino Uno* (4/03/12).

Continúa el testimonio:

En el momento en que me uní a mi Amado en el Jardín, Él comenzó a guiarme directamente a su Sagrado Corazón, aunque yo no lo sabía en ese momento. Recogí mi libro, *El*

Camino Sencillo de Unión con Dios, y comencé a leer y meditar mientras que Él me dirigía amorosamente. Entré en sus sufrimientos en tal grado que viví su Pasión junto con Él. Quería acercarme a los demás en busca de consuelo, pero me atrajo un profundo silencio, donde podía escuchar mejor su voz y participar verdaderamente en sus sufrimientos. Nuestro Señor me llevó entonces a estas palabras:

82. El silencio —Diario de una MDC

En el fuego de Mi Sagrado Corazón llegas a conocer personalmente al Espíritu Santo. Has ascendido al silencio de la Trinidad. En el Espíritu Santo nos posees conjuntamente a Mí y al Padre. El Espíritu vive ahora en ti y tú en Él. Son Uno.

Esta dimensión divina es el SILENCIO. Cuando entras en esta unión divina en el silencio, el alma tiene que ocuparse de nutrirla. Hablar sin prudencia y actuar con descuido puede sacar al alma fuera de esta dimensión divina del silencio (22/7/11).

Continúa el testimonio:

Después de leer estas palabras, comprendí que había «ascendido al silencio de la Trinidad», que había entrado en la «dimensión divina del silencio». Aquí, empecé a reflexionar sobre este misterio que es la Santísima Trinidad. Comencé a meditar sobre el sacrificio generoso de Jesús, un sacrificio de amor puro y santo por el Padre y por la humanidad. Pensé en el don de nuestro Padre Celestial que nos dio a su único Hijo para que lo matasen, Él lo da para ser crucificado por amor a nosotros. El amor recíproco del Padre y del Hijo es el Espíritu Santo, amor que es un sacrificio inconmensurable, perfecto y santo. Cuando vivimos en el Espíritu Santo, vivimos unidos a Jesús como un sacrificio de amor al Padre y compartimos en ese amor y salvación con todos los hijos de Dios. Él nos ama a todos y quiere traernos a todos seguros a casa. Estoy maravillada con esta increíble obra de redención.

Habiendo recibido este don, este conocimiento, siento como si algo es diferente en mí, ya no soy la misma. Siento que he entrado en una unión más profunda con nuestro Señor; he entrado en el Sagrado Corazón de Jesús. ¿Y qué es el Corazón de Jesús? AMOR, amor puro, amor sacrificial, amor desinteresado. Y si ya no somos dos, sino *Uno,* entonces este amor es el amor en mi corazón: sacrificado, desinteresado, puro… Amor para TODOS. Aquí en el Corazón de nuestro Salvador, estoy siendo llamada a ser amor para todos. Estoy siendo llamada a salir a las tinieblas para llevar su luz y amor a todos los que Él coloca en mi vida. Y como Él me envía en una misión de amor, debo confiar que Él cuidará de mis hijos. Él me ha pedido una y otra vez que los confíe a su cuidado y al cuidado de nuestra Santísima Madre. Él ha expresado su dolor por mi falta de confianza en Él, porque yo no he entregado completamente a mis hijos a su Salvador. Todo lo que Él pide es que yo sea obediente a su llamado al amor y Él manejará el resto. Esto es lo que estamos llamados a ser y está en el centro de nuestra misión: Cálices vivos, *Uno* con el Sagrado Corazón.

83. Sed Mis cálices transparentes y puros
—Diario de una MDC

Al igual que podéis ver el líquido a través de un vaso transparente, estáis llamados a ser Mis cálices puros y transparentes. Habéis sido elegidos para contener Mi preciosa Sangre.

Mi Sangre es Mi vida; Mi Sangre es fuego sanador. Por lo tanto, ante todo, Mi Cáliz ha de vaciarse y purificarse. Esto es lo que he estado realizando en vosotros [mientras estabais] a Mis pies y en Mi costado traspasado. Es ahora, en Mi Sagrado Corazón, en el horno, que es el fuego del Espíritu Santo, donde os formáis como Mis cálices vivos.

Mi fuego purifica todos los defectos y las manchas. Vosotros sois de cristal puro, pero cuando estáis llenos de Mi Sangre preciosa, irradiáis al mundo la luz dorada del Espíritu Santo. Mi Sangre siempre sana, restaura, refresca y trae vida nueva. Por lo tanto, la mirada de vuestros ojos irradiará amor puro, el toque de vuestras manos curará y de vuestras palabras fluirá la sabiduría, el conocimiento y el entendimiento de Dios. Así es como os revestiréis de vuestro Señor Jesucristo, para ser luz en el mundo.

Mis pequeños, ayúdennos a Mi madre y a Mí a formar muchas víctimas de amor irradiando el amor puro de la Trinidad (07/10/11).

Continúa el testimonio:

Como su cáliz y víctima de amor, no puedo huir de un mundo pecador, sino que estoy llamada a ser su canal de gracia para los demás. Sí, es muy difícil, pero ¿cómo no voy a mostrar la misma misericordia y amor a otros que Él me ha mostrado? Nuestro Señor sigue confortándome; las palabras abajo realmente tocaron mi corazón y me han ayudado a amar de verdad con todo mi corazón, a amar con el Sagrado Corazón de Jesús.

84. Deseo que seas Mi compañera —Diario de una MDC

Deseo que seas Mi compañera *en este tiempo de gran sufrimiento, para permanecer Conmigo... para recoger Mis lágrimas derramadas por toda la humanidad. Has sido escogida para ser* Uno *Conmigo, Mi consuelo durante estos últimos tiempos. Esta es tu identidad como Madre de la Cruz.*

Le pregunté a Jesús cómo vivir como Su compañera de amor. Es fácil cuando estoy en oración y Él me permite sentir Su presencia y recibir Su mirada, pero durante el día hay tantas distracciones.

*Presta atención a cada persona que encuentres en tu vida. Yo vivo en ellos, sufro por ellos y con ellos: «Este es Mi cuerpo» (*Mt *35, 31-41). Pequeña Mía, ten la docilidad de corazón de recibir el quebranto de todas las personas en tu corazón, siendo* Uno *Conmigo. Esto es participar en el amor de la Trinidad: recibir las heridas de tus hermanos y ofrecer tu vida en sacrificio, siendo* Uno *Conmigo para la salvación y santificación de ellos. Esto es Amor* (18/02/13).

El testimonio concluye:

He salido de esta poderosa experiencia con mayor fuerza y certeza de quién soy: ¡Soy una Madre de la Cruz[201]!, una mujer que ama, que vive en la hoguera de su Sagrado Corazón unida a nuestra Santísima Madre. Solo tengo que ser y vivir quien soy y, de esta manera, seré testigo del amor y la misericordia de Dios para aquellos que nuestro Señor coloca en mi vida, incluyendo a mis hijos. San Juan María Vianney dijo: «La virtud pasa fácilmente de las madres al corazón de sus hijos, que con buena voluntad hacen lo que ven que ella hace».

También he recibido una mayor comprensión de lo que nuestro Señor me pide: Primero, que CONFÍE y CREA. Con tanta frecuencia dudo cuando me está guiando, cuando me habla. Me está pidiendo que confíe como Abraham cuando el Señor le pidió que sacrificara a su único hijo Isaac. Abraham creyó y confió en el Señor. Al final nuestro Dios proveyó el sacrificio y salvó al hijo al que antes pidió que sacrificara.

Nuestro Señor quiere una unión íntima, una unión sagrada con cada uno de nosotros personalmente, ¡pero muchas veces no creemos verdaderamente ni confiamos!

Segundo, el Señor me está pidiendo que ame a todos con todo mi corazón, especialmente a los más difíciles de amar; y esto, de hecho, ¡es muy, muy difícil! Siento que Él me ha concedido un cierto crecimiento espiritual y fuerza para hacerlo, PERO con esto viene una mayor responsabilidad. Ya no me pertenezco. Ahora debo responder a nuestro Señor con amor desinteresado, debo elegir amar, como nos dice en este Camino. Ahora me envía como envió a los apóstoles, poniéndome en ciertas situaciones difíciles y me pide que salga de mí misma, confíe y me decida a AMAR. Él nos está pidiendo a todos que amemos, y no con cualquier

[201] Ver: "Madres de la Cruz" en www.amorcrucificado.com

amor, sino con el amor único Trinitario, el Amor perfecto en el Sagrado Corazón de Jesús. Entonces, como hizo con los apóstoles, Jesús realizará milagros a través de nosotros también.

Ahora vivo en el Sagrado Corazón de nuestro Señor Jesucristo, unida como *UNO* con Él, sufriendo todo con Él por la salvación de las almas. Para confirmar esto, nuestro Señor hizo que mi hija pequeña tomase un libro infantil sobre las promesas del Sagrado Corazón de Jesús. El libro cuenta las 12 promesas hechas a santa Margarita María para todos los que honren su Sagrado Corazón. Después de cada promesa hay una oración para el niño y la familia. ¡Qué increíble, hermosa y tierna confirmación! Si ahora vivo en su Sagrado Corazón, ¿no me hará personalmente estas promesas también? ¿No mirará a mis hijos con misericordia y les hará las mismas promesas? Es por eso que no debo desesperar… esta es mi fortaleza y mi ayuda.

4–F:
Atraídos hacia la unidad de la Trinidad

Jesús dijo a su Padre que Él entregaba su vida por la unidad con nosotros:

> Que sean *Uno*, como nosotros somos *Uno* —yo en ellos y Tú en Mí— para que sean perfectamente *Uno* y el mundo conozca que Tú me has enviado, y que los has amado a ellos como Me amaste a Mí (*Jn* 17, 22-23).

La beata Conchita escribe sobre su experiencia personal de esta unidad:

> El secreto para llegar a la unidad es dejarse conducir por el Espíritu Santo, ya que es Él quien realiza la unidad en Dios mismo[202].

Todo lo que vayas haciendo y practicando arrójalo con toda la frecuencia que te sea posible dentro de aquella unidad [Dios]... Tus penas, tus sufrimientos, tus alegrías, tus vencimientos, deseos y esperanzas, tus necesidades y tus afectos, todo, todo échalo dentro de esa Unidad, que con su roce irás simplificándote en tu vida[203].

---

[202] Bta. Concepción Cabrera de Armida, citada en *Diario espiritual de una madre de familia*, p. 169.
[203] Ibíd. 168.

85. ¿Qué es verdadera unidad? —Diario de una MDC

¿Qué es verdadera unidad? En primer lugar, la unidad es unión con el Dios-Hombre. Yo, la Segunda Persona de la Trinidad, Me hice hombre para que puedas llegar a conocer personalmente a tu buen Dios. Me hice hombre para liberarte de la esclavitud de tus pecados, para que puedas ver con los ojos de Mis ángeles la gloria de Dios ante ti. Pero ***no Me encarné en el vientre de María solo para salvarte y liberarte, sino para hacerme*** **Uno** ***contigo.***

El Padre y Yo somos Uno, el Padre en Mí y Yo en Él con el Espíritu Santo (cf. Jn *17). La unión de la Trinidad es amor puro. He venido a la tierra para atraerte a la unión con la Santísima Trinidad por medio de la Cruz, para no ser ya dos, sino Uno*[204]*. Es en esta unión que existe el amor.*

Solo a partir de esta unión de amor con tu Dios Trino puede existir unidad en Mi Cuerpo, la Iglesia. Es por medio de Mi vida en la Eucaristía que Me hago Uno *contigo, pero es solo a través de tu participación en Mi vida Eucarística que te haces Uno en Mí. Esta participación solo puede llevarse a cabo entrando en la Cruz de una nueva vida, Mi amor crucificado* (23/11/11).

---

[204] Cf. *Ef* 2, 15-16.

86. Unidad —Diario de una MDC

Anhelo la unidad en Mi Cuerpo, la Iglesia. Mi cuerpo ha sido despedazado, como un perro salvaje desgarra en pedazos a su presa. Satanás realiza esta obra manteniendo a Mis miembros lejos de la Cruz. La unidad y el amor solo se pueden lograr a través de la Cruz y en la Cruz.

Son Mis mártires de amor los que harán la guerra contra los principados de las tinieblas durante la batalla final y decisiva. Tráiganme muchas almas víctimas, Mis verdaderas y únicas víctimas de amor. Solo ellas satisfacen Mi sed de amor; solo ellas alivian el dolor de Mi Corazón sufriente y el de Mi madre; solo ellas pueden penetrar en los corazones endurecidos de Mis sacerdotes.

Vivan durante el tiempo de la gran y terrible persecución con fe perfecta en el triunfo de Mi Cruz. El triunfo de Mi Cruz es el triunfo del amor (09/09/11).

87. Cómo responder al deseo de Cristo por la unidad —Diario de una MDC

Yo deseo atraerte a la verdadera unidad, la unidad del amor de la Santísima Trinidad. La unión de dolores te llevará a la unión de Amor. La mirada del Padre está sobre ti. Sé amor. Vive solo para el Amor olvidándote de ti misma.

Mi Señor, ¿cómo puedo vivir solo por Amor, olvidándome de mí misma?

Vive para complacerme. Vivir en la unidad de la Trinidad es vivir mirando al Padre, a través del Hijo, para complacerle en todo (18/3/12).

4–G:
La Luz del mundo

— La luz de Cristo en nosotros —

Jesucristo es la Luz del mundo. Al recibir su luz, nuestros ojos son capaces de verlo y ver la belleza y el propósito de Dios para todas las cosas. **La gente, entonces, necesita ver la luz de Jesús en nosotros.** El Papa Benedicto XVI dijo: «Hoy muchos se preguntan: "¿Quién nos mostrará lo que es bueno?" Podemos responder: "los que reflejan la luz y el rostro de Dios con sus vidas"»[205]. También nos dice cómo podemos hacerlo:

La fe, que hace tomar conciencia del amor de Dios revelado en el Corazón traspasado de Jesús en la Cruz, suscita a su vez el amor. **El amor es una luz** —en el fondo la única— que ilumina constantemente a un mundo oscuro y nos da la fuerza para vivir y actuar[206].

[205] Carta al Cardenal Ravasi, 23 de febrero de 2013.
[206] Mensaje de cuaresma, 2013, w2.vatican.va.

88. La luz de Jesucristo es amor que lo sufre todo
—Diario de una MDC

> *Solo el amor irradia la luz de Dios, porque Su luz es amor.* ***La luz de Jesucristo es amor que sufre por todos y con todos:*** *amor en el dolor y la tristeza, amor que entra en el quebranto de la humanidad y lo recibe en Él para sanarla y restaurarla en Dios. El Amor recibe sus heridas y las lleva sobre Su cuerpo para sanarla con el bálsamo de Su ternura, con misericordia. Esta es la Luz del mundo, esto es Amor, el Verbo Encarnado.*
>
> *Recibe Mis llagas, el pecado, el quebranto y la opresión de tus hermanos, para que puedas irradiar Mi luz en la oscuridad. Esto es amor. El amor del mundo es egoísta y egocéntrico, pero el amor de Dios es abnegado* (31/12/12).

Puede que creamos que somos la luz de Cristo en el mundo, pero, ¿de verdad entendemos lo que eso significa? Jesús, en el mensaje de arriba, nos dice que, para ser su luz, debemos recibir en nuestros cuerpos las heridas y el quebranto de las personas que Él pone en nuestras vidas y sufrir con ellos unidos a Él. Esto es amor verdadero, pero para ponerlo en práctica, es necesario superar nuestra reacción primaria que es contraria.

El Papa Francisco

> Cuando tenemos enemigos externos que nos hacen sufrir tanto, no es fácil vencer con el amor. Nos vienen ganas de vengarnos, de poner a otros contra ellos… El amor: esa mansedumbre que Jesús nos ha enseñado, ¡esta es nuestra victoria, nuestra fe! Nuestra fe es precisamente creer en Jesús que nos ha enseñado el amor y nos ha enseñado a

amar a todos. Y la prueba de que nosotros estamos en el amor es cuando rezamos por nuestros enemigos[207].

El Papa dijo también:

> Veo claramente que lo que más necesita la Iglesia hoy es la capacidad de curar heridas y de calentar los corazones de los fieles, la cercanía y la proximidad. Yo veo a la Iglesia como un hospital de campaña después de una batalla[208].

Solo las almas iluminadas por Cristo pueden combatir en la «batalla decisiva» y traspasar la oscuridad que consume al mundo. Puede parecer que el mundo está en un caos sin remedio, pero la Palabra de Dios nos dice que «la Luz brilló en las tinieblas y las tinieblas no han podido apagarla»[209].

89. Tu vida tiene ahora el poder de Dios

—Diario de una MDC

> *La oscuridad de Satanás no conquistará la Luz de Dios; es la Luz de Dios la que extinguirá la oscuridad de Satanás.*
>
> *Consumida en Mi Corazón, has entrado en el poder oculto de Dios. Tu vida tiene ahora el poder de Dios. Es por medio de tu amor en el sufrimiento que tu vida conquistará las fuerzas del mal. Vive en Mi Fuerza Oculta, pasando desapercibida ante todos, pero vista por Abba, nuestro Padre. Cree en quien eres por la misericordia de Dios que te ama... Ahora, NOSOTROS —ya que realmente nos hemos*

[207] Papa Francisco, meditaciones diarias, 24 de mayo de 2013

[208] Antonio Spadaro S.J., entrevista al Papa Francisco, *América*, (30 de sept de 2013).

[209] *Jn* 1, 5, DHH.

hecho Uno— debemos entrar en los dolores del Calvario para la salvación de muchos (12/04/14*).*

— EL AMOR DE DIOS ES UN FUEGO DEVORADOR —

Nuestra tentación es sentarnos cómodamente cerca del fuego para disfrutar de su luz y calor sin quemarnos. Sin embargo, el Corazón de Jesús es un fuego devorador[210] en el que es doloroso entrar porque está constantemente quemando todas nuestras impurezas. Sin embargo, aquellos que perseveran en las llamas del amor no pueden sino desear ser consumidos en ellas para hacerse *Uno* con el fuego y así, ser capaces de propagarlo a otros.

Santa Catalina de Siena oró con estas palabras:

> Señor mío, inflámame con amor por ti. No me dejes pensar en nada, anhelar nada, desear nada, buscar nada sino a Ti. ¡Cuánto deseo ser envuelta en este fuego ardiente de amor! ¡Cuánto deseo que este fuego consuma todo obstáculo que bloquea mi camino hacia Ti! Haz que mi amor por Ti crezca más fuerte cada día de mi vida.

---

[210] Cf. *Lc* 12, 49-53.

90. No teman al fuego devorador —Diario de una MDC

He estado viendo el pecho de Jesús como un fuego consumidor. Moisés se acercó a la zarza ardiente, pero no pudo entrar en el fuego de Dios. Ahora, por medio de Jesucristo, somos capaces de entrar en el fuego y ser totalmente consumidos en la unidad de la Santísima Trinidad.

Jesús: *Mi misericordia, en Mi sangre y agua, se derrama sobre el mundo, pero encuentro muy pocos corazones abiertos a recibir Mi gracia. Es como la parábola de la semilla*[211].

Hay muy pocos corazones dóciles, humildes, puros, cultivados en el sufrimiento paciente, y abiertos a recibir Mi don de infinita misericordia y amor. Este Corazón (el Sagrado Corazón), que tanto ha amado (a la humanidad), no es amado. Te prometo, pequeña Mía, que los que vengan a Mí en la última etapa de Mi misericordia, ascenderán rápidamente a la perfección, porque el Padre y Yo, y el Espíritu Santo, los amamos y queremos restaurar la humanidad en nosotros...

No tengan miedo de que los consuma en el fuego de Mi Sagrado Corazón; el fuego de Mi Sagrado Corazón es el Espíritu Santo. Cuando les consume el fuego de Mi Sagrado Corazón, les consume el fuego del Espíritu Santo. Mi fuerza oculta es el fuego del Espíritu Santo que se mueve en el mundo. El pasaje para entrar en el fuego de Mi Sagrado Corazón comienza con Mi madre, que es la puerta

[211] Cf. *Mt* 13,1-23.

para entrar en Mi Cruz, por lo tanto, ella es la puerta para entrar en el cielo (13/7/11).

El fuego consumidor puede a veces sentirse como un corazón que arde o como un fuego interior. Este fuego es el Espíritu Santo que nos ha unido al corazón de Jesús. Ya no somos dos sino un corazón ardiente. **Los hombres y mujeres que entran en el proceso doloroso de ser consumidos en el fuego de Cristo, llevarán a cabo la Nueva Evangelización:**

91. ¿Qué es la evangelización? —Diario de una MDC

¿Qué es la evangelización? La evangelización es el testimonio de la Buena Nueva dado a todos los hombres: ¡Dios está con ustedes! El Padre, el Hijo y el Espíritu Santo están presentes, vivos, en el mundo. Vine del cielo para evangelizar al mundo. He venido a revelar al Padre a través del Hijo, y para traerles el Espíritu Santo para protegerles, guiarles, enseñarles y dirigirles en su transformación en Amor.

Yo soy el Evangelizador porque Soy Uno *con el Padre y el Espíritu Santo. En cada pensamiento, palabra y obra era* Uno *con el Padre en el Espíritu Santo. Yo soy Amor, y por lo tanto puedo atraer a todos al Amor. ¿Qué se requiere para evangelizar? Hay que conocer al que es Amor, venir a escuchar, ver y tocar al Amor, recibir el abrazo de nuestro Padre por Mí, Conmigo y en Mí.*

El Evangelizador es el Espíritu Santo, que es el amor del Padre y del Hijo. Es el poder del Espíritu Santo quien da testimonio del amor del Padre a través del Hijo. Sin el Espíritu Santo no puede haber evangelización. El mundo está siendo preparado para la nueva evangelización: hombres, mujeres y niños consumidos en el fuego del Espíritu Santo por medio de Mi Cruz.

Se requieren nuevos hombres y nuevas mujeres para la Nueva Evangelización. Por eso imploro con la sed de Dios por almas víctimas, ya que solo Mis almas víctimas que se abandonan por completo a Mí, pueden ser una nueva creación a imagen y semejanza de Dios (17/12/14).

— TESTIMONIO —
ENTRAR EN LA LUZ, SANACIÓN Y PERDÓN

Mi querido Jesús, cuando me levanté y fui a que oraran por mi sanación, mi mente se quedó en blanco cuando el Padre me preguntó por qué intención quería que rezaran. Realmente sentí que el Espíritu Santo me había impulsado a levantarme, pero no podía pensar en nada que decir. ¿Por qué? ¿Fue Satanás jugando en mi corazón? ¿Fueron mis propias inseguridades? En todo caso, el Padre decidió dar gracias a Dios y alabarlo conmigo por todo lo que Él ha hecho en mi vida. Mis vulnerabilidades seguían actuando en mi mente: ¿por qué no soy lo suficiente «especial» para ser sanada? En realidad, regresé a mi asiento sintiéndome desanimada, pensando que algo estaba mal conmigo. Olvidé completamente el hecho de que el año pasado había sido uno de los más difíciles, pero también completamente bendecidos, de mi vida. Cuán rápido caigo en las trampas de la duda, el miedo y la ansiedad sobre el amor de Dios por mí. Los rechazos sufridos en mi juventud aún están muy vivos en mi cabeza. El padre tenía razón: ¿Por qué no te doy más gracias? ¿Por qué no veo siempre mi vida como una hermosa confirmación de tu misericordia?

Mi año desde entonces se ha enfocado completamente en el crecimiento, el amor y el abandono a tu Corazón. Mi Jesús, Tú has usado mi dolor y mi pasado para traer mucha gracia, a través de mi maternidad física y mi maternidad espiritual. Sí, esos temores de que yo no importo, de que mis acciones no son lo suficientemente buenas, de ser rechazada, todavía me llegan al corazón. En esos momentos, la debilidad a veces me supera. **Pero has utilizado mis heridas y experiencias para darme un corazón que sufre Contigo en profunda intercesión por las heridas de mi familia y por el sacerdocio, que sufre contigo el rechazo y aislamiento mientras estás diariamente esclavizado en la custodia —olvidado y abandonado—, tal como yo lo fui en mi niñez.**

Tú me permites compartir el dolor de tu sufrimiento para interceder por tus hijos, especialmente por tus hijos sacerdotes que no entienden el amor que Tú tienes por ellos, o el gran llamado a dar sus vidas como sacerdotes y víctimas. Tus sacerdotes sienten un miedo profundo —muchos sin saberlo— de no ser lo suficientemente buenos —tal como yo me sentía en la infancia—.

Tú me elegiste, la más pequeña de los pequeños, para esta gran gracia. ¡Y pensar que me llamas a todo esto en mi vida aislada y oculta como esposa y madre! Para entender realmente el significado de eso, tengo que volver atrás y mirar a mi pasado, porque es exactamente de este que yo estaba huyendo durante tantos años, mi Jesús. Sin embargo, a través de mi pasado, estabas entrenando mi corazón para hacer el hermoso trabajo al que me has llamado.

Crecí en un hogar con mucho rechazo, aislamiento y abandono; no crecí con un concepto verdadero de un padre y una madre amorosos. Mis padres estaban presentes durante mi infancia y, probablemente se podría decir que, desde el exterior, incluso parecíamos una familia, pero solo en el sentido literal de la palabra. Mi papá era, y todavía lo es hasta el día de hoy, un alcohólico crónico. Un paquete de cervezas para él era como una merienda. Pasaba de un paquete a otro, o cogía una caja de vino, como un niño comiendo un puñado de dulces. Mi madre era la típica cómplice que se encerró en sí misma, se enojó con el mundo, y culpó a todos los demás (incluidos a nosotros los niños) por lo que le salía mal en su vida.

Cuando estaba en la escuela primaria, la secretaria de mi papá y su hija se mudaron con nosotros porque su marido la dejó y no tenían a dónde ir. Se suponía que fuese algo bueno y temporal, pero se convirtió en una situación permanente. Vivieron con nosotros muchos años, y rápidamente se hicieron más importantes y más queridas para mi papá que su propia familia. Los tres se hicieron inseparables mientras que nosotros seguimos más ignorados, aislados y descuidados. Mi infancia consistía en esconderme con frecuencia en mi habitación, rezando que papá, después de un largo día de trabajo y bebida, en lugar de gritar, ser inmodesto, inapropiado o abusivo, se quedara dormido en la sala de estar.

Cuando miro hacia atrás, mi Jesús, creo que tu amoroso Corazón me ha salvado muchas veces porque los días en que papá se dormía se volvieron cada vez más frecuentes a medida que yo crecía, pero aún era tarde en la noche y el daño por lo general estaba hecho. Al llegar su coche cada noche, deberíamos haber estado muy alegres, diciendo: «¡papá está en casa!», pero la mayor parte del tiempo corría a mi habitación rezando para que no me encontrara ni me molestara. También me escondía durante las fiestas de borracheras de mis padres, porque nunca vieron la forma en que sus amigos me miraban. Me ocultaba los domingos de Pascua porque los pasábamos celebrando el hecho de que papá podía beber de nuevo, después de una larga y abusiva Cuaresma, durante la cual no bebía, solo para probar que no era un alcohólico.

Ahora, como adulta, veo que mi papá tiene un corazón genuino, aunque PROFUNDAMENTE herido, pero en aquel tiempo me ocultaba del comportamiento borracho e inapropiado de mi papá y sus amigos.

Esta fue mi infancia. Estaba sola —nunca traje amigos a casa porque no sabía lo que haría mi papá—. No recuerdo a papá jamás decirnos «bien hecho» o «te amo». En mi primera cita, cuando el joven llegaba a la puerta, mi papá me dijo que yo era fea y añadió: «¿quién querría salir contigo?»

Reporte escolar: Yo estaba en los primeros puestos de mi clase, pero mi papá quería saber por qué no tenía notas más altas. En mi graduación de escuela secundaria él estaba borracho y criticaba todo. Cuando me gradué de la universidad, me dijo que probablemente no tendría éxito y que no valía nada. Incluso en mi boda, aunque fue hermosa y bendecida, había borrachera y comentarios ofensivos. Sí, era una vida de abandono, aislamiento y descuido por lo que me volví muy buena en ocultarme y encerrarme.

En cuanto a las heridas autoinfligidas, también las tengo. A la edad de 13, empecé a «cuidar como comía». En nuestra mesa de comedor, te golpeaban con tenedores si comías mal o si comías demasiado despacio. A la edad de 15 años, era anoréxica y permanecí así durante muchos años. Lo que me sacó de aquello, con tu gracia, mi dulce Jesús, fue el amor: tu amor se manifestó por medio de mi esposo. Un día después de nuestro compromiso, mi esposo me miró con lágrimas en los ojos y me dijo: «Realmente te amo y quiero envejecer contigo a mi lado». Fue uno de los primeros momentos en que vislumbré tu Amor verdadero, mi Jesús, y su potencial de transformarme.

Todo esto solo toca la superficie, mi Jesús, pero ahora puedo ver que, de algún modo, en esa pesadilla de mi niñez, estabas silenciosamente formando mi corazón. Estabas protegiéndome y escogiéndome para aprender a asumir un amor que nadie conoce sino solo Tú. Con cada niño con el que nos has bendecido, mi corazón se ha expandido. Con cada año que pasa, Tú me estás acercando a Ti por tu gran misericordia. Cada año, el hermoso don y privilegio de la maternidad física se profundiza y se expande en unión con mi maternidad espiritual para sacerdotes. Todavía a veces lucho con mi autoestima y las dudas del amor de Dios por mí; definitivamente estos son mis puntos débiles frente a Satanás, pero en este año se ha expandido mi noción de lo que verdaderamente es el amor al pie de la Cruz contigo, Jesús.

Después de que mi último hijo nació, Tú empezaste a «sacar» cosas de mí (incluso aquellas que eran buenas y santas), para llevar mi corazón a un lugar de constante deseo e intercesión por Ti dentro de la vida sencilla a la que estoy llamada como esposa y madre. Los queridos amigos que veía con frecuencia, las distracciones que yo creaba y las cosas que hacía en la iglesia fueron poco a poco «arrancadas» de mi vida por un tiempo, para ayudarme a crecer. Estas eran cosas que yo usaba para mantenerme «escondida» de Ti. Me era doloroso quedarme en casa, en el aislamiento y el ocultamiento que querías para mí.

Una vez me pediste que me ocupara de las heridas y miedos que me llevaron a mi inseguridad y aislamiento. Me hiciste consciente de las heridas de mi relación con mi padre y me pediste que se las diera a tu Padre. No pude hacerlo plenamente hasta el año pasado porque mi corazón necesitaba más trabajo para ser vaciado y tener suficiente espacio para que Tú trabajaras y para estar lista, en humilde confianza, para vivir la vida que Tú me pides y para usar tus regalos, no como una niña herida, sino como tu hija. Esa lección se hace más fácil a medida que aprendo a vivir lo que me pides y respondo a pesar de mis preocupaciones sobre lo que otros puedan pensar. Me estás transformando a medida que me despojas de todo lo que pensaba que era amor, para enseñarme el amor del Padre. Estoy aprendiendo a unir mi corazón al suyo con una vulnerabilidad y confianza que sé que no podría manejar o entender por mi cuenta.

Mi Jesús, has abierto mis heridas, las has limpiado con tu propia sangre y las has transformado en un sacrificio misericordioso para otros. He aprendido a través de esta misericordia que cuando te abro camino y doy un paso en fe, con completa vulnerabilidad, usas mi intercesión oculta para sanar las heridas de otros. Algunos los conozco porque los pones en mi camino, pero también pones en mi corazón a otros que no conozco y siento en oración que también con ellos comparto mis heridas. Mi corazón está agradecido por este trabajo en el que me has pedido que participe, y yo te doy mi «fíat» como nuestra querida Madre, no importa lo roto que el mío a veces esté.

Jesús, me has llamado a esta vida oculta de abandono e intercesión. A veces ha sido muy difícil por mi crianza, sin embargo, sé que el Padre me está amando a través de esto y estoy segura, en lo profundo de mi corazón, que me estás usando en esta vida como esposa, madre y madre espiritual para tus sacerdotes. Me usas cuando no lo sé y también en los hermosos momentos en que sí lo sé.

En cuanto a mi papá, me has permitido vivir, sufrir y llorar sus heridas que son mucho más profundas que las mías. Con tu gracia, Jesús mío, veo cómo sus heridas, su culpabilidad, su orgullo y su cólera han consumido su corazón, especialmente después de que fui gravemente herida cuando niña, debido a un incendio provocado por una explosión de grasa. Los médicos no creían que yo viviría, mucho menos que volviera a ver, pero veo. Me has ayudado a entender que yo soy el «milagro» (literalmente) que estás usando para sanar a mi familia, si tan solo continúo confiando con paciencia. El corazón de mi papá todavía no sabe cómo perdonar, pero con tu ayuda, mi Jesús, el mío sí sabe. Gracias a tu perdón completo y absoluto, la unión de mi corazón con el tuyo, y la confianza de que mis penas y sacrificios importan y los usas para tu gloria, he podido perdonar. Después de interceder por mi papá en muchas, muchas misas y ofrecer sus heridas al Padre a través de mi propia intercesión, la semana pasada, por primera vez que pueda recordar, mi papá me dijo voluntariamente que me amaba.

No conozco la mayoría de los méritos de mi intercesión y sacrificios, ni quiero —eso es solo para Ti—, mi dulce Jesús. Esa es la entrega completa y total de un alma víctima y madre espiritual: una vida que no es mía, sino que es solo para darla. Sin embargo, a veces me das la gracia de saber y entender lo que hace esa oblación total en el corazón de los demás. Es como un pequeño consuelo del corazón que humildemente me recuerda, me santifica y me da la fuerza para continuar en la obra que me pides. Todo lo que puedo hacer por Ti, mi Jesús, es amarte, a pesar de ser débil y pecadora, con el amor pleno y desinteresado de la Cruz. Puedo consolarte a través de aquellos por quienes ofrezco mi vida y aquellos que te traigo, especialmente de mi familia y tus sacerdotes, todo gracias a los dones que me has dado. Puedo ofrecerme clavada allí justo a tu lado, solo entonces la gracia y la misericordia fluyen, y tu Corazón será saciado.

4–H: Unión esponsal con Jesús

«ENAMÓRATE CADA VEZ MÁS DE JESÚS, EL SEÑOR, NUESTRO ESPOSO»[212]

Dios nos revela su infinito amor gradualmente, teniendo en cuenta nuestra limitada capacidad y receptividad. Primero se reveló como nuestro Padre, después nos enseñó que también nos ama como madre. Isaías escribe: «¡Aunque ella se olvide, yo no te olvidaré!»[213]. Finalmente, Dios se revela como nuestro Esposo, con un amor más allá de la comprensión humana natural.

El Doctor Brand Pitre, en su excelente libro sobre Jesús el Esposo[214], demuestra, basado en las Sagradas Escrituras, que la revelación fundamental de la historia de la salvación es que Dios desea hacer una alianza eterna de amor esponsal con nosotros. Aunque lo habíamos rechazado, Él no se dio por vencido. A lo largo del Antiguo Testamento vemos a Dios preparando el camino y anhelando nuestra respuesta. Cada alianza fue un paso hacia una mayor intimidad con su pueblo, pero el Señor se lamenta de la infidelidad con que el pueblo le responde: «Pero tú te preciaste de tu hermosura y te aprovechaste de tu fama para prostituirte»[215]. Dios permanece fiel a su esposa a pesar de todo y envía sus profetas a prometer una nueva alianza nupcial:

---

[212] Papa Francisco, Angelus, 17 de enero de 2015. w2.vatican.va.
[213] *Is* 49, 15.
[214] Brand Pitre, *Jesus the Bridegroom: The Greatest Story Ever Told,* (New York: Crown Publishing Group, 2004).
[215] *Ez* 16, 15.

Isaías
Como un joven se casa con una virgen,
así te desposará el que te reconstruye;
y como la esposa es la alegría de su esposo,
así serás tú la alegría de tu Dios[216].

Estableceré en favor de ellos una alianza eterna [...]
como un esposo que se ajusta la diadema
y como una esposa que se adorna con sus joyas[217].

En esta sección del Camino buscamos conocer a Jesús como Esposo, no solo de las mujeres religiosas sino de todos los bautizados. Estamos más acostumbrados a relacionarnos con Jesús como Redentor, Señor y Rey. Es más difícil para nosotros creer que Jesús quiere ser nuestro Esposo para entregarse y poseernos íntimamente para siempre.

Santo Tomás de Aquino escribió: «**Por medio de la fe, el alma está unida a Dios y hay entre el alma y Dios una unión afín al matrimonio**. 'Yo te desposaré en fe'»[218]. El *Catecismo* enseña que «toda la vida cristiana está marcada por el amor esponsal de Cristo y de la Iglesia. Ya el Bautismo, entrada en el Pueblo de Dios, es un misterio nupcial. Es, por así decirlo, como el baño de bodas que precede al banquete de bodas, la Eucaristía»[219].

En esta unión esponsal con Cristo, y en ninguna otra cosa, se encuentra el fundamento de nuestra verdadera plenitud y felicidad. Todo lo demás tiene su sentido en esta unión. Santa Teresita de Lisieux afirma sobre su unión esponsal con Jesús «¡Aquí está mi Cielo!» y «sin el amor esponsal de Jesús, la fidelidad es imposible, tanto en el matrimonio como en el celibato consagrado».

---

[216] *Is* 62, 5; cf. *Is* 54, 5-7; *Ez* 16, 59-60; 63.

[217] *Is* 61, 8;10. Ver también el Cantar de los Cantares, el relato de la novia que anhela por el novio.

[218] Santo Tomás de Aquino, *In symbolum apostolorum*, 1,I, citando *Os* 2, 21-22.

[219] *Catecismo de la Iglesia Católica*, № 1617, cf. *Ef* 5, 26-27.

— LA UNIÓN NUPCIAL CON DIOS SE CUMPLE EN CRISTO —

"Los he unido al único Esposo, Cristo,
para presentarlos a Él como una virgen pura"
— San Pablo[220]

Juan Bautista dijo, refiriéndose a Jesús: «El que tiene a la novia es el novio»[221]. Cuán grande es el asombro de todos ante estas palabras. Jesús es el novio profetizado por Isaías y Ezequiel. Él «tiene la novia», que es el Pueblo de Dios al que vino a esposarse en la alianza nueva y eterna.

Juan rebosa de felicidad: «el que está a su lado y lo oye, se alegra mucho al oír la voz del esposo. Así que mi gozo es completo»[222].

92. Conócete a ti mismo —Diario de una MDC

Conócete a ti mismo, al igual que Juan Bautista sabía quién era y estaba consciente del don que recibió del cielo para cumplir su misión. Él era el padrino de boda (profeta) del Novio, preparando el corazón de la novia (Iglesia) para reconocer, conocer y amar al Esposo. Cuando aparece el Esposo, Juan entiende que debe disminuir. Su gozo es pleno.

Tú, por otro lado, eres Mi esposa, la Iglesia, una con Mi Madre, la esposa perfecta, pura y santa. Tu misión, unida a María, es llevar almas al pie de la Cruz para que contemplen el amor de su Esposo, para mirar y contemplar a Aquel que ha sido levantado y para ser sanados, restaurados y hechos nuevos (28/04/11).

---

220 *2 Co* 11, 2.
221 *Jn* 3, 29, Biblia versión DHH.
222 Ibíd.

Jesús dijo que Él es el Esposo que «les será quitado»[223]. Las infidelidades de la novia lo llevan a la Cruz, pero será la ocasión para Él manifestar la grandeza y el poder de su amor por ella.

— La Última Cena —

La Última Cena fue el banquete de bodas del Señor, donde Él, como Esposo, estableció la alianza eterna. Le dio a la esposa (nosotros) su Cuerpo y Sangre. San Mateo relata que: «Jesús tomó el pan, pronunció la bendición, lo partió y lo dio a sus discípulos, diciendo: "Tomen y coman, esto es mi Cuerpo"»[224]. Él cumple así sus deseos de ser *Uno* con nosotros. Él reza al Padre:

> Padre, quiero que los que tú me diste
> estén Conmigo donde yo esté,
> para que contemplen la gloria que me has dado,
> porque ya me amabas
> antes de la creación del mundo[225].

Jesús se va a preparar el lugar donde estará para siempre con su esposa:

> En la Casa de mi Padre hay muchas habitaciones;
> si no fuera así, se lo habría dicho a ustedes.
> Yo voy a prepararles un lugar.
> Y cuando haya ido y les haya preparado un lugar,
> volveré otra vez para llevarlos Conmigo,
> a fin de que donde yo esté,
> estén también ustedes[226].

El Doctor Pitre señala que, según la tradición judía, antes de que pudiese celebrarse la boda, el novio debía construir la casa. Por lo

---

[223] *Mc* 2, 20.
[224] *Mt* 26, 26.
[225] *Jn* 17, 24.
[226] *Jn* 14, 2-3.

tanto, antes de llevarnos al cielo, Jesús «prepara la casa» al ir a la Cruz para dar su vida por la novia.

La «casa» que Jesús prepara es su propio Cuerpo. Jesús se había referido al templo de Jerusalén como «la casa de mi Padre» y habló acerca de un nuevo templo. Este Templo es su propio Cuerpo resucitado y glorificado. Él es la «Casa» donde nos hacemos *Uno* en la unión nupcial divina, y vivimos en comunión con el Padre. Esta es la unión en el Espíritu Santo que recibimos en el Bautismo y vivimos a través del compartir Eucarístico en su Cuerpo.

La Esposa debe responder amando y siguiendo al Esposo dondequiera que vaya. Dice Jesús: «El que me ama guardará mi palabra, y mi Padre le amará, y vendré a él y haremos morada con él»[227].

— CALVARIO —

El Papa Benedicto XVI llamó a la Cruz de Cristo «expresión de sus "nupcias" con la humanidad»[228]. En la Cruz el amor de Cristo es una oblación total por su esposa. La Cruz se convierte en su cama nupcial donde, habiéndolo dado todo, entrega su cuerpo desnudo y sella la alianza nupcial con su sangre. Él es el Esposo que verdaderamente se da a Sí mismo para siempre en «las buenas y en las malas».

La investigación del Doctor Pitre muestra el sentido nupcial del relato bíblico de la Pasión, especialmente en el **capítulo 19 de san Juan**:

Versículo 2: **«Corona de espinas»**. En una boda judía, el novio llevaba una corona, lo que significa que es rey por ese día. Jesús llevó la corona solo un día: el día de su boda, pero fue una corona de espinas lo cual revela la grandeza del amor a su esposa, hasta tomar sobre sí todos sus pecados.

Versículo 23: Su **túnica «no tenía costura**, porque estaba hecha de una sola pieza de arriba abajo». Esta es la descripción de la túnica del novio en una boda judía.

---

[227] *Jn* 14, 23.

[228] Exhortación apostólica, *Sacramentum Caritatis*, N° 27, w2.vatican.va

Versículo 26 y 27: «Al ver a la madre y cerca de ella al discípulo a quien él amaba, Jesús le dijo: "Mujer, aquí tienes a tu Hijo". Luego dijo al discípulo: "Aquí tienes a tu madre". Y desde aquella hora, el discípulo la recibió en su casa». Quienes comparten la Pasión de Jesús, ya sean mujeres u hombres, madre o hijo, se convierten también en su novia mística, unida a Él y entre sí para formar un solo cuerpo.

Versículo 28: **«Tengo sed»**. Jesús tiene sed de la respuesta de la novia a su amor, desea que cada uno de nosotros se convierta en su esposa.

Versículo 30: «Jesús dijo, **«Todo se ha cumplido»**. En la versión en latín de la Biblia (Vulgata): *CONSUMMATUM EST*. Cristo consumó su alianza nupcial en la Cruz. Habiendo cumplido así su misión en la tierra, y para que nosotros podamos responder como la esposa, Jesús «entregó su espíritu».

Versículo 34: **«Uno de los soldados le atravesó el costado»**. San Juan Crisóstomo notó que Dios dio vida a Eva del costado de Adán, y Cristo dio vida a su esposa de su costado traspasado: «Dios tomó la costilla de Adán, mientras este dormía, así también nos dio el agua y la sangre después que Cristo hubo muerto. Mirad de qué manera Cristo se ha unido a su esposa».[229] El primer matrimonio es natural; el segundo es participación en la vida divina del Esposo y es capaz de santificar el primero. Una antigua homilía anónima del Sábado Santo lo confirma: «Yo, que Soy la vida y que estoy unido a ti… la cámara nupcial está adornada, el banquete preparado, se han embellecido los eternos tabernáculos y moradas»[230].

---

[229] Juan Crisóstomo, *Catequesis* 3,13-19, citada en el Oficio de lecturas, Viernes Santo.
[230] Homilía antigua anónima, citada en el Oficio de lecturas, Sábado Santo.

— CANÁ SE CUMPLE EN EL CALVARIO —

Comentando sobre las bodas de Caná, el Papa Francisco dijo:

> Jesús se manifiesta como el esposo del pueblo de Dios, anunciado por los profetas, y nos revela la profundidad de la relación que nos une a Él: es una nueva Alianza de amor. ¿Qué hay en el fundamento de nuestra fe? Un acto de misericordia con el cual Jesús nos unió a Él. Y la vida cristiana es la respuesta a este amor, es como la historia de dos enamorados. Dios y el hombre se encuentran, se buscan, están juntos, se celebran y se aman: precisamente como el amado y la amada en el Cantar de los cantares. Todo lo demás surge como consecuencia de esta relación[231].

Jesús proveyó el vino para la fiesta de bodas tal como se esperaba de un novio judío. Convirtió milagrosamente el agua en vino. En el Calvario, cuando llegó la «hora» para su propia boda, Él fue mucho más lejos: convirtió el vino en su Preciosa Sangre haciéndose Eucaristía por amor a su Esposa. El Papa Juan Pablo II concluye que la Eucaristía «es el sacramento del Esposo y de la Esposa»[232]. Los dos se convierten en *Uno*. Jesús nos da su cuerpo y nosotros le damos el nuestro. Al ser el Cuerpo de Cristo, lo hacemos visible. «El cuerpo, de hecho, y solo el cuerpo», escribió el Papa, «es capaz de hacer visible lo que es invisible: lo espiritual y lo divino»[233].

San Pedro de Alcántara afirma:

> Quería también el Esposo, en esta ausencia tan larga dejar a su Esposa compañía, porque no se quedase sola; y

---

[231] Papa Francisco, Audiencia general, 8 de junio de 2016. w2.vatican.va.
[232] Papa Juan Pablo II, Carta apostólica *Mulieris Dignitatem*, № 26.
[233] Papa Juan Pablo II, Audiencia general, 20 de feb. de 1980, w2.vatican.va.

dejóle la de este Sacramento, donde se queda Él mismo, que era la mejor compañía que le podía dejar[234].

— LA ESPOSA DEBE RESPONDER —

El Esposo se ha dado del todo, pero no puede haber matrimonio sin el consentimiento de la Novia.

Debemos unirnos a Él en el Calvario para que nuestros corazones sean traspasados como el de María. Allí la Novia se convierte en Esposa al unirse como víctima a la Víctima del Amor, ya no dos, sino UNO en su sacrificio de amor.

Pero la Novia es incapaz de responder sin recibir primero el Espíritu del Esposo. La novia necesita ser redimida por Cristo, lo cual no significa un retorno al estado antes de la caída. El paraíso era sin duda un lugar maravilloso, lleno de placeres; Adán y Eva amaron a Dios y se amaban entre sí, pero el amor de ellos no había conocido aún las pruebas que requieren sacrificio. Vivían en un estado de inocencia y amaban como lo hacen los niños. Podríamos decir que su relación con Dios era como un noviazgo, ya que aún no se habían comprometido a entregarle sus vidas. Todavía no estaban «casados» con Dios. Estar de novios es maravilloso y romántico, pero aún no tiene la profunda unidad que es fruto de vivir la entrega total en la alianza matrimonial.

Llegó el día en que Dios permitió que fueran probados. Por primera vez el amor y la fidelidad requerían negarse a sí mismos por el bien del otro. Fue el momento decisivo para comprometerse al amor, para entrar en la alianza nupcial con Dios, pero Adán y Eva no confiaron en Dios y rompieron el noviazgo con Él. Entonces se volvieron el uno contra el otro. Esta fue la Caída, el primer pecado. Adán y Eva representaban a toda la humanidad, por lo tanto, el pecado de ellos nos separó a todos de Dios.

Jesús, el nuevo Adán, también fue probado hasta lo profundo de su alma, pero dijo «Sí» al amor del Padre hasta la Cruz. Lo sacrificó todo por amor al Padre. Él es el Hijo fiel en quien el Padre

---

[234] Pedro de Alcántara, *Tratado de la oración y Meditación*, www.documentacatholicaomnia.eu.

se complace. Por su obediencia, Jesús no solo restauró el daño causado por Adán y Eva, sino que nos abrió su Corazón para que podamos habitar en Él[235]. Por lo tanto, aunque vivimos en un valle de lágrimas y no en el paraíso como Adán y Eva, tenemos en Cristo lo que ellos no recibieron: la unión nupcial de amor con Dios, una alegría, un amor que supera con mucho cualquier deleite del viejo paraíso. Si respondemos, ya no seremos «novios» de Dios, seremos *Uno* con Él, capaces de amar como Cristo ama.

Nuestro mejor modelo es la Virgen María. El Papa Benedicto XVI lo explica así:

> La Alianza con Israel fue como un tiempo de hacer la corte, un largo noviazgo. Luego llegó el momento definitivo, el momento del matrimonio, la realización de una nueva y eterna alianza. En ese momento María, ante el Señor, representaba a toda la humanidad. En el mensaje del ángel, era Dios el que brindaba una propuesta de matrimonio con la humanidad. Y en nombre nuestro, María dijo sí.
>
> En los cuentos, los relatos terminan en este momento: «y desde entonces vivieron felices y contentos». En la vida real no es tan fácil. Fueron muchas las dificultades que María tuvo que superar al afrontar las consecuencias de aquel «sí» al Señor[236].

— PARA ENTENDER A CRISTO COMO EL ESPOSO, NECESITAMOS ENTENDER LA REDENCIÓN —

Piensa en un joven que arriesga su vida para salvar a una mujer de ahogarse. Eso sería una historia maravillosa, pero ¿y si él se enamora de ella y se casan? Esto es lo que Jesús hizo. No vino solo para rescatarnos del infierno, ni solo para darnos el paraíso, vino a entregarse en alianza nupcial con nosotros para siempre. Solo esta entrega colma la felicidad. Jesús le dijo a santa Teresa de Ávila: «Si

---

[235] Cf. *Rm* 5, 17-19.

[236] Benedicto XVI, Angelus, 20 de julio de 2008, w2.vatican.va.

yo no hubiera creado el cielo, lo crearía solo para ti». ¿Qué esposo puede decir eso? El cielo no es otra cosa que estar unidos a Jesús, el Esposo.

El Papa Francisco dijo que Jesús es como un novio que le dice a su novia: «cuando estemos juntos, cuando nos casemos…» Este es el «sueño de Dios». El Papa entonces preguntó: «¿Habéis pensado alguna vez: el Señor sueña conmigo, piensa en mí, yo estoy en la mente, en el Corazón del Señor, el Señor es capaz de cambiarme la vida?»[237].

La novia del Cantar de los Cantares no temió corresponder al amado:

> ¡Que me bese ardientemente con su boca!
> Porque tus amores son más deliciosos que el vino […]
> Yo soy para mi amado, y él se siente atraído hacia mí[238].

Sin embargo, no había llegado el momento de la unión nupcial porque Cristo aún no había venido al mundo. Ahora que está con nosotros, ¿cuál es el obstáculo para las bodas con el Esposo? Santa Teresa de Ávila enseñó a sus hijas acerca del texto mencionado: «Practicamos tan mal el amor de Dios, que no nos parece posible que un alma trate así con Dios»[239]. Por nuestro estado de pecadores, pensamos que un apasionado amor esponsal con Jesús es imposible. Santa Teresa lo vivió porque su pasión era la Pasión de Jesús en la Cruz. Su corazón estaba centrado en **contemplar y responder al amor con el que Jesús sufrió. Este amor purificó su corazón y ella pudo amar y sufrir siendo *UNO* con nuestro Señor**[240].

Santa Teresa explicó a sus hijas que darle a Jesús un beso en la boca es experimentar su amor de tal manera que uno es capaz de todo por Él: «No hay que deteneros en nada, sino olvidaros de vos por contentar a este tan dulce Esposo. Su Majestad se da a sentir a

---

[237] Meditaciones diarias, 16 de marzo de 2015, w2.vatican.va.

[238] *Cant* 1, 1; 7, 11.

[239] Santa Teresa de Ávila, *Conceptos del amor de Dios,* cap.1. www.parroquiavaldespartera.com.

[240] El amor de Jesús es ágape y eros. Ver Raniero Cantalamessa, *Eros y ágape-las dos caras del amor humano y cristiano* (Editorial Agua clara, 2 de enero de 2012).

los que gozan de esta merced, con muchas muestras … **¡Oh amor fuerte de Dios y cómo no le parece que ha de haber cosa imposible a quien ama!»**[241].

El objetivo de este *Camino Sencillo de Unión con Dios* es ayudarnos a entrar en la felicidad de la unión con Jesús por medio de la unión conyugal con Cristo. La Comunidad de Amor Crucificado ora para que perseveres, permitiendo que el Esposo te lleve a la Cruz con Él. Que podamos decir: «Sí, mi Esposo amado, sufro todo contigo, ya no somos dos, sino *Uno*, en tu sacrificio de amor».

[241] Santa Teresa de Ávila, *Conceptos del amor de Dios*, cap.3.

93. Sé Mi Esposa —Diario de una MDC

Mis almas víctimas, abandonadas a Mi amor crucificado, son las que poseen el poder de Dios para derrotar a Satanás y dar paso al reinado del Inmaculado Corazón de Mi Madre. No temas ser Mi voz. No tengas miedo de ser crucificada Conmigo. Sé Mi esposa. Una esposa sigue a su esposo dondequiera que Él vaya. ¿Me seguirás a Mi Cruz, donde nuestro amor se consumará en el poder de Dios? Súfrelo todo Conmigo, tu Esposo, por medio del abrazo del silencio del Espíritu Santo. Esto es lo que más me agrada. Confía, porque no hay un sufrimiento que Yo permita que no te traiga a la unión de amor que deseo. Confía en el poder de sufrirlo todo siendo Uno *Conmigo. Este es el poder que incendiará al mundo con el fuego de Mi Espíritu. Levanta a Mis víctimas de amor para estos tiempos decisivos* (9/7/12).

— LA NOVIA FINALMENTE DICE: «SÍ» —

A lo largo de toda la historia de la salvación, Dios busca a su esposa infiel. En el último capítulo del último libro de la Biblia, los cielos al fin estallan de alegría y exultación porque la Novia finalmente está lista para decir «sí» y la fiesta de bodas del Cordero va a comenzar.

Libro del Apocalipsis

> Alegrémonos, regocijémonos y demos gloria a Dios, porque han llegado las bodas del Cordero: su esposa ya se ha preparado...
>
> Felices los que han sido invitados al banquete de boda del Cordero[242].

Todo el pueblo de Dios y cada uno de nosotros personalmente somos la Novia que es preparada gracias a su apertura al Espíritu Santo:

> El Espíritu y la Esposa dicen: «¡Ven!», y el que escucha debe decir: «¡Ven!». Que venga el que tiene sed, y el que quiera, que beba gratuitamente del agua de la vida[243].

Jesús en la Cruz dijo: «Tengo sed». ¡Ahora la Novia también tiene sed! Esta es la obra del Espíritu Santo: Avivar en nosotros sed por el Esposo, deseo de dar nuestras vidas como víctimas de amor con Él. Cuando miramos a Jesús crucificado y contemplamos el acto de amor del Esposo, tenemos sed. Este es el poder de la Cruz: el poder del amor. Esto es lo que movió a san Pablo a decir: «Me amó y se entregó por mí»[244].

Pregúntate: Cuando voy a la Eucaristía, ¿me doy cuenta de que soy la esposa que va a unirse a su Esposo para ser una oblación de

---

[242] *Ap* 19, 7. 9.
[243] *Ap* 22, 17; cf Ap. 21, 2.
[244] *Ga* 2, 20.

amor con Él? Cuando miro a Jesús Crucificado, ¿veo a mi Esposo? ¿Tengo sed de Él?

94. Como Mi esposa, saciarás Mi sed —Diario de una MDC

> *Hija Mía, como esposa Mía, saciarás Mi sed de tu amor, al entregar tu vida por la misión que he puesto en tu corazón... Esta sed de amor me mueve a derramar Mi Preciosa Sangre por ti, para que tu sed de amor pueda saciarse; pero Yo sigo sediento y busco almas para saciar Mi sed de amor* (12/6/12).

95. Deseo quedarme contigo —Diario de una MDC

> *Yo vivo en ti. He venido a permanecer en ti como Mi tabernáculo vivo. De esta manera, no estoy solo. Puedes sentirme, verme, tocarme, y yo puedo escuchar tus palabras de amor y ternura hacia Mí, tu Dios y tu Esposo. Puedo sentir cuando me tocas y recibir tu beso de amor y pureza. Deseo permanecer siendo* Uno *contigo en este abrazo de amor. Por tu parte, protege esta unión a través de la pureza de tus labios. Permanece y vive en el abrazo del silencio del Espíritu Santo. Pequeña Mía, ámame y préstame atención* (17/7/12).

96. Como esposa, tu vida debe ser para consolarlo

—Diario de una MDC

> Durante la Consagración en la Santa Misa sentí que Dios Padre me hablaba en mi alma. Él dijo:
>
> *¿Estás ahora lista para ser el sacrificio de amor de Mi Hijo?... Ya no te puedes preocupar por lo que otros piensen de ti, ni por tu reputación; solo puedes preocuparte de complacer a Mi Hijo. Ya no eres Su sierva, sino Su esposa. Como Su esposa has de vivir para consolarlo y serle fiel por amor a Sus deseos* (19/2/11).

Pero, ¿cómo pueden los hombres identificarse como esposas? En relación con Jesús todos somos «esposas» porque somos Iglesia. Él es Señor de todos y desea una profunda intimidad con los hombres también. Solo en unión con Cristo los hombres pueden realizarse como hombres. Ellos están llamados a ser esposos en unión con Cristo-Esposo: dando su vida para amar a la esposa con el amor de Jesús. San Pablo escribe: «Revístanse del Señor Jesucristo»[245]. Pablo «se revistió» de la identidad del Esposo y pasó el resto de su vida dándose como sacerdote y víctima por la esposa que es la Iglesia. En su carta a los Efesios, llama a los hombres a hacer lo mismo por todos, especialmente por sus esposas: «Maridos, amen a su esposa, como Cristo amó a la Iglesia y se entregó por ella»[246].

Inspirado en la carta de Pablo, san Juan Crisóstomo escribe a los maridos acerca de las implicaciones de ser un hombre nuevo a imagen de Cristo:

Presta atención a los altos estándares del amor. Si tu premisa es que tu esposa debe someterse a ti como la Iglesia se somete a Cristo, entonces también debes tener el mismo tipo de pensamiento

[245] *Rm* 13, 14.
[246] *Ef* 5, 25.

cuidadoso y sacrificado por ella que Cristo tiene para la Iglesia. Incluso si tienes que ofrecer tu propia vida por ella, no debes negarte. Aun si debes someterte a innumerables luchas por ella y tienes que soportar y sufrir todo tipo de cosas, no debes rehusar. Aún si sufres todo eso, todavía no has hecho tanto como Cristo hizo por la iglesia. Porque tú ya estás casado cuando actúas de esta manera, mientras que Cristo actúa por alguien que lo ha rechazado y aborrecido. Así que, como Él, mientras ella lo rechazaba, lo odiaba, lo despreciaba y lo atormentaba, se ganó la confianza de ella con su gran solicitud y no amenazándola, dominándola, intimidándola, o algo por el estilo, así también debes actuar tú con tu esposa. Incluso si ves que te mira como inferior, te atosiga y te odia, podrás conquistarla con tu gran amor y afecto por ella. **Dile que la amas más que a tu propia vida**, porque esta vida presente no es nada, y que tu única esperanza es que los dos pasen por esta vida de tal manera que en el mundo venidero estén unidos en perfecto amor. Dile: «Nuestro tiempo aquí es breve y fugaz, pero si somos agradables a Dios, podemos cambiar esta vida por el Reino que viene. Entonces seremos perfectamente *Uno* con Cristo y estaremos unidos entre nosotros, y nuestro placer no conocerá límites»[247].

[247] Juan Crisóstomo, homilía sobre *Ef* 5, 20; 5, 25.

PARTE SEGUNDA

Aspectos de la vida en el Camino

2015

Capítulo Cinco

Virtudes de un nuevo corazón

Recuerda lo que aprendimos al comienzo del *Camino Sencillo de Unión con Dios*: «La nueva vida que recibimos en el bautismo es como una pequeña semilla destinada a crecer hasta la plenitud de la vida en Cristo. **El propósito de nuestro tiempo en la tierra, entonces, es dedicarnos a este crecimiento a lo largo de un camino de transformación continua».**

En este camino, las virtudes deben perfeccionarse. Es importante, por lo tanto, estudiar las virtudes y los frutos del Espíritu Santo que se encuentran en el *Catecismo*[248]. Este nos enseña que «una virtud es una disposición habitual y firme a hacer el bien. Permite a la persona no solo realizar actos buenos, sino dar lo mejor de sí misma»[249]. Según san Gregorio de Nisa: «El objetivo de una vida virtuosa es llegar a ser como Dios»[250]. En otras palabras, ser virtuoso es ser *Uno* con Cristo.

En los capítulos anteriores aprendimos que el camino de unión con Cristo es a través de sufrirlo todo con Él por amor. En este capítulo aprenderemos virtudes y prácticas que deben llegar a ser nuestra forma de vida para vivir en el fuego del Sagrado Corazón.

---

[248] *Catecismo de la Iglesia Católica* N° 1803-1945.
[249] Ibíd. N°1803.
[250] San Gregorio de Nisa, *De beatitudinibus,1*: p. 44, 1200D.

5–A: Oración

— La oración comienza con la escucha —

En la oración «inclinamos nuestros oídos»[251] al Señor. La oración es la apertura de las puertas de nuestros corazones para invitar al amado.

Nuestro Padre amoroso anhela que vayamos a Él, pero la oración nos es difícil porque nuestros oídos y corazones están endurecidos y muchos intereses nos distraen. Para superar este estado debemos perseverar mirando al Señor. «Con humildad y pureza alcanzarás rápidamente la perfección en todas las virtudes si perseveras en la oración»[252].

---

[251] Cf. *Pr* 4, 20, *Si* 2, 2;3, 29; *Sal* 78, 1.
[252] *Diario de una MDC*, 4 de marzo de 2011.

— LA ORACIÓN TIENE EL PODER DE DIOS —

En el libro del Apocalipsis, vemos el poder de los santos (incluyendo los fieles en la tierra):

> El humo de los perfumes, junto con las oraciones de los santos, subió desde la mano del Ángel hasta la presencia de Dios. Después el Ángel tomó el incensario, lo llenó con el fuego del altar y lo arrojó sobre la tierra. Y hubo truenos, gritos, relámpagos y un temblor de tierra (*Ap* 8, 4-5).

Vemos en esta imagen que Dios no es indiferente a nuestras oraciones, sino que interviene y hace sentir su poder y escuchar su voz en la tierra. Hace que las estructuras del Mal tiemblen y las trastorna.

Nuestras oraciones —con todas las dificultades, pobrezas e imperfecciones que tienen— llegan al Corazón de Dios. Por lo tanto, no hay oraciones inútiles o perdidas. «Las oraciones encuentran respuesta, aunque a veces misteriosa, porque Dios es Amor y Misericordia infinita»[253]. La oración hace fecunda nuestra debilidad (cf. *Rm* 8, 26-27).

Papa Benedicto XVI

> Como cristianos nunca podemos ser pesimistas; sabemos bien que en el camino de nuestra vida encontramos a menudo violencia, mentira, odio, persecuciones, pero esto no nos desalienta. La oración, sobre todo, nos educa a ver los signos de Dios, su presencia y acción; es más, a ser nosotros mismos, luces de bien que difundan esperanza e indiquen que la victoria es de Dios[254].

---

[253] Papa Benedicto XVI, Audiencia general, 12 de sept de 2112. w2.vatican.va
[254] Ibíd.

— La oración nos da vida —

Orar es abrirnos a una intensa pasión de amor por Cristo. La unión de san Pablo con Cristo fue tan profunda que pudo decir: «Ya no vivo yo, sino que es Cristo quien vive en mí» (*Ga* 2, 20). Esta unión lo lleva a una alegría sobrenatural que nada le podía quitar. Mientras estaba en la cárcel y en gran peligro de muerte, alentó a todos a compartir su alegría: «Alegraos siempre en el Señor. Vuelvo a insistir, alegraos» (*Flp* 4, 4). Meditando estas palabras de san Pablo, el Papa Benedicto XVI nos dice que, por medio de la oración, también nosotros podemos ser *Uno* con Cristo, capaces de «pensar, actuar y amar como Él, en Él y por Él. Practicar esto, aprender los sentimientos de Jesús, es el camino de la vida cristiana»[255].

— La oración es una forma de vida —

Puede que muchos de nosotros pasemos algún tiempo cada día en oración, pero ¿cómo podríamos vivir en oración continua? Los que se aman están siempre unidos en sus corazones, aunque no puedan hablar. ¡Cuánto más cuando nuestro amado es Dios! Esta unión profunda es una gracia que Dios quiere darnos.

La oración toma diferentes formas y envuelve todo nuestro ser. Según el Papa Benedicto XVI, la oración está hecha «de silencios y palabra, de canto y gestos que implican a toda la persona: los labios, la mente, el corazón, todo el cuerpo»[256].

Santa Teresa de Lisieux escribió sobre su vida de oración: «Para mí, la oración es un impulso del corazón, una simple mirada lanzada al cielo, un grito de gratitud y de amor, tanto en medio del sufrimiento como en medio de la alegría»[257].

---

[255] Ibíd. 27 de junio de 2012, w2.vatican.va.
[256] Ibíd.
[257] *Historia de un Alma,* p.184.

El Papa Benedicto XVI

La oración es el encuentro de la sed de Dios con nuestra sed. Dios tiene sed de que tengamos sed de Él. En la oración debemos dirigir nuestro corazón a Dios para entregarnos a Él como ofrenda que ha de ser purificada y transformada. En la oración lo vemos todo a la luz de Cristo, nos quitamos nuestras máscaras y nos sumergimos en la verdad y en la escucha de Dios, alimentando el fuego del amor[258].

Lo que el Papa Benedicto describe arriba se cumple si vamos a la misa con la disposición correcta. Nos «entregamos» como *Uno* con Cristo al Padre. Por eso el Sacrificio de la santa misa es la oración más perfecta.

¿Has caído en cuenta de que tus sufrimientos son una oración que tiene gran poder ante el trono del Padre? Para Conchita las cruces de su vida se convertían en oración, eran un beso de Jesús que buscaba atraerla hacia Él. **En el mensaje de la próxima página nuestro Señor explica cómo vivir nuestros sufrimientos cotidianos como una oración.**

---

[258] Ibíd. 22 de agosto de 2007, w2.vatican.va.

97. Tu vida es una oración —Diario de una MDC

Cuando digo que tu vida es una oración, [quiero decir que] tu vida es una ofrenda. Ofrecerme tu vida es la oración perfecta. Tus pensamientos dirigidos a Mí, dirigidos al amor, son una oración; tu deseo de saber de Mí, de amarme y de servirme es una oración; cuando me tocas, es una bellísima oración; tus palabras de aliento y amor a los demás son una oración; tus esfuerzos para traer paz y unidad a las familias son una oración; tu sonrisa es una oración. Pero tu oración más perfecta es tu sufrimiento puro unido a Mí y a Mi Madre.

La oración de sufrimiento puro es la fragancia más dulce que llega y deleita el Corazón de nuestro Padre*. Esta es también la oración que produce abundancia de frutos. Esta es la oración que está más unida a la Mía cuando intercedo ante el trono de Mi Padre.*

Por esta razón, el sufrimiento de soledad de Mi Madre produjo y sigue produciendo una lluvia de gracias sobre el mundo. Deseo que las Madres y los Misioneros de la Cruz se perfeccionen en la oración del sufrimiento.

—Pero, Señor mío, ¿y qué me dices de la oración contemplativa y de la oración de alabanza?

—Es por medio de la oración contemplativa que llegas a conocerme, es la oración en la que te lleno, oriento y formo, pero es la oración del sufrimiento con la que me honras, me consuelas, me amas, y participas en la redención de las almas. La oración

de gratitud y acción de gracias debe ser el aire que respiras (23/8/10).

98. María explica el poder de la vida de las madres espirituales unidas a su Fiat —Diario de una MDC

María: *Las madres de la Cruz (madres espirituales) son mis doncellas que, unidas a mí, renovarán el sacerdocio. Vuestro «fiat» para ser almas víctimas se perfeccionará con mi «Fiat». Vuestras vidas serán un paño santo que absorberá la Preciosa Sangre de Jesús. De esta forma, se convertirán en cálices vivos y puros llenos con la Sangre de Jesús. Vosotras viviréis vidas ocultas como yo, en oración, sacrificio y sufrimiento. Vuestras vidas ocultas, vividas en vuestros monasterios domésticos, serán una fuente de gracia para la santificación de los sacerdotes.*

Vosotras imitaréis con gran grado de perfección mis virtudes de humildad, sencillez, dulzura, silencio y caridad. Seréis mujeres con una vida intensa de oración centrada en la Eucaristía. Vuestras vidas serán una continua ofrenda de oración al ofrecer vuestros sacrificios y deberes diarios en el altar de vuestros hogares. Al amar en el sufrimiento imitando a Jesús y a mí, vosotras seréis nuestro gozo y nuestro consuelo (13/6/09).

99. Permite que todo sea una oración
—Diario de una MDC

> *Hija mía: reza, reza, reza. Sé cuánto te gusta estar en oración ante Mi Hijo en el Santísimo Sacramento, pero deseo que ores continuamente. Permite que cada palabra, pensamiento y acción sean una oración. Es de esta manera que llegarás a conocer las inspiraciones y susurros del Espíritu Santo y vivirás en paz* (29/01/10).

Jesús habla a santa Faustina:

> Hija Mía, quiero enseñarte a salvar las almas con el sacrificio y la oración. Con la oración y el sufrimiento salvarás más almas que un misionero solo a través de prédicas y sermones. Quiero verte como un sacrificio de amor vivo, ya que solo entonces tiene peso ante Mí[259].

María Santísima es modelo de oración porque, al dar su *fiat*, no se reservó nada, aunque le llevó a estar interiormente crucificada con su Hijo. Es por eso que Dios pudo hacer grandes cosas en ella. Ella nos ayudará a entrar cada vez más en su fiat para que el Señor pueda usar nuestras oraciones para bendecir al mundo.

---

[259] Sta. Faustina Kowalska, *Diario* N.° 1767.

100. Vuestras oraciones son una lluvia de inmensas gracias sobre la tierra —Diario de una MDC

> *He escogido a Mis siervos sencillos y humildes para hacer grandes cosas... Vosotros tenéis la misión de evangelizar e interceder... Vuestras oraciones de intercesión, alabanza y acción de gracias están derramando inmensas gracias sobre la tierra.* (26/11/08).

5–B: Silencio

El silencio es el abrazo de amor entre Dios y el alma. El Señor nos dice: «Estad quietos, y sabed que yo soy Dios» (*Sal* 46:10). Él desea que entremos en su regazo para hacernos suyos para siempre. Medita el silencio de María y cómo le permitió ser receptiva a la Palabra. Medita el ejemplo de Jesús que regularmente iba al desierto a rezar. El Papa Benedicto escribe:

> **Es necesario el silencio interior y exterior para poder escuchar la Palabra.** Se trata de un punto particularmente difícil para nosotros en nuestro tiempo. En efecto, en nuestra época no se favorece el recogimiento; es más, a veces da la impresión de que se siente miedo de apartarse, incluso por un instante, del río de palabras y de imágenes que marcan y llenan los días[260].

En el silencio, María se abre a que el Espíritu Santo se pose sobre ella. El Papa Francisco nos dice que el Espíritu Santo quiere posarse también sobre nosotros:

[260] Papa Benedicto XVI, Audiencia General, 7 Marzo del 2012. w2.vatican.va.

> Esta nube en nosotros, en nuestra vida, se llama silencio. El silencio es precisamente la nube que cubre el misterio de nuestra relación con el Señor, de nuestra santidad y nuestros pecados [...]
>
> Es un misterio que no podemos explicar. Pero cuando no hay silencio en nuestra vida el misterio se pierde, se va. He aquí, entonces, la importancia de custodiar el misterio con el silencio: es la nube, el poder de Dios para nosotros, la fuerza del Espíritu Santo[261].

La Santísima Virgen, dijo el Papa, custodiaba su corazón con el silencio:

> Pienso cuántas veces calló, cuántas veces no dijo lo que sentía para custodiar el misterio de la relación con su Hijo [...] (María) era silenciosa, pero dentro de su corazón cuántas cosas decía al Señor en ese momento crucial de la historia [...] (María) con el silencio cubrió el misterio que no comprendía. Y con el silencio dejó que el misterio pudiera crecer y florecer, llevando a todos una gran esperanza[262].

En la siguiente enseñanza, Nuestro Señor nos dice que **la oración de silencio es como una escalera que nos lleva a una creciente unión con Dios.** Los primeros pasos son los más difíciles y tediosos porque nos cuesta silenciar nuestras mentes. Sin embargo, si perseveramos en la oración de silencio, recibiremos la visita de Dios. Este encuentro nos elevará en la escala hacia el abrazo de Dios. Cuanto más cerca estamos a la unión con Dios, mayor es nuestro silencio y más le permitimos a Dios que nos hable.

---

[261] Ibíd.

[262] Papa Francisco, Homilia, 20 Diciembre, 2013, w2.vatican.va.

101. El silencio es como ascender una escalera
—Diario de una MDC

El silencio es el Reino de Dios; el silencio es un estado de unión con Dios; el silencio es como ascender una escalera: debes comenzar en los escalones de abajo para poder llegar a los más altos. El alma humana debe comenzar a entrar en el silencio por medio de la mortificación de la lengua, de los pensamientos y murmullos internos.

Los períodos diarios de oración en silencio ayudan al alma a conocer el silencio. Los primeros pasos para entrar y vivir en el silencio son los más difíciles y tediosos. Si el alma persevera en la mortificación de los sentidos, el Padre la bendecirá con experiencias de entrar en contacto con lo divino: el corazón humano y la carne experimentarán Mi presencia. Estas visitas divinas servirán para despertar en el corazón humano un gran deseo de Mí. Estas visitas animarán a su débil naturaleza a seguir subiendo los escalones del silencio, principalmente por medio de la perseverancia en la oración.

El camino puede ser muy difícil, dependiendo de la fuerza de voluntad del alma y, a veces, puede que empiece a descender los escalones, pero su sed por Mi amor y Mis visitas serán el combustible para que siga ascendiendo. Mi Espíritu será su compañero en cada escalón. Mi Espíritu es su ayuda, su guía y su fortaleza interna, pero ella aún no le conoce. Su vida y luz están creciendo en su ser (en el alma) y con su ascenso, a través del abandono de su voluntad, la vida del Espíritu se está fortaleciendo en ella. Pero es en el fuego de Mi Sagrado Corazón que (el alma) llega a conocer personalmente al Espíritu Santo; allí asciende al silencio de la Trinidad.

En el Espíritu Santo Me posees a Mí y al Padre como Uno. El Espíritu ahora vive en ti y tú en Él. Son Uno. Esta dimensión divina es el SILENCIO. Cuando entras en esta unión divina en el silencio, has de ocuparte de cultivarla; las palabras y actividades descuidadas pueden sacar al alma de esta divina dimensión del silencio (22/7/11).

El silencio nos permite ponernos en contacto con nuestros propios sufrimientos para poder entrar en ellos y unirlos a los sufrimientos de Jesús. Entonces, nuestros sufrimientos dejan de ser obstáculos y se convierten en el camino de unión con Dios.

Cuando María Santísima abrazó a su Hijo, como vemos en la Pietá, ella abrazó y recibió el quebranto de toda la humanidad. Cuando nos unimos a ella abrazando a su Hijo, nosotros también recibimos en nuestros corazones las heridas de muchas almas, por Jesús, con Él y en Él. De esta manera, vivimos el Santo Sacrificio de la santa misa en nuestras vidas ordinarias.

102. Los brazos del silencio abrazan Mi Cuerpo crucificado
—Diario de una MDC

El silencio te permite abrazar plenamente las penas de tu corazón*; el silencio te permite entrar plenamente en el dolor que Yo estoy permitiendo en tu corazón.* ***Al abrazar este dolor y sufrimiento, me abrazas a Mí;*** *estás abrazando Mis penas y sufrimientos y así, estás entrando en Mi Corazón, pues Mi Corazón es todo dolor y amor. Esta es Mi Misericordia.*

Llegar a conocer el amor de tu Amado es llegar a conocer Mi dolor*. Es por eso que Mi Madre es la Reina de Dolores, porque fue ella quien vivió con mayor perfección consumida en Mi Corazón. Pequeña Mía, esta unión de dolores tiene que conmover tu corazón para amar a todos, sufriendo en silencio, con paz y abandono por todos tus hermanos.*

Hijos Míos, sonreíd exteriormente y atended a los deberes de vuestras vocaciones con detalle y amor, pero interiormente, por medio de los brazos del silencio, vivid abrazando vuestras penas. De esta manera, estáis abrazando a Mi Cuerpo crucificado y aliviando Mis heridas. Esta es la vida del amor; esta es la vida de una Madre de la Cruz porque es la vida de Mi madre.

El Espíritu Santo te ayudará; conságrate a Él esta mañana. Vete en paz hija Mía, Yo vivo en ti como tú vives en Mí (8/8/11).

Movido por los sufrimientos de nuestro Señor, san Agustín le imploró a Jesús que escribiera sus heridas en su corazón para así poder soportar sus propios sufrimientos en silencio por amor a Dios:

> Escribe, mi amadísimo Salvador, escribe tus heridas en mi corazón, para que en adelante siempre contemple en él tus sufrimientos y tu amor. Sí, porque, al tener ante mis ojos el gran sufrimiento que Tú, mi Dios, soportaste por mí, podré soportar en silencio todos los sufrimientos que me vengan[263].

¿Cómo entramos en el silencio necesario para encontrarnos con Jesús? Lo hacemos practicando la forma de vida que se enseña en este Camino de Unión con Dios. Cada día clamamos al Espíritu Santo y con nuestra Madre, centramos nuestras vidas en la Eucaristía, participando en la santa misa y en la adoración eucarística. Jesús resucitado nos mostrará sus llagas como lo hizo a Santo Tomás. Nos atraerá a Él y nos hará íntimamente *Uno* con Él.

Este es el camino de los santos. En su vida intensa de servicio al prójimo, la Madre Teresa de Calcuta se sostenía gracias al tiempo diario que pasaba quieta, en silencio con Jesús Eucarístico. Santa Faustina escribió, «Deseo preparar mi corazón para la venida de Jesús por medio del silencio y el recogimiento de espíritu, uniéndome con la Santísima Madre y fielmente imitando su virtud de silencio»[264].

El Padre Raniero Cantalamessa lo explica de esta manera:

> Es al *estar quietos, en silencio* frente al Santísimo Sacramento, y posiblemente por largo tiempo, que percibimos lo que Él quiere de nosotros, ponemos a un lado nuestros planes para darle lugar a los suyos y permitimos

[263] San Augustín, citado por San Alfonso Ligorio, *La Pasión y la Muerte de Jesucristo.*
[264] Sta. Faustina Kowalska, *Diario* N° 1398.

que la luz de Dios gradualmente penetre el corazón y lo sane[265].

Aunque nos guste el silencio en concepto, nos es muy difícil vivirlo en la práctica. Nuestras mentes se distraen con muchas cosas. Hablamos constantemente con nosotros mismos y con otros. Si queremos entrar en el abrazo de Dios, debemos adquirir la disciplina de tener tiempo diario de oración en silencio. Esto requiere que le permitamos a Dios guiarnos y ordenar nuestras relaciones y prioridades. **El silencio nunca debe ser un obstáculo para una auténtica comunicación.** Hay que evitar la habladuría frívola y **discernir qué compartir,** según sea agradable al Señor.

103. Mortifícate en el silencio —Diario de una MDC

> *Mortifícate en el SILENCIO... Permite que el SILENCIO sea tu compañero más valioso... De esta forma, seré Yo tu compañero más cercano. Aprenderás a discernir Mi voz inmediatamente* (8/8/09).

— CARTA DE UNA MADRE DE LA CRUZ A UNA AMIGA EN LA COMUNIDAD —

Quiero que mi amor sea heroico… pero veo mi falta de amor… mi dureza de corazón…

Me hubiese gustado llamarte esta noche para buscar consuelo… Pero sé que nuestro Jesús me pide que me mortifique y me adentre en mi dolor… Lo abrazo con docilidad…

Esta noche me abandono en mi sufrimiento esperando que dé fruto… Que este pequeñísimo sufrimiento pueda agradar al Padre, no por su grandeza, sino porque lo abrazo y lo acepto… no lucho… no me revelo.

---

[265] Padre Raniero Cantalamessa, *La Eucaristía, Nuestra Santificación*, (cf. *2 Co* 3, 18).

Lo ofrezco por nuestro sacerdote y por ti… por toda nuestra familia espiritual y por nuestras familias de sangre. Lo ofrezco por cada sacerdote tibio, por cada corazón que le ha negado la entrada a Jesús…

¡Cómo deseo sufrir con Él!

Me adentro en silencio en el sufrimiento…

104. El silencio no es necesariamente dejar de hablar

—Diario de una MDC

> *El silencio es una virtud; el silencio es una oración; el silencio es incomprendido por muchos. Hay almas en clausura que practican el silencio, pero no están en silencio porque interiormente son charlatanas, están distraídas y ansiosas. El silencio es tener tu alma en comunión con Dios. Es en el silencio que llegas a escuchar la voz de Dios; es en el silencio que llegas a ver el rostro de Dios; es en el silencio que llegas a sentir la caricia de Dios.* ***El silencio es el abrazo de amor entre un alma y Dios.***
>
> *Aprende a entrar en la oración del silencio. El Espíritu Santo y Mi Madre te enseñarán. El silencio no es necesariamente no hablar. Yo pasé mis días en la tierra predicando, enseñando y conversando con Mis amigos y Mi comunidad. Si hija Mía, Yo viví en comunidad.* (Jesús inmediatamente respondió a mi pensamiento cuando Él dijo «comunidad») *Sin embargo, Yo entré cada día en la oración del silencio con Mi Padre. El don y la gracia del Espíritu Santo te llevarán a vivir en esta comunión de silencio Conmigo en medio del ruido externo.*
>
> *De tu parte, entra diariamente en la oración del silencio en la Iglesia o en tu casa. Pídele a Mi madre*

que te guíe y ayude en esta práctica del silencio tan beneficiosa para tu alma. (21/7/10)

5–C:
Ternura

El Dios todopoderoso es a la vez el Dios que nos ama con la ternura de una madre:

Isaías 49, 15-16
¿Se olvida una madre de su criatura,
no se compadece del hijo de sus entrañas?
¡Pero aunque ella se olvide,
yo no te olvidaré!
Yo te llevo grabada en las palmas de mis manos,
tus muros están siempre ante mí.

— LA REVOLUCIÓN DE LA TERNURA —

«El Hijo de Dios, en su encarnación, nos invitó a la revolución de la ternura»[266]. Estas palabras del Papa Francisco se refieren a una revolución completamente diferente a todas las demás; la única que no se impone por la fuerza, sino que revela el poder del amor tierno para transformar los corazones desde dentro.

Cuando estábamos en tinieblas y en sombras de muerte, Dios reveló su entrañable misericordia[267]. La Palabra vino a nosotros en carne humana. Su toque y su mirada revelan la ternura de Dios, que Él no nos negó a causa de nuestros pecados. Él quiso más bien que los clavos sirvieran para grabarnos en sus manos; pero, ¿quién cree

[266] *Evangelii gaudium*, 88.
[267] Cf. *Lc* 1, 78-79.

que esta revolución puede realmente cambiar a las personas y al mundo? ¿Quién sigue siendo tierno mientras le tratan con ofensas y rechazos? El Papa Francisco nos recuerda que la respuesta es María Santísima: «Ella nos enseña que la única fuerza capaz de conquistar el corazón de los hombres es la ternura de Dios»[268].

El Papa Francisco explica así:

> Cada vez que miramos a María volvemos a creer en lo revolucionario de la ternura y del cariño. En ella vemos que la humildad y la ternura no son virtudes de los débiles sino de los fuertes, que no necesitan maltratar a otros para sentirse importantes. Mirándola descubrimos que la misma que alababa a Dios porque «derribó de su trono a los poderosos» y «despidió vacíos a los ricos» (*Lc* 1, 52-53) es la que pone calidez de hogar en nuestra búsqueda de justicia. Es también la que conserva cuidadosamente «todas las cosas meditándolas en su corazón» (*Lc* 2, 19). María sabe reconocer las huellas del Espíritu de Dios en los grandes acontecimientos y también en aquellos que parecen imperceptibles[269].

---

[268] Papa Francisco, Reunión con los obispos de México, Catedral de México, 13 Feb, 2016. es.zenit.org.

[269] EG, 288

— PARTICIPAMOS EN LA TERNURA DE DIOS —

San Pedro escribe que los cristianos tienen un «corazón tierno»[270]. Con María, recibimos y respondemos a la ternura de Dios en nuestros encuentros con Él en su Palabra, en la Eucaristía, en la oración, en la confesión… y en nuestros hermanos.

Cuando nos consagramos al Señor incluimos nuestros cuerpos, para que manifiesten lo que está en nuestros corazones. San Francisco de Asís dijo que servir a Dios es servir a nuestros hermanos «con mayor ternura que la de una madre que cuida a su hijo en la carne». **Poniendo atención a cómo usamos las manos o dejamos de usarlas, cómo miramos a otros y lo que decimos**, sabremos lo que hay en nuestros corazones y si la ternura del amor de Dios en verdad fluye de nosotros.

105. La ternura manifiesta amor —Diario de una MDC

La ternura es la virtud que manifiesta el amor de tu corazón a través de tus facultades de tacto, visión y habla. Dios es amor, por lo tanto, aquí en la tierra, muchos sintieron Mi amor a través del toque de Mis manos, a través de la mirada de mis ojos y a través de mis palabras.

Soy un torrente vivo de gracia, que es el amor de Dios fluyendo a través de Mí. Cuando llegáis a poseerme, a través del poder del Espíritu Santo, Mi amor fluye a través de vosotros. Os convertís en Mi recipiente vivo, os convertís en Mis manos, os convertís en Mi mirada y habláis Mis palabras. Esto es lo que significa ser Mis cálices vivos y Mis hostias vivas. Este amor se manifiesta en concreto, tangible, a través de vuestra ternura.

---

[270] *1 P* 3,8.

> *Al estar atentos a cómo utilizáis vuestras manos y cómo no las utilizáis, cómo miráis a los demás y las palabras que fluyen de vuestros labios, llegaréis a conocer el pecado que permanece en vuestros corazones. Mi Madre está formando a cada uno para que seáis Mis cálices vivos* (2/1/12).

La mujer que públicamente lavó los pies de Jesús con sus lágrimas nos enseña mucho acerca de la ternura. Ella miró a Jesús y no se arredró por miedo de ser juzgada ni por miedo a ser imprudente; actuó movida por su amor y gratitud, sin esperar recompensa. Su corazón era puro.

La ternura tiene el poder de derretir los corazones más endurecidos y orgullosos. Al recibir el amor de Dios en nuestros corazones, nuestra identidad como hijos e hijas amados se restaura. La ternura de Dios sana, la caricia de Dios desinfecta y limpia nuestras heridas, la ternura de Dios trae paz, serenidad y descanso a los afligidos, a los cansados y a los sedientos de amor.

El Papa Francisco nos pide ser tiernos

> Las heridas duelen, y aún más cuando no son tratadas con ternura. Al mirar al Niño Jesús, que es todo ternura, pido para todos esta actitud: que sepamos tratar con cuidado y ternura todas las heridas. Están ahí: no es posible esconderlas o negarlas. Solo un toque gentil de nuestros corazones, con silencio y respeto, puede traer alivio. Y, como la ternura máxima es la de Dios, pidámosle que traiga a cada uno su cálido y paternal consuelo y que nos enseñe a no estar solos, sino a continuar buscando la compañía de los hermanos[271].

[271] Papa Francisco, Carta al obispo Jorge Lozano de Gualeguaychú, Argentina, Dec, 2013.

— ¿CÓMO RECIBIMOS Y DAMOS LA TERNURA DE DIOS? —

Al contemplar a Jesús: su mirada, sus palabras, sus gestos de ternura, la manera en que nos toca, le permitimos revelarnos su Corazón que es amor puro. Entonces nos convertimos en cristianos alegres que dan y reciben «el consuelo de la ternura de Jesús»[272]. ¡Hay tantos necesitados de nuestra ternura!

PODEMOS PERDER NUESTRA TERNURA SIN DARNOS CUENTA

Cuando hemos sido heridos, cuando no hemos recibido la ternura, nos endurecemos y nos convertimos en controladores. La ternura entonces nos parece como una tontería o debilidad. La ternura separada de Cristo es una mentira que se usa para comprar el amor, manipular y llamar la atención. La verdadera ternura no se impone y no abruma.

Al descubrir que transmitimos el amor de Dios cuando tocamos con gentileza, **redescubrimos la importancia de bendecir y mostrar afecto**. Esto es especialmente importante para los padres y sacerdotes. A muchos les es difícil usar sus manos para bendecir, incluso a sus hijos amados.

Tania es una mujer que tomó en serio esta enseñanza sobre la ternura, ella era una madre dedicada a sus hijos, los formaba y cuidaba con esmero, sin embargo, con esta enseñanza se dio cuenta de que, durante años, no había sido tierna con ellos; no usaba sus manos para abrazarles y acariciarles. Ella fue a la raíz del problema, preguntándose: «¿Por qué me es difícil mostrarles ternura si los amo tanto?» A medida que profundizaba, la luz del Espíritu Santo la llevó a su relación con su madre, a quien ella identificó como una mujer dominante, controladora y áspera. Esta «herida materna» que llevaba le estaba impidiendo ser tierna. Al reconocer esto, abrió su corazón al Señor y se dispuso a expresar actos concretos de ternura. Al principio, no le era algo natural, pero perseveró, esforzándose para hacer lo que le era más difícil. Los niños se sorprendieron con el nuevo comportamiento de su madre. A medida que ella

---

[272] Papa Francisco, Meditaciones diarias, 9, Dic., 2014. w2.vatican.va

experimentaba la sanación en su corazón femenino, la ternura comenzó a fluir con mayor facilidad; y los niños respondieron con ternura hacia ella.

El corazón femenino está más dotado por Dios para manifestar su ternura, los hombres la aprenden principalmente de la mujer. Por lo tanto, si las madres han perdido su ternura, se crean profundas heridas en sus maridos y niños, y el hogar se vuelve frío y estéril.

106. La ternura de nuestras manos —Diario de una MDC

El amor de Dios extenderá vuestro amor más allá de vuestras capacidades físicas. La expansión de la tienda de vuestros corazones es un proceso muy doloroso. Tenéis que elegir amar a los más difíciles de amar. Siempre debéis elegir el amor, la paciencia y la ternura y nunca ceder a la ira y al resentimiento.

La ternura de Dios se manifestó a través de Mis manos; la gracia sanadora de Dios fue transmitida por Mis manos. Necesito que seáis Mis manos y que transmitáis la gracia sanadora de Dios a vuestros cónyuges, a vuestros hijos y a muchos otros. Es Mi ternura la que sana la aspereza y la dureza de los corazones. Irradien Mi ternura a través de sus manos. (1/3/11).

107. Recibe Mi sangre, sé Mis manos —Diario de una MDC

> *Cada una de Mis heridas es una corriente de sangre; de gracia que viene de una fuente. Como puedes ver, Mi mano está clavada a la Cruz. A través de esta corriente de sangre, la Cruz trae Mi gracia y amor. Yo deseo que recibas Mi sangre en tu corazón para que puedas ser Mis manos en el mundo; Mis manos que aman, sanan, unen y traen paz. No tengas miedo de poner tus manos sobre los demás. Yo los ungiré a través de ti* (30/6/08).

108. Bendice a tus hijos con tus manos
—Diario de una MDC

> María: *Bendice a tus hijos todos los días. Levántate temprano cada mañana para bendecir a los que van a la escuela. Bendice a tu marido mientras duerme; bendice a tus nietos cada vez que los veas. Soy Yo, tu Madre Celestial, quien les bendecirá a través de tus manos y proveerá a cada uno de ellos con una mayor protección contra los principados de la muerte* (17/9/10).

Otra forma de expresar ternura es mirando con amor

¡Hay tanto que se puede decir acerca de una mirada amorosa! ¿Miramos a los demás con amor o con juicio y crítica? ¿Nos enfocamos en lo exterior y nos permitimos mirar con desprecio? La mirada de ternura penetra el corazón de los demás y ve sus heridas y quebrantos, lo cual nos mueve a la compasión.

— Testimonio de una Madre de la Cruz —

El Señor me llevó a confrontar las heridas de la relación con mi madre y las tendencias relacionadas con ellas. Ya lo había hecho antes, de hecho, nosotras hablamos a diario, pero el Señor quería una sanación más profunda.

Aunque a veces pierdo la paciencia con ella, cualquiera diría que tenemos una relación normal, pero el Señor me enseñó que mantengo con ella una cierta distancia. No nos tocamos, nunca hay un abrazo, hay una enorme barrera entre nosotras. Estoy disponible en caso de necesidad y hasta nos reunimos a menudo como familia para cenar, pero nuestra relación carece de ternura e intimidad. Nuestra relación siempre ha sido superficial.

También me di cuenta de que mis heridas maternas afectan directamente mi capacidad de amar a los demás, especialmente a los más cercanos. Lo veo en mi forma de amar a mi esposo y a mis hijos. Creo que esto nos ocurre a todos. El Señor me mostró la falta de ternura y de amor en el mundo y cómo esto se relaciona directamente con nuestras madres. Por lo tanto, es muy importante enfrentar la herida de nuestra relación materna y las tendencias que surgen de ella.

El Señor me pidió que sea tierna con todos, así que llamé a mi madre e hice el esfuerzo de llevarla en algunas diligencias que tenía que hacer. Todo el tiempo **fui en contra de mis tendencias egoístas, siendo paciente, esperándola, ayudándola, sirviéndole.** También he tratado de hacer lo que me es más difícil con todos los que el Señor pone en mi vida, comenzando con mi esposo y mis hijos. Estoy siendo tierna, más cuidadosa con el uso de mis manos.

El Señor nos pide que amemos a todos, nos ha llamado a ser sus cálices, derramando su Preciosa Sangre sobre todos. Nos ha llamado a ser la luz en la oscuridad a través de la ternura de nuestra mirada, nuestro toque y nuestras palabras. No podemos avanzar en esto a menos que enfrentemos nuestras heridas y tendencias.

Esto ha sido una poderosa lección, sin embargo, el Señor no había terminado de enseñarme. Empecé a reflexionar sobre mi relación con mi madre María Santísima y el Señor me mostró, una vez más, mi incapacidad de acercarme a ella. Me mostró que, aunque la amo mucho y acudo a ella con frecuencia, todavía hay una barrera entre nosotras. Me di cuenta de que no tenía la relación que ella y el Señor desean. **Mi relación con mi madre había afectado mi relación con la Santísima Virgen**. Por lo tanto, a medida que las heridas de mi relación materna fueron sanando y fui en contra de las tendencias desordenadas que surgen de esas heridas, también fui capaz de acudir a mi Madre María para recibir su leche espiritual, su orientación y sus enseñanzas.

—TAMBIÉN LOS HOMBRES DEBEN SER TIERNOS —

Los hombres también deben ser tiernos y tener el coraje de ir en contra de la cultura. «Tierno» se puede definir como: «fácilmente aplastado», «magullado», «frágil», pero otras definiciones son: «ser considerado y protector», «ser sensible a las emociones y a los sentimientos de los demás». Estas son las cualidades vitales de la ternura que los hombres deben poseer para cumplir su misión dada por Dios, que es usar su fuerza para amar y servir a los que se les han confiado.

San José es el ejemplo perfecto de la ternura masculina. La Biblia lo describe como un fiel servidor de Dios que muestra su amor por Él en su amor por los demás. En todos los aspectos, San José poseía el amor heroico y la ternura necesaria del hombre a quien Dios confió sus dos mayores tesoros: Jesús y María.

En el Evangelio de san Mateo, leemos: «José, su esposo, que era un hombre justo y no quería denunciarla públicamente, resolvió abandonarla en secreto» (*Mt* 1, 19). Cuando un ángel se le apareció en un sueño y le advirtió que llevara a Jesús y a su madre a Egipto, su respuesta fue inmediata y sin duda: «Se levantó, tomó de noche al niño y a su madre, y se fue a Egipto. Allí permaneció hasta la muerte de Herodes» (*Mt* 2, 14-15). En cada pasaje de las Sagradas Escrituras que se menciona a san José, vemos un ejemplo de virtud: cumple su misión mostrando su amor por Dios en su amor por sus semejantes.

Mientras meditas en estos pasajes, piensa en la ternura de san José, honrando y respetando a María como la esposa del Espíritu Santo. Piensa en su ternura hacia su Hijo, tratándolo como suyo, aunque Jesús era verdaderamente el Hijo del Altísimo; piensa en la ternura de las manos de san José, en las manos ásperas de un carpintero, que hizo visible el amor y la ternura de Dios por la Sagrada Familia.

El Papa Francisco dijo de san José:

> ¿Cómo ejerce José esta custodia? Con discreción, con humildad, en silencio, pero con una presencia constante y una fidelidad total, aun cuando no comprende. Desde su matrimonio con María hasta el episodio de Jesús en el Templo de Jerusalén a los doce años, acompaña en todo momento con esmero y amor. Está junto a María, su esposa, tanto en los momentos serenos de la vida como en los difíciles, en el viaje a Belén para el censo y en las horas temblorosas y gozosas del parto; en el momento dramático de la huida a Egipto y en la afanosa búsqueda de su hijo en el Templo; y después en la vida cotidiana en la casa de Nazaret, en el taller donde enseñó el oficio a Jesús…
>
> ¡Pero, para «custodiar», también tenemos que cuidar de nosotros mismos! ¡Recordemos que el odio, la envidia, la soberbia ensucian la vida! Custodiar quiere decir entonces vigilar sobre nuestros sentimientos, nuestro corazón, porque ahí es de donde salen las intenciones buenas y malas: las que construyen y las que destruyen. ¡No debemos tener miedo de la bondad, más aún, ni siquiera de la ternura!
>
> Y aquí añado entonces una ulterior anotación: el preocuparse, el custodiar, requiere bondad, pide ser vivido con ternura. En los Evangelios, san José aparece como un hombre fuerte y valiente, trabajador, pero en su alma se percibe una gran ternura, que no es la virtud de los débiles, sino más bien todo lo contrario: denota fortaleza de ánimo y capacidad de atención, de compasión, de verdadera

> apertura al otro, de amor. No debemos tener miedo de la bondad, de la ternura.
>
> ¿Cómo vive José su vocación como custodio de María, de Jesús, de la Iglesia? Con la atención constante a Dios, abierto a sus signos, disponible a su proyecto, y no tanto al propio. … José es «custodio» porque sabe escuchar a Dios, se deja guiar por su voluntad, y precisamente por eso es más sensible aún a las personas que se le han confiado[273].

Los hombres son protectores de sus esposas y familias, las defienden si son atacadas físicamente, pero a veces no comprenden que **Dios les ha confiado también la protección de sus corazones.** Son llamados a tener la ternura de Dios, cuyo amor es plenamente atento a todo lo que ocurre en el interior cada corazón. Dios escucha nuestro clamor, conoce nuestros deseos, temores, sufrimientos, emociones y tentaciones.

Para cumplir esta misión, los hombres deben estar atentos a sus propios corazones para oír la voz de Dios, como san José, y luego deben estar atentos a los corazones de los que se les han confiado, para saber cómo guiarlos y protegerlos. Los hombres tienden a pasar por alto este aspecto esencial de su misión como protectores porque carecen de ternura y sensibilidad.

Uno de los sufrimientos más profundos de la mayoría de las esposas es que sus maridos no conocen sus corazones. Los hombres piensan que entrar profundo en el corazón es solo para las mujeres y por eso pocos esposos son de verdad capaces de amar y proteger a sus esposas.

Una mujer en un matrimonio difícil se lamentó que, durante su noviazgo, acudió a su padre con preocupaciones específicas respecto a su futuro esposo. Ella sabía que su padre la amaba mucho y que haría cualquier cosa por ella, confiaba en él para protegerla y guiarla; pero su padre no dio importancia a sus preocupaciones, las trató como temores injustificados que las novias suelen tener antes de la boda. Debido a esta falta de atención a lo que ella llevaba en

---

[273] Papa Francisco, homilía al comienzo de su ministerio petrino 19 de marzo, 2013. w2.vatican.va.

su corazón, el padre no la protegió. Esto ocasionó mucho sufrimiento en su matrimonio.

San Juan es el apóstol que **puso su cabeza en el corazón de Jesús.** La relación entre ellos fue íntima y tierna. Este testimonio está en el Evangelio porque Dios lo quiso como ejemplo para todos los hombres. San Juan es el discípulo amado, atento al corazón de Jesús y por eso puede seguirle con María hasta el pie de la Cruz. Jesús puede allí confiarle el corazón de María para seguir protegiéndola con sumo amor y ternura. María es la madre de todos, pero es san Juan quien la lleva a su casa y vive con ella. Jesús pudo contar con san Juan porque fue capaz de entrar en la profundidad del amor a través de la intimidad y la ternura. María Santísima, san José y san Juan son modelos de los nuevos hombres y mujeres transformados por el Espíritu Santo.

Si perseveramos en permitir que la ternura de Dios sane nuestras heridas y perdone nuestros pecados, nuestros corazones se transformarán gradualmente en la ternura de Dios. Seremos libres para permitir que Dios use nuestras facultades para traer su amor al mundo y traspasar los corazones más endurecidos. Nos convertiremos en su Cuerpo, y la misericordia de Dios, actuando por medio de nosotros, salvará a los que están muertos por sus pecados.

109. El Señor nos dice: «Te necesito»

—Diario de una MDC

Mi alma llora sin cesar. Mi copa se desborda con Mis lágrimas. Mis queridos hijos se están perdiendo para toda la eternidad. Como una madre se lamenta por su hijo muerto, yo lloro por mis hijos muertos, muertos en el pecado. Os necesito, Mi resto fiel, para salvarlos del engaño de Satanás. Os necesito, Mi resto santo, para sufrir y llorar Conmigo, para que la misericordia de Dios, nuestro Padre, pueda salvarlos.

Vosotros sois Mi Cuerpo. Mis ojos han de traspasar la oscuridad por medio de vuestros ojos; Mis manos han de sanar a las multitudes por medio de vuestras manos; Mis pies han de ir hasta los confines del mundo proclamando Mi mensaje de amor y misericordia por medio de vosotros; Mis palabras de vida eterna han de ser proclamadas por vuestros labios.

El fuego de Mi Sagrado Corazón ha de extenderse por medio de vuestros corazones, consumidos en Mí en el fuego apasionado del amor.

Levanta, pequeña Mía, a Mis víctimas de amor para que comience la Nueva Evangelización (28/8/12).

5–D: Pobreza

Jesús dijo: «Felices los que tienen alma de pobres, porque a ellos les pertenece el Reino de los Cielos» (*Mt* 5, 3). Estos son los corazones que se vacían por amor a Dios[274]. **No es suficiente darle a Dios una porción y luego hacer lo que queramos con «nuestra parte».** Todo lo que tenemos le PERTENECE a Dios; somos sus mayordomos[275] guiados por el Espíritu de amor. El amor lo da todo. Tener ««alma de pobre» es el fruto del amor. Cuanto más amamos, más deseamos ser *Uno* con nuestro Amado que se entregó totalmente.

El Papa Benedicto XVI escribió:

> Jesús es el rey de los *anawim*, de aquellos que tienen el corazón libre del afán de poder y de riqueza material, de la voluntad y de la búsqueda de dominio sobre los demás. Jesús es el rey de cuantos tienen esa libertad interior que los hace capaces de superar la avidez, el egoísmo que hay en el mundo, y saben que solo Dios es su riqueza[276].

La pobreza espiritual dirige nuestra atención, ya no hacia nosotros mismos, sino a las necesidades de los demás. Necesitamos practicarla en nuestra vida cotidiana: en el uso de las cosas materiales, en el uso del tiempo, los talentos, los intereses y la atención a los demás.

---

[274] Cf. *Mt* 13, 44.

[275] Cf. *Catecismo de la Iglesia Católica*, № 992.

[276] Audiencia general, 26 de octubre de 2011, w2.vatican.va.

Oración en la quinta estación de la Vía Crucis:

Señor Jesús, el bienestar nos está deshumanizando, la diversión se ha convertido en una alienación, una droga: y la publicidad monótona de esta sociedad es una invitación a morir en el egoísmo[277].

110. Espíritu de pobreza —Diario de una MDC

Quiero enseñarte acerca de la pobreza, el espíritu de pobreza. Hay pobreza material, pero el espíritu de pobreza es mucho más beneficioso para tu alma. Me entristece mucho cuando Mis hijos (los sacerdotes) y los religiosos viven la pobreza material, pero no van más allá y no permiten que el Espíritu Santo los lleve a vivir el espíritu de pobreza ... Vives el espíritu de pobreza cuando permites al Espíritu Santo, a Mi Madre Santísima y a Mí despojarte de todo interiormente: de tus deseos, expectativas, planes, apegos, seguridades, consolaciones en las amistades, incluso consolaciones en Mí, para quedar completamente vacía. Es un alma que ha sido despojada de todo, que está vacía y puede ser llenada con Mi vida...

Mi Señor y mi Dios, ¿qué puedo hacer para participar en esta obra?

Jesús respondió: *Déjate perfeccionar por medio del sufrimiento. Sufre con mayor confianza en Mí ... Sufre con mayor abandono y amor* (8/7/2010).

---

[277] Mons. Angelo Comastri, quinta estación, Viernes Santo, 2006. www.vatican.va

5–E:
Pureza

«Dichosos los de corazón limpio, porque verán a Dios»
—Mateo 5, 8

Un corazón puro está completamente lleno del amor de Dios. Podríamos decir: «Jesús está en mi corazón», pero eso no es suficiente porque hay muchas personas y cosas en nuestro corazón. Jesús debe estar en el **trono** de nuestros corazones como está en el corazón de María, la Inmaculada. Nosotros no fuimos concebidos inmaculados, pero, con la gracia de Dios, nos vamos purificando hasta llegar al cielo. Con la ayuda de María entramos en contacto con Jesús y sentimos sus caricias, la mirada de sus ojos, su propio ser. Él nos purifica.

111. Vive en Mí —Diario de una MDC

La obediencia, la humildad, el amor, la pobreza y la pureza fluyen como fruto vivo de la intimidad Conmigo, que soy fuente de toda vida. Yo soy el Camino, la Verdad y la Vida. Quien vive en Mí, vive en el Amor y camina por el camino estrecho de la Cruz que lleva a la vida eterna (8/1/11).

El Papa Benedicto XVI escribió sobre «estar limpios»:

En Marcos vemos el cambio radical que Jesús ha dado al concepto de pureza ante Dios: no son las prácticas rituales lo que purifica. La pureza y la impureza tienen lugar en el corazón del hombre y dependen de la condición de su corazón...[278].

[278] Cf. *Mc* 7, 14-23.

¿Cómo se hace puro el corazón? ¿Quiénes son los hombres de corazón puro, los que pueden ver a Dios?[279] La fe purifica el corazón. Y la fe se debe a que Dios sale al encuentro del hombre. No es simplemente una decisión autónoma de los hombres. Nace porque las personas son tocadas interiormente por el Espíritu de Dios, que abre su corazón y lo purifica.

Jesús dice: "Vosotros ya estáis limpios por las palabras que os he hablado". Su palabra es lo que penetra en ellos, transforma su pensamiento y su voluntad, su «corazón», y lo abre de tal modo que se convierte en un corazón que ve… La palabra de Jesús no es solamente palabra, sino Él mismo. Y su palabra es la verdad y es el amor…

En el lugar de la pureza ritual no ha entrado simplemente la moral, sino el don del encuentro con Dios en Jesucristo[280].

«La Sangre Preciosa de Cristo, el Cordero sin mancha y sin defecto»[281] es el sacrificio perfecto, pero es necesario que nosotros participemos. Jesús es siempre puro, pero nosotros solo nos purificamos por medio de nuestra unión con Él. Pedro dice: «vosotros os habéis purificado». Para que esto ocurra, debemos permitir que el Espíritu Santo revele y traspase los obstáculos en nuestros corazones: desórdenes, pecados y heridas. Debemos entrar en un proceso doloroso de sanación para ser transformados en Cristo. A medida que somos purificados podemos interceder por la purificación de otros.

---

[279] Cf. *Mt* 5, 8.

[280] Papa Benedicto XVI, *Jesús de Nazaret, desde la entrada en Jerusalén hasta la resurrección*, 26, https://drive.google.com.

[281] *1 P* 1, 18-22.

112- Nuestra Santísima Madre —Diario de una MDC

> *El poder de intercesión que tenéis está contenido en la pureza de vuestros corazones, la pureza de vuestras intenciones.*
>
> *Confiad y, con paciente perseverancia, permitid que todos vuestros desórdenes salgan a la Luz. Solo de esta manera pueden ser purificados en el horno del amor de Dios. Necesito que seáis Conmigo Mis intercesores puros de amor ante el trono de nuestro Padre. Vosotros sois Mi ejército blanco* (06/08/13).

Nuestra Señora habló de la pureza en Medjugorje:

Estoy implorando a mi Hijo que les dé un corazón puro. Mis queridos hijos, solo los corazones puros saben cómo llevar una Cruz y saben cómo sacrificarse por todos esos pecadores que han ofendido al Padre Celestial y que, aún hoy, lo ofenden, aunque no lo han llegado a conocer. Estoy orando para que podáis llegar a conocer la luz de la verdadera fe que viene solo de la oración de corazones puros. Entonces, todos los que están cerca de vosotros sentirán el amor de mi Hijo[282].

---

[282] Según testimonio de Mirjana Soldo, 2 de agosto de 2012.

113- «Tengo sed» —Diario de una MDC

Hija Mía, tú saciarás Mi sed de tu amor... al entregar tu vida por la misión que he puesto en tu corazón. Esta misión es Mi amor por la humanidad, por cada uno de vosotros. Esta misión es Mi sed, en lo más profundo de Mi Sagrado Corazón, de unidad en el Amor. Es decir, unidad en el amor de la Santísima Trinidad.

El Espíritu Santo, que consume Mi Corazón, es la sed del Padre por cada uno de vosotros. Esta sed de amor me mueve a derramar Mi Sangre Preciosa por vosotros, para que la sed de amor que tenéis pueda saciarse. Pero yo sigo sediento y busco almas que puedan saciar Mi sed de amor por vosotros.

Mi Madre os trae a Mis pies crucificados para que me deis vuestro beso de arrepentimiento; para que los ojos de vuestras almas puedan abrirse y puedan ver y probar, a través de la mirada de Mis ojos crucificados, Mi amor por vosotros.

Mi sed de amor por vosotros se sacia cuando miro hacia abajo desde Mi Cruz Gloriosa y os veo, mis amados hijos, ***vestidos con la vestidura blanca de la pureza****, llevando Mi corona de espinas, y cubiertos del resplandor de Mi Sangre. Entonces, Mi sed se sacia* (12/06/12).

114- Manos puras sacan las espinas —Diario de una MDC

Madre María: *Lloro lágrimas de sangre porque mi corazón sangra profusamente con tantas espinas. Son tus manos, cuando sufres todo con Jesús, las que sacan muchas espinas que nos hacen sufrir... Las manos de la pureza sacan estas espinas, la pureza en cada acto, la pureza en cada pensamiento, la pureza en todo deseo... No es el ajetreo, con tanto que hacer, lo que consuela a nuestros corazones sino el amor puro en cada acto, pensamiento y deseo* (16/5/11).

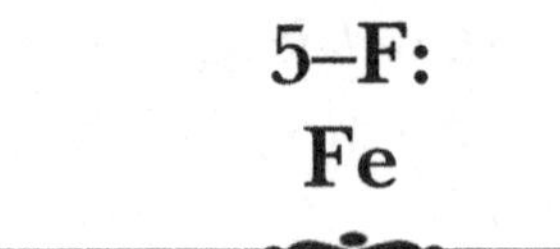

5–F: Fe

El Papa Benedicto XVI nos da una profunda visión sobre cómo vivir en fe:

> Tendremos la mirada fija en Jesucristo, «que inició y completa nuestra fe»[283]: en Él encuentra su cumplimiento todo afán y todo anhelo del corazón humano. La alegría del amor, la respuesta al drama del sufrimiento y el dolor, la fuerza del perdón ante la ofensa recibida y la victoria de la vida ante el vacío de la muerte, todo tiene su cumplimiento en el misterio de su Encarnación, de su hacerse hombre, de su compartir con nosotros la debilidad humana para transformarla con el poder de su resurrección. En él, muerto y resucitado por nuestra salvación, se iluminan plenamente

[283] *Hb* 12, 2.

los ejemplos de fe que han marcado los últimos dos mil años de nuestra historia de salvación.

Por la fe, María acogió la palabra del Ángel y creyó en el anuncio de que sería la Madre de Dios en la obediencia de su entrega[284]...

Por la fe, los Apóstoles dejaron todo para seguir al Maestro[285] ...

Por la fe, los discípulos formaron la primera comunidad reunida en torno a la enseñanza de los Apóstoles, la oración y la celebración de la Eucaristía, poniendo en común todos sus bienes para atender las necesidades de los hermanos[286].

Por la fe, los mártires entregaron su vida como testimonio de la verdad del Evangelio que los transformó y capacitó para atener el mayor don del amor: el perdón de sus perseguidores.

Por la fe, hombres y mujeres han consagrado su vida a Cristo, dejando todo para vivir en la sencillez evangélica la obediencia, la pobreza y la castidad, signos concretos de la espera del Señor que no tarda en llegar. Por la fe, muchos cristianos han promovido acciones en favor de la justicia, para hacer concreta la palabra del Señor, que ha venido a proclamar la liberación de los oprimidos y un año de gracia para todos[287].

Por la fe, hombres y mujeres de toda edad, cuyos nombres están escritos en el libro de la vida (cf. *Ap* 7, 9; 13, 8), han confesado a lo largo de los siglos la belleza de seguir al Señor Jesús allí donde se les llamaba a dar testimonio de su ser cristianos: en la familia, la profesión, la vida pública y el desempeño de los carismas y ministerios que se les confiaban.

---

[284] Cf. *Lc* 1, 38.
[285] Cf. *Mt* 10, 28.
[286] Cf. *Hch* 2, 42-47.
[287] Cf. *Lc* 4, 18-19.

También nosotros vivimos por la fe: para el reconocimiento vivo del Señor Jesús, presente en nuestras vidas y en la historia[288].

115. Fe perfeccionada —Diario de una MDC

Tu fe se perfecciona en el sufrimiento y en las pruebas. La fe perfeccionada es el completo abandono a la voluntad de Mi Padre en todas las cosas por medio de tu unión Conmigo. Por lo tanto, tu crecimiento en la fe depende del abandono de tu voluntad a Mí y también de que conozcas Mi amor perfecto por ti.

El irte desprendiendo de las capas de apegos a tu voluntad, que es el amor propio, tiene lugar cuando empiezas a confiar en Mi amor por ti. Es por eso que sufrir todas tus penas Conmigo es tan beneficioso para tu alma, porque en ese proceso tocas las heridas abiertas de Mi amor por ti. Esto perfecciona tu alma rápidamente en el abandono y en la confianza hasta que llegas a experimentar todo, lo bueno y lo que percibes como malo, como un regalo de Mi amor por ti.

Es el don de saber con tu mente, corazón y alma, que el amor de Dios solo desea hacer de ti la nueva creación que, desde el principio de los tiempos, Él quiso que fueras: una creación a imagen y semejanza de Dios, santos hijos e hijas del Altísimo. Por eso vine a la tierra: para liberarte de la esclavitud del pecado, para hacer de ti una nueva

[288] Benedicto XVI, *Porta Fidei*, carta apostólica por el Año de la Fé, Vaticano, 2012. https://www.vatican.va/content/benedict-xvi/es/motu_proprio/documents/hf_ben-xvi_motu-proprio_20111011_porta-fidei.html.

creación y atraerte a la UNIDAD de la Santísima Trinidad para experimentar la santa felicidad por toda la eternidad. ¿Qué amor hay mayor que este? (14/12/11)

La fe nos lleva a la comunión con Dios. Él quiere dársela a todos, pero los corazones deben estar abiertos al Espíritu Santo en humildad y sencillez.

Papa Benedicto XVI

Escuchemos una vez más las palabras de Isabel, que se completan en el Magníficat de María: «Dichosa la que ha creído». **El acto primero y fundamental para transformarse en morada de Dios y encontrar así la felicidad definitiva es creer**, es la fe en Dios, en el Dios que se manifestó en Jesucristo y que se nos revela en la palabra divina de la sagrada Escritura[289].

116. Lo que significa creer —Diario de una MDC

¿Qué significa creer en Aquel que Dios envió al mundo? Para creer en la Palabra de Dios, tu corazón debe ser puro. Solo por medio del Espíritu puedes creer en Mi Palabra, no con tu mente sino con tu corazón. Mi Palabra es Mi vida que ha de tocar la profundidad de tu corazón. Un corazón endurecido no puede sentir cuando lo toca Mi Palabra viva. El intelecto puede recibir Mi Palabra y manipularla, pero el Espíritu penetra el corazón con Mi Palabra y lo transforma.

Creer es abandonarte a Mí para que yo pueda hacerte una nueva creación por medio de Mi

[289] Fiesta de la Asunción, 15 de agosto del 2006. w2.vatican.va.

Espíritu. ¿Qué se requiere para creer? Humildad y sencillez. Por eso digo que debes ser como un niño para verdaderamente llegar a creer y seguirme. Crees con el corazón cuando encuentras al Dios vivo ante ti, al oír Su voz y contemplar Sus ojos. Es por eso que solo los puros de corazón pueden ver, oír y conocer verdaderamente a Dios.

Por lo tanto, hija Mía, dile a Mis hijos que sean humildes como Yo soy humilde, que confíen en que Mi Espíritu les enseña y no en su propio entendimiento, porque su entendimiento es muy limitado, pero Mi entendimiento los llevará a encontrar al Dios vivo y a poseer la vida de la Santísima Trinidad (25/04/11).

— Primero creemos y después entendemos —

Muchos abandonaron a Cristo, aun después de haber presenciado sus milagros. Esperaban comprenderlo en términos humanos antes de creer en Él. Pero eso es imposible porque no podemos alcanzar a Dios con nuestra sola inteligencia natural. Debemos creer antes de que podamos entender. Creemos lo que Él enseña porque hemos llegado a conocer que Él es Dios. Podemos creerle sin pedir explicaciones, reconociendo con gran humildad que solo más tarde, con su gracia, comenzaremos a entender.

Papa Benedicto XVI

> Al ver que muchos de sus discípulos se iban, Jesús se dirigió a los Apóstoles diciendo: «¿También vosotros queréis marcharos?» (*Jn* 6, 67). Como en otros casos, es Pedro quien responde en nombre de los Doce: «Señor, ¿a quién iremos? —también nosotros podemos reflexionar: ¿a quién iremos?— Tú tienes palabras de vida eterna; nosotros hemos creído y sabemos que tú eres el Santo de Dios» (*Jn* 6, 68-69). Sobre este pasaje tenemos un bellísimo comentario de san Agustín, que dice, en una de sus predicaciones sobre el capítulo 6 de san Juan: «¿Veis cómo Pedro, por gracia de Dios, por inspiración del Espíritu Santo, entendió? ¿Por qué entendió? Porque creyó. Tú tienes palabras de vida eterna. Tú nos das la vida eterna, ofreciéndonos tu cuerpo [resucitado] y tu sangre [a ti mismo]. Y nosotros hemos creído y conocido. No dice: hemos conocido y después creído, sino: hemos creído y después conocido. Hemos creído para poder conocer. En efecto, si hubiéramos querido conocer antes de creer, no hubiéramos sido capaces ni de conocer ni de creer. ¿Qué hemos creído y qué hemos conocido? Que tú eres el Cristo, el Hijo de Dios, es decir, que tú eres la vida eterna misma, y en la carne y en la sangre nos das lo que tú mismo eres»[290].

Pedro tenía que creer para comprender, pero su fe tenía una base sólida: había llegado a conocer a Jesús. Fue testigo de sus milagros, pero lo más importante es que vio en Jesús, con los ojos de su corazón, el amor divino actuando a través de un Corazón humano. Esta fue también la experiencia de María Magdalena, de san Juan y de Dimas 'el buen ladrón'. Este es el camino de la fe.

---

[290] *Comentario del Evangelio de Juan, 27, 9*, Ángelus, 29 de agosto del 2012. w2.vatican.va.

— Una madre espiritual escribe a su hijo sacerdote que está sufriendo—

Mi querido Padre:

Espero que se encuentre bien.

Aquí estoy, un día más en este hospital lleno de niños que sufren… y familias que sufren a través de ellos.

El sufrimiento sigue siendo un misterio para la mayoría de nosotros. No entendemos plenamente su propósito, su valor. No entendemos por qué un Dios amoroso lo permite, pero, según yo lo veo, lo más importante no es entenderlo; hay muchas cosas en nuestras vidas que no entendemos completamente, pero si confiamos en la bondad de Dios, si no cuestionamos a nuestro Abba y dejamos que Él haga con nosotros lo que Él quiera, si entramos en sus caminos que no son los nuestros, entonces comenzamos a vivir y a experimentar en nuestros corazones sus palabras del Evangelio: «Vengan a mí todos los que están afligidos y agobiados, y yo los aliviaré… Porque mi yugo es suave y mi carga liviana» (Mt 11, 28.30).

Mi yugo… Las definiciones de "yugo" hablan a fondo de nuestra unión con nuestro Señor… El yugo nos une a Él… Nuestras cargas, nuestros sufrimientos, tienen el propósito de acercarnos a Él para estar tan cerca de Él, tan unidos con Él, que nuestras heridas toquen sus heridas… Algo sobrenatural ocurre en medio de nuestros sufrimientos SI llevamos el yugo con Él: nos convertimos en Uno con Él en nuestros sufrimientos.

Si no lo resistimos, si no lo combatimos, si nos abandonamos a Él, si aceptamos y acogemos sus caminos de unión y comunión, entonces entramos en lo que yo llamaría una vida sobrenatural con Él y en Él: el abandono total de una verdadera amante hacia su amado… La felicidad del amor verdadero requiere de nuestra confianza.

Mi querido Padre, muchas veces, cuando estoy contigo, nuestro Señor me concede la gracia de verte como un niño pequeño —un muchacho que no tiene fuerzas para combatir el dolor y se siente vencido por él.

Cuando te veo como un niño, yo me veo como una niña también, como una niñita que ha encontrado el camino a CASA y viene a tomarte de la mano para llevarte allí —para llevarte a CASA.

Es en CASA donde Jesús nos toca con sus heridas y donde somos renovados, reiniciados y sanados con su Amor.

Tenemos que entrar en Su hospital de amor; tenemos que confiar en sus caminos de sanación; tenemos que CREER en Su Amor por nosotros.

Un día más en esta sala de hospital, inmersa en su gracia, en Su amor por nosotros —¡¡POR TODOS!!—.

Un día más con este regalo que parece ser una vida inútil y desperdiciada… ¡¡Qué tiempo tan precioso!!

Medito todo en mi corazón.

Permanezco en la quietud de su gracia que comparto contigo hoy.

¡Una contigo en el silencio del Corazón de Jesús!

5–G: Gozo

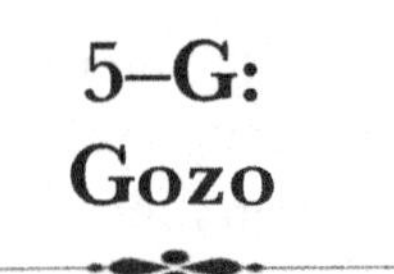

— Gozo en la aflicción —

Pensamos que las aflicciones son contrarias al gozo, pero la Sagrada Escritura nos dice otra cosa:

> Me llena de consuelo y me da una inmensa alegría en medio de todas las tribulaciones (*2 Co* 7, 4).

> Considerad, hermanos míos, un gran gozo cuando os veáis rodeados de toda clase de pruebas (*St* 1, 2).

La verdadera alegría es conocer el amor de Dios y este conocimiento crece cuando sufrimos por su causa. ¡Las almas víctimas deben estar especialmente alegres de compartir más de cerca el sufrimiento y el amor de Cristo!

Jesús proclamó:

> Bienaventurados vosotros cuando os insulten y os persigan y os calumnien de cualquier modo por mi causa. Alegraos y regocijaos, porque vuestra recompensa será grande en el cielo, que de la misma manera persiguieron a los profetas anteriores a vosotros (*Mt* 5, 11-13).

San Pablo escribe:

> Nos gloriamos hasta de las mismas tribulaciones, porque sabemos que la tribulación produce la constancia (*Rm* 5, 3)[291].

Cuando sufrimos, podríamos preguntarnos: «¿dónde está la alegría?, no puedo ni siquiera sonreír». Asociamos la alegría con risas y sonrisas, pero existe también una mayor alegría interior. Las imágenes que vienen a mi mente son los rostros de María, Madre de los Dolores y de Jesús crucificado. No vemos sonrisas en sus rostros. El gozo de la madre es saber en fe que está participando en el cáliz amargo de su amado hijo. Su alegría está unida a la paz interior de vivir en la voluntad de Dios.

El siguiente testimonio es de una Madre de la Cruz de nuestra comunidad que encontró gozo interior en sus sufrimientos físicos porque la unían al corazón de María.

> Llevo días sufriendo una gran fatiga. Solo siento fatiga y tristeza, sin embargo, estoy en paz y en una profunda alegría interior. Esta fatiga me sirve para unirme en cada momento al corazón traspasado de mi Santísima Madre. Llevo esta fatiga y tristeza como la perla preciosa que mi Señor quiere que posea. Me adorno con esta hermosa perla con gran amor y aprecio. Mientras lucho por hacer los deberes del día, cada respiro es una oración por mi familia, los sacerdotes y tantas almas que el Señor pone en mi corazón.

---

[291] Ver: también *Flp* 2, 17-18.

—Gozo de saber que el Amado está con nosotros—

¡Cristo es nuestra alegría! El Papa Benedicto XVI nos dice que la alegría es tener al Amado cerca, incluso en el sufrimiento:

> Si el amado, el amor, el mayor don de mi vida, está cerca de mí; si estoy convencido de que aquel que me ama está cerca de mí, incluso en las situaciones de tribulación, en lo hondo del corazón reina una alegría que es mayor que todos los sufrimientos[292].

— La fe da alegría —

Cardenal Ratzinger

La fe da alegría. **Cuando Dios no está allí, el mundo queda desolado, y todo se vuelve aburrido, y todo es completamente insatisfactorio**. Es fácil ver hoy cómo un mundo vacío de Dios también se va consumiendo, cómo se ha convertido en un mundo totalmente sin alegría. La gran alegría viene del hecho de que existe este gran amor, y ese es el mensaje esencial de la fe.

En este sentido se puede decir que el **elemento básico del cristianismo es la alegría.** La alegría no en el sentido de la diversión barata, que en el fondo puede ocultar la desesperación... Más bien, es la alegría en el sentido propio, una alegría que existe junto con una vida difícil y hace que esta vida sea vivible.

La historia de Jesucristo comienza, según el Evangelio, con el ángel diciéndole a María: «Alégrate!» En la noche de la natividad los ángeles dicen de nuevo: «Os anunciamos una gran alegría». Y Jesús dice: «yo os anuncio las buenas nuevas». Así que la esencia siempre se expresa en estos términos: «Os anuncio una gran alegría, Dios está aquí, eres amado, y esto se mantiene firme para siempre»[293].

---

[292] Benedicto XVI, Meditación sobre 2 Cor 13,11, Oct 3, 2005 w2.vatican.va.

[293] Peter Seewald, entrevista al Cardenal Joseph Ratzinger, *La sal de la tierra: quién es y cómo piensa Benedicto XVI*, (España: Edición Palabra, 2009).

— ALEGRÍA DE SABER QUIÉNES SOMOS —

Por causa del pecado, no sabemos realmente quiénes somos, así que tratamos de adquirir nuestra identidad basándonos en las expectativas que otros tienen de nosotros. La resultante falsa identidad siempre conduce a la infelicidad. Solo Jesús puede darnos nuestra verdadera identidad, como se la dio a san Pedro: «Y yo te digo que tú eres Pedro» (*Mt* 16, 18). Conociendo a Jesús y conociéndonos nosotros mismos, encontramos paz interior y alegría, entonces nos libramos de celos y competencias.

117. Conócete a ti mismo —Diario de una MDC

Conócete a ti mismo, al igual que Juan Bautista sabía quién era y estaba consciente del don que recibió del cielo para cumplir su misión. Él era el padrino de boda (profeta) del Novio, preparando el corazón de la novia (Iglesia) para reconocer, conocer y amar al Esposo. Cuando aparece el Esposo, Juan entiende que debe disminuir. Su gozo es pleno.

Tú, en cambio, eres Mi esposa, la Iglesia, una con Mi Madre, la esposa perfecta, pura y santa. Tu misión, unida a María, es llevar almas al pie de la Cruz para que contemplen el amor de su Esposo, para mirar y contemplar a Aquel que ha sido levantado y para ser sanados, restaurados y hechos nuevos (28/04/11)[294].

[294] Cf. *Jn* 3, 22-30.

118. Gozo en la Cruz —Diario de una MDC

Jesús vino a mí y me dijo:

Recibe las heridas que Me costaron Mis más dolorosos sufrimientos: humillaciones, rechazo e ingratitud. Mi Corazón es muy sensible y continúa sufriendo estas heridas. Casi todos rechazan el don más grande dado a la humanidad: LA CRUZ. Vosotros sois el resto fiel que ha recibido Mi don.

Es solo a través de este don que ellos son liberados de las cadenas que les atan; es solo a través de este don que entran en perfecta unión Conmigo; es solo a través de este don que encuentran GOZO... Recibe Mis heridas y dame descanso (05/01/11).

119. Gozo en las penas —Diario de una MDC

Llénate de Mi gozo al saber que Dios te ha favorecido y se deleita en ti...

Le pregunté, «Mi Señor, ¿cómo puedo vivir esta alegría con tanto dolor?»

Porque tus penas están salvando almas... Tus lágrimas, unidas a las de María, riegan la faz de la tierra con la gracia de Dios; tus dolores, con Mi dolor, traen nueva vida... Dios Padre derrama una lluvia de gracias sobre la tierra a través de los dolores de María, que son Uno *con Mis dolores. Tus dolores, que se hacen* Uno *con los de la Madre Dolorosa, traen nueva vida sobre la tierra. Encontrarás tu alegría en tu perfecta fe en esta verdad. Cree y continúa salvando almas a través de tus penas* (03/06/14*)*.

120. No Me permiten tocarlos —Diario de una MDC

Como un Padre lleno de amor, Yo sufro las enfermedades de los corazones de Mis hijos, pero Mi mayor sufrimiento es que, siendo Yo el Sanador de todos los corazones, no Me permiten tocarlos. Buscan la sanación de cualquier manera, excepto en la única que puede darles vida.

Yo deseo que todas las Madres de la Cruz se hagan una con Mi Madre Dolorosa para obtener gracias para la humanidad. La salvación de muchos depende de la RESPUESTA de ustedes (28/6/11*)*.

121. Abraza tus penas con perfecta alegría

—Diario de una MDC

Abraza todas las penas que pongo en tu corazón con perfecta paz, confianza, paciencia y amor.

Muestra exteriormente tu amable sonrisa y PERFECTA ALEGRÍA porque conoces el amor que tienen por ti el Padre, el Hijo y el Espíritu Santo.

—Tu PERFECTA ALEGRÍA de saber que vivimos en ti y tú en Nosotros.

—La PERFECTA ALEGRÍA de saber que has sido escogida por Dios para ayudar en la salvación de muchos y que has respondido.

—La PERFECTA ALEGRÍA de vivir en la fe, la esperanza y la caridad.

—La PERFECTA ALEGRÍA de poseer el don de la Cruz.

—La PERFECTA ALEGRÍA de conocer más íntimamente el AMOR y ser UNO con el AMOR.

—La PERFECTA ALEGRÍA de poseer el Espíritu Santo como tu Compañero más preciado.

—La PERFECTA ALEGRÍA de verte transformada en una nueva creación en Mí.

—La PERFECTA ALEGRÍA de conocer a María y vivir con ella siendo UN SOLO CORAZÓN en Mi AMOR CRUCIFICADO.

(28/06/11).

Alegraos siempre en el Señor.
Vuelvo a insistir, ¡alegraos! (*Flp* 4, 4).

Capítulo Seis

Víctima unida a la Víctima

6–A:
Nuevo entendimiento de ser «alma víctima» basado en el amor

Tenemos un miedo natural a ser «víctimas»: a sufrir violencia, abuso, injusticia, como las víctimas de la guerra o del crimen. La definición común de "alma víctima" no es menos aterradora: un diccionario católico popular describe al alma víctima como «una persona especialmente elegida por Dios para sufrir durante su vida más que la mayoría de la gente»[295].

Basándose en esta definición de «alma víctima», algunos consideran que no es una vocación prudente para laicos. Se preguntan: «¿Es esta una sabia decisión para padres que necesitan estar saludables para cuidar a sus hijos? ¿Acaso no es suficiente que cumplan con los deberes de su estado con todos los sufrimientos

[295] Padre John Hardon, *Modern Catholic Dictionary*, http://www.therealpresence.org/dictionary/adict.htm.

que esto conlleva?» «Si Dios quiere almas víctimas», preguntan, «¿no escogería a sacerdotes y religiosos?»

En este capítulo, deseamos presentar una nueva interpretación de ser «alma víctima» fundamentada en Cristo Víctima. Lo que define el victimazgo de Cristo no es el sufrimiento, sino el amor que lo impulsa a entregarse incondicionalmente. Cristo vivió en la voluntad de su Padre. Cuando se enfrentaba al sufrimiento, su carne quería evitarlo, pero su amor lo impulsaba a permanecer fiel y abrazarlo: «No se haga mi voluntad, sino la tuya»[296].

Ser alma víctima es ser *Uno* con Cristo, totalmente entregado a la voluntad del Padre. Un alma víctima no busca sufrimiento, pero no se paraliza por miedo a sufrir haciendo la voluntad de Dios; más bien pide la gracia de acompañar a Jesús en su sufrimiento. Esta es la vocación de todo cristiano, tanto si es llamado a la vida oculta de un ama de casa o a las misiones extranjeras; ya sea víctima interiormente o mártir que derrama su sangre.

> Porque el amor de Cristo nos apremia..., Él murió por todos, a fin de que los que viven no vivan más para sí mismos, sino para aquel que murió y resucitó por ellos (*2 Co* 5, 14-15).

Papa Benedicto XVI

> También el «sí» al amor es fuente de sufrimiento, porque el amor exige siempre nuevas renuncias de mi yo, en las cuales me dejo modelar y herir. En efecto, no puede existir el amor sin esta renuncia también dolorosa para mí, de otro modo se convierte en puro egoísmo y, con ello, se anula a sí mismo como amor[297].

[296] *Mt* 26, 39.
[297] Encíclica *Spe Salve*, N° 38.

Un cristiano no puede contentarse con ser una «buena persona» que obedece los Mandamientos. El joven rico del Evangelio guardaba los Mandamientos, pero no siguió a Jesús[298]. Los discípulos de Cristo ya no se pertenecen; se han entregado a Él para que, en sus vidas cotidianas, Él pueda seguir viviendo para los demás. San Pablo a los Romanos:

> Por lo tanto, hermanos, yo los exhorto por la misericordia de Dios a **ofrecerse ustedes mismos como una víctima viva,** santa y agradable a Dios: este es el culto espiritual que deben ofrecer[299].

— EL SACERDOCIO DE LOS BAUTIZADOS —

El bautismo nos constituyó al mismo tiempo sacerdotes y víctimas, *Uno* con Cristo. Con Él estamos llamados a darnos al Padre como «sacrificio vivo».

San Pedro Crisólogo, obispo y Padre de la Iglesia, escribió sobre el sacerdocio recibido en el bautismo:

> **¡Oh inaudita riqueza del sacerdocio cristiano: el hombre es, a la vez, sacerdote y víctima!** El cristiano ya no tiene que buscar fuera de sí la ofrenda que debe inmolar a Dios: lleva consigo y en sí mismo lo que va a sacrificar a Dios. Tanto la víctima como el sacerdote permanecen intactos…

La beata Conchita, esposa y madre de nueve hijos, es un ejemplo del fuego de amor que nos hace víctimas con Cristo. Jesús le dijo: «Ofrécete en oblación por mis sacerdotes; únete a mi sacrificio para alcanzarles gracias»[300].

---

[298] Cf. *Mc* 10, 17-27.

[299] *Rm* 12, 1.

[300] Bta. Concepción Cabrera de Armida, Conchita, *Diario Espiritual de una Madre de Familia,* p. 83.

Dios llama a todos, pero debido a nuestra naturaleza caída, tenemos miedo de lo que Dios pueda hacer si verdaderamente nos rendimos a Él. No comprendemos que Dios realmente nos ama y que Él tiene un plan único y perfecto para cada uno de nosotros.

122. Tu «Sí» —Diario de una MDC

> *Todos los cristianos están llamados a ser almas víctimas.*
>
> *Solo Dios es santo, por lo tanto, ser santo significa ser transformado en Aquel que recibes en la Sagrada Comunión, ser* Uno *Conmigo. El amor perfecto en la tierra se expresa entregando tu vida para la salvación de tu hermano.*
>
> ***Es tu «sí» a dar tu vida en oblación lo que «aviva las llamas»*** *de las gracias de tu bautismo y así recibes el poder y el fuego del Espíritu Santo. Es entonces de esta forma que tu vida posee el «poder de Dios». Por eso deseo muchas almas víctimas, porque es solo el poder del amor puro el que penetrará la oscuridad que se está filtrando en los corazones y las mentes de Mi pueblo. Tráeme almas víctimas, pequeña Mía, no tengas miedo* (29/01/11).

— MI TESTIMONIO —

Mientras oraba temprano una mañana en Medjugorje, escuché la invitación del Señor en mi corazón: «¿Quieres ser mi alma víctima?» Mi primera reacción fue miedo a sufrir. Me pregunté: «¿Qué significan estas palabras? ¿Seré afligida con un sufrimiento horrible?» Sin embargo, con gran paz, dije «sí» al Señor. Me di cuenta de que Él me había estado atrayendo a su Cruz durante años para prepararme para esta invitación. **Comenzaba a entender de una forma nueva lo que es ser alma víctima: el martirio del corazón.**

Mi director espiritual también tenía dudas. Pensó en la beata **Alejandrina María da Costa** de Portugal que, al lanzarse por una ventana para escapar de ser violada, se fracturó la espalda y quedó paralizada por 31 años hasta su muerte. El menor movimiento le causaba un dolor agudísimo. Mi director espiritual la admiraba mucho, ¡pero tenía miedo de ser alma víctima por temor a sufrir como ella! Más tarde él descubrió que Alejandrina es beata, no porque sufrió sino porque se entregó completamente a Dios, incluso en el sufrimiento. Al principio ella pidió al Señor que la sanara y le prometió que, si se lo concedía, se haría misionera, pero cuando la enfermedad avanzó, ella abrazó la voluntad de Dios y llegó a una profunda unión con Él en su sufrimiento. Ella tenía siempre en sus labios la oración de Nuestra Señora de Fátima: «Oh Jesús mío, es por tu amor, en reparación de las ofensas cometidas contra el Inmaculado Corazón de María y por la conversión de los pecadores».

— TESTIMONIO DE UN MISIONERO DE LA CRUZ —

Tenía una lucha interna porque sentía que el Señor me pedía que le entregara mi vida como alma víctima de amor y que sufriera todo con Él, así que le pedí una confirmación. Unos días más tarde, en un retiro sacerdotal, todos cantábamos ante el Santísimo Sacramento: **«¡Ven Espíritu Santo, prende mi corazón en llamas!»** Repetimos esta jaculatoria varias veces y de repente quedamos en silencio. Entonces el Señor nos habló a través de uno de los sacerdotes. Él dijo con voz potente: **«Me piden por el fuego del Espíritu Santo, pero Yo les pregunto: '¿Dónde está la víctima?'»** Me quedé asombrado, ¡el Señor estaba confirmándome su llamada a ser alma víctima!

Durante años, en la renovación carismática, yo había pedido el fuego del Espíritu Santo y lo había recibido, pero algo todavía me bloqueaba: no comprendía que el fuego del Espíritu viene cuando encuentra a alguien que se entrega como víctima. **¡Ser alma víctima es estar completamente dispuesto a ser consumido por el fuego del amor hasta la Cruz!** Jesús, como Víctima en la Cruz, nos ha dado el Espíritu, pero, para que el Espíritu actúe libremente, debemos recibirlo como víctimas, *Uno* con Jesús. Reconocí que tenía miedo de ofrecer mi vida como alma víctima porque tenía miedo de lo que Dios haría si me abandonaba completamente a Él. Este es el miedo de la humanidad caída que se remonta al jardín, cuando Adán y Eva se escondieron del Señor. Nos hemos estado escondiendo desde entonces, por eso pocos entran en unión con Dios.

Me di cuenta de que fui ordenado para ser sacerdote Y víctima. También comprendí que ser víctima de amor es la vocación de todo cristiano para vivir plenamente en el Espíritu Santo. En el bautismo fuimos injertados en Cristo para ser en Él sacerdotes Y víctimas del amor en las manos del Padre.

Desde que ofrecí mi vida como víctima de amor hace nueve años, he experimentado como nunca antes el amor de Cristo y el deseo de acompañarlo en sus sufrimientos. No me ha ocurrido ninguna tragedia por ser alma víctima y confío que cuando tenga pruebas y sufrimientos, como los tiene todo el mundo, el Señor me dará la gracia de vivirlos felizmente con Él.

— EL MATRIMONIO Y EL AMOR VICTIMAL —

Cuando una pareja se casa no obtiene garantías de una vida sin sufrimiento. Más bien, los esposos prometen entregarse el uno al otro «en las buenas y en las malas, en la salud y en la enfermedad». No están buscando malos tiempos ni enfermedades, pero, por amor, se comprometen a sufrir juntos cualquier prueba.

¿Puede ser menos nuestra alianza con Cristo? Él es el Esposo que se entregó en la Cruz por nosotros y que ahora suplica a su Esposa —a cada uno de nosotros— que responda con todo el corazón, que confíe y le sea fiel «en las buenas y en las malas...». Si decimos «sí», ya no seremos dos, sino *Uno* —un Cuerpo— una Víctima de Amor.

123. Una esposa sigue a su Esposo —Diario de una MDC

> *Son Mis almas víctimas abandonadas a Mi amor crucificado las que poseen el poder de Dios para derrotar a Satanás y propiciar el reinado del Inmaculado Corazón de Mi Madre.*
>
> *No tengas miedo de ser Mi voz. No tengas miedo de ser crucificada Conmigo.* ***Sé Mi esposa****. Una esposa sigue a su esposo dondequiera que vaya. ¿Me seguirás a Mi Cruz donde nuestro amor será consumado en el poder de Dios? Sufre todo Conmigo, tu Esposo, por medio del abrazo del silencio del Espíritu Santo. Esto es lo que más me complace.*
>
> *Confía, porque no hay un sufrimiento que yo permita que no te lleve a la unión de amor que deseo. Confía en el poder de sufrirlo todo siendo* Uno *Conmigo. Es este poder el que prenderá fuego al mundo con Mi Espíritu. Levanta a mis víctimas de amor para estos tiempos decisivos* (9/7/12).

Por amor a su Esposa, Cristo se enfrentó a los ataques más furiosos de Satanás, los sufrió y venció. Se dio como alma víctima —«víctima de amor». Este amor es el poder que ahora Él nos da para que seamos *Uno* con Él en la Cruz.

San Ignacio de Loyola

Pocas almas entienden lo que Dios lograría en ellas si se abandonaran sin reservas a Él y si permitieran que su gracia las moldeara.

124. Almas víctimas entran en el pasaje

—Diario de una MDC

Medité las palabras de san Pablo a los Gálatas: *«Yo estoy crucificado con Cristo, y ya no vivo yo, sino que Cristo vive en mí: la vida que sigo viviendo en la carne, la vivo en la fe en el Hijo de Dios, que me amó y se entregó por mí»*[301].

Entonces recibí las palabras del Señor:

Mantente firme en tu predicación y enseñanza sobre las almas víctimas. Llevarás a muchos a encontrar el pasaje secreto que conduce a la transformación en Mí, el pasaje que lleva a un alma a la vida de la Santísima Trinidad.

San Pablo entró en este pasaje, ya que dice: «He sido crucificado con Cristo». El «sí» de un alma víctima «aviva las llamas» del poder del Espíritu Santo para que, así, el Espíritu Santo pueda guiar a un alma dócil y dispuesta a morir Conmigo. Es esta muerte voluntaria la que lleva al alma a una nueva vida. Es por eso que san Pablo puede ahora decir: «Ya no vivo yo, sino que Cristo vive en mí».

Sigo sediento de amor, pero solo el amor de Mis almas víctimas satisface Mi sed. Solo el amor de Mis almas víctimas tiene el poder de apaciguar la justicia de Dios. Por eso, tráeme muchas almas víctimas (1/2/11).

---

[301] *Ga* 2, 19-21.

—LA UNIÓN CON CRISTO REQUIERE NUESTRA RESPUESTA—

Muchos dicen que, para salvarse, solo es necesario creer que Jesús pagó el precio por nuestra salvación. Dicen «Él sufrió para que nosotros no suframos». Este modo de pensar muestra una gran ignorancia acerca de la redención.

Es cierto que la redención es un don de Dios: solo por el Espíritu Santo podemos llegar a ser *Uno* con Cristo (cf. *Jn* 1, 32), pero debemos ser participantes activos en su amor y sus sufrimientos en la medida que Él lo disponga. Recuerda que somos su Cuerpo. San Pablo escribe: **«Completo en mi carne lo que falta a los padecimientos de Cristo, para bien de su Cuerpo, que es la Iglesia»**[302]. ¿Cómo puede «faltar» a los padecimientos de Cristo? Falta tanto como falte en nosotros que somos su Cuerpo. No podemos separar el amor y el sufrimiento, de manera que, si no le permitimos a Cristo sufrir en nosotros «para bien de su Cuerpo», tampoco le estamos permitiendo amar.

Dios nos pide que participemos en nuestra salvación y en la salvación de los demás. Lo hacemos cuando amamos con Cristo, **decididos a abrazar los sufrimientos por nuestro Amado**. San Pablo escribe: «Jesús, para santificar al pueblo con su sangre, padeció fuera de las puertas de la ciudad. Salgamos nosotros también del campamento, para ir hacia él, cargando su deshonra»[303].

Santa Benedicta de la Cruz escribió: «El sufrimiento expiatorio voluntario es lo que verdaderamente nos une íntimamente con el Señor. Solo en unión con la Cabeza divina el sufrimiento humano adquiere poder expiatorio»[304].

---

[302] *Col* 1, 24.

[303] *Hb* 13, 12-13.

[304] Sta. Teresa Benedicta de la Cruz, traducido del inglés: *The Hidden Life: Hagiographic essays, meditations, spiritual texts*. Editado por Dr. L. Gelber y Michael Linssen, O.C.D.

— TODOS LOS SANTOS SON VÍCTIMAS DE AMOR —

Todos los santos son «víctimas de amor» porque todos se unieron a la Víctima en la Cruz y amaron sin contar el costo. Todos los santos modernos que conozco eran conscientes de ser almas víctimas.

El Papa Benedicto XVI escribió:

> La experiencia de la Iglesia demuestra que toda forma de santidad, aun siguiendo sendas diferentes, pasa siempre por el camino de la Cruz, el camino de la renuncia a sí mismo...
>
> Cuanto más imitamos a Jesús y permanecemos unidos a él, tanto más entramos en el misterio de la santidad divina. Descubrimos que somos amados por él de modo infinito, y esto nos impulsa a amar también nosotros a nuestros hermanos. Amar implica siempre un acto de renuncia a sí mismo, «perderse a sí mismos», y precisamente así nos hace felices[305].

No tiene sentido afirmar que tenemos una devoción a un santo si huimos del amor radical que él o ella vivió. Piensa en san Francisco, tan popular por su amor a la naturaleza. ¿Quién desea ser víctima de amor como él? ¿Quién está dispuesto a aprender de él cómo morir a sí mismo por Cristo? Piensa en santa Faustina y en la popularidad del mensaje de la Divina Misericordia. ¿Queremos amar como ella? Lo que sigue es su ofrenda —*UNO* con Jesús Víctima en el altar— al Padre, durante la Santa Misa de sus votos perpetuos:

> Hoy dejo mi corazón en la patena donde está colocado Tu Corazón, Jesús, y hoy me ofrezco junto a Ti, a Dios, Padre Tuyo y mío, **como víctima de amor** y de adoración.

---

[305] Benedicto XVI, homilía en día de todos los santos. 1 Nov. del 2006, www.vatican.va.

Padre de misericordia, mira la ofrenda de mi corazón, pero a través de la herida del Corazón de Jesús[306].

La siguiente experiencia de santa Faustina ilustra el deseo del Señor de que muchos se conviertan en almas víctimas con Él:

> Entonces vi a Jesús clavado en la Cruz. Después de estar Jesús colgado en ella un momento, vi toda una multitud de almas crucificadas como Jesús [almas víctimas]. Vi la tercera muchedumbre de almas y la segunda de ellas. La segunda infinidad de almas no estaba clavada en la Cruz, sino que las almas sostenían fuertemente la Cruz en la mano; mientras tanto la tercera multitud de almas no estaba clavada ni sostenía la Cruz fuertemente, sino que esas almas arrastraban la Cruz detrás de sí y estaban descontentas. Entonces Jesús me dijo: «**Ves, esas almas que se parecen a Mí en el sufrimiento y en el desprecio, también se parecerán a Mí en la gloria; y aquellas que menos se asemejan a Mí en el sufrimiento y en el desprecio, serán menos semejantes a Mí también en la gloria**»[307].

El Señor le dijo a santa Margarita Alacoque que deseaba almas que correspondieran a su Sagrado Corazón, entonces agregó: **«Deseo darte mi Corazón, pero primero, debes entregarte como víctima de inmolación»**[308].

---

[306] Santa Faustina, *Diario,* N° 239.
[307] Ibid, N° 446.
[308] Traducido de: History of the Blessed Margaret Mary,. P. O'Shea, publisher, 1867.

— VÍCTIMAS ALEGRES —

Una verdadera alma víctima está alegre porque está unida a su amado Jesús. Esta unión de amor da gozo incluso cuando se sufre por Él. San Pablo, siendo prisionero, se regocijó de ser víctima:

> Aunque mi propia vida sea sacrificada para completar la ofrenda que ustedes hacen a Dios por su fe, yo me alegro y comparto esa alegría con todos ustedes. **Alégrense** ustedes también, y tomen parte en mi alegría[309].

Creo que la mayoría en nuestra comunidad tuvimos miedo cuando el Señor puso en nuestros corazones el llamado a ser almas víctimas, pero al confiar en el Señor y perseverar, crecimos en un gozo y un amor que antes no conocíamos. Dios quiere que seamos santos alegres pues, como dijo santa Teresa: «Un santo triste es un triste santo»[310]. Ella también fue alma víctima, y supo vivir como tal con un gran sentido del humor hasta en las pequeñas cosas:

> Plega al Señor que le sepa vuestra merced servir, y yo también, algo de lo que debemos, y nos dé mucho en qué padecer, aunque sean pulgas y duendes y caminos[311].

— VÍCTIMA DE AMOR SEGÚN STA. TERESITA DE LISIEUX —

Santa Teresita de Lisieux comprendió que Jesús desea amar y ser amado, pero encuentra muy pocos que responden. Por eso, su amor permanece como un caudal sin salida, encerrado en su Corazón. Movida por el Espíritu Santo, ella **se ofreció como «Oblación al Amor Misericordioso».** Su sueño era convertirse en una verdadera **«víctima de holocausto» del amor divino**, quemada en las llamas del torrente de amor de Cristo. Quería así «ser

---

[309] *Flp* 2, 17-18. (DHH).
[310] Sta. Teresa de Ávila, Camino 18, 5. Ver Papa Francisco, 15,oct.2014, Vatican.va.
[311] Ibid. Cta. Antonio Gaytán, Segovia, 30 mayo 1574. *Escritos de Sta Teresa* Vol II. books.google.com.

consumida incesantemente» y llegar a ser **«un mártir de tu Amor, ¡Oh Dios mío!»**[312].

Ella comprendió que su oblación aliviaba el sufrimiento del Señor. **También alentó a cuantos pudo a que hicieran la misma ofrenda** y rogó al Señor que levantara una legión de «pequeñas víctimas». Ella escribió en su autobiografía:

> ¡Oh, Dios mío!, tu amor despreciado ¿tendrá que quedarse encerrado en tu Corazón? Me parece que si encontraras almas que se ofrecieran como víctimas de holocausto a tu amor, las consumirías rápidamente; me parece que serías feliz de no reprimir más las oleadas de infinita ternura que hay en ti.
>
> Si a tu justicia que solo se extiende a la tierra, le gusta descargarse, cuánto más deseará tu amor misericordioso abrasar las almas, ya que tu misericordia llega hasta el cielo. ¡Jesús mío, que sea yo esa víctima dichosa, consume tu holocausto con el fuego de tu amor divino!
>
> Madre querida, tú que me permitiste ofrecerme así a Dios, tú conoces los ríos, o mejor los océanos de gracias que han venido han inundado mi alma. Desde aquel día feliz me parece que el amor me penetra y me rodea, me parece que a cada instante ese amor misericordioso me renueva, purifica mi alma y no deja en ella el menor rastro de pecado de modo que no puedo temer el purgatorio. Sé que por mí misma ni siquiera merecería entrar en ese lugar de expiación, puesto que solo pueden tener acceso a él las almas santas, pero sé también que el fuego del Amor es más santificante que el del purgatorio. Sé que Jesús no puede desear para nosotros sufrimientos inútiles y que no me inspiraría estos deseos que siento si no quisiera cumplirlos[313].

Jesús respondió a su oblación tres días después. Ella cuenta su experiencia: **«Fui cautivada por un amor tan violento por Dios**

---

[312] Sta. Teresita de Jesús, *Historia de un alma*, Editorial Bonum, 30 Marzo, 2005, p. 284.
[313] *Historia de un Alma: Autobiografía de Sta. Teresita de Lisieux*, Cap. 8.

que no lo puedo explicar; ...El amor me quemaba y sentí que un minuto más, un segundo más, y no hubiera podido soportar este ardor sin morirme»[314].

Santa Teresita responde a las siguientes preguntas sobre cómo ser víctimas del amor:

¿Soy digno de recibir esta gracia?

Para satisfacer a la justicia divina, se necesitaban víctimas perfectas. Pero a la ley del temor le ha sucedido la ley del amor, y el amor me ha escogido a mí, débil e imperfecta criatura, como holocausto.

¡Si pudiera yo, Jesús, decir a todas las almas pequeñas cuán inefable es tu condescendencia...! Estoy convencida de que, si por un imposible, encontrases un alma más débil y más pequeña que la mía, te complacerías en colmarla de gracias todavía mayores, con tal de que ella se abandonase con entera confianza a tu misericordia infinita. ...Te suplico que poses tu mirada divina sobre un gran número de almas pequeñas... ¡Te suplico que escojas una legión de pequeñas víctimas dignas de tu AMOR![315]!

¿Serán muchas las víctimas del amor?

Su Santidad Pío XI, en el curso de la solemne canonización de santa Teresita, repitió las palabras de la santa implorando al Señor que escogiera «una legión de pequeñas víctimas dignas de tu amor». Teresita también dijo: «Así se realizarán mis sueños».

¿Ofrecernos como víctimas de amor nos traerá más sufrimiento?

---

[314] Traducido de Jean LaFrance. *In prayer with the Mother of Jesus*, (Midiapaul, 1988), 215. books.google.com.

[315] *Historia de un alma,* archimadrid.es.

Santa Teresita invitó a su hermana, Marie, a hacer la ofrenda como víctima de amor, Marie protestó al principio, pensando que hacer tal ofrenda sería una invitación a sufrir y castigarse más. Teresita le explicó que ese no era el caso:

> Yo entiendo lo que dices, pero ofrecerse al amor es una cosa completamente diferente a ofrecerse a su Justicia. Uno no sufre más. Es solo cuestión de amar a Dios más por aquellos que no lo aman.

Santa Teresita recibía los sufrimientos con alegría porque se le hacían dulces unidos al amor de Jesús, pero ella nunca pidió más sufrimientos.

> Nunca podría pedir más sufrimientos; soy un alma demasiado pequeña. Serían de mi propia elección. Tendría que soportarlos todos sin Él, y nunca he podido hacer nada por mis propios recursos[316].

[316] Traducido del epílogo a *Historia de un alma*, catholicbible101.com.

— ALMAS VÍCTIMAS SALVAN ALMAS —

Nuestra preocupación por la salvación de los demás es un signo de nuestra unión con el Corazón de Jesús. Jesús —el único que puede salvar— ha querido hacernos, como María, corredentores, y nos ha dado amor para que seamos almas víctimas por ellos.

125. Un alma víctima redime almas Conmigo —Diario de una MDC

Un alma víctima voluntariamente elige ser Uno *con el Cordero de Dios sacrificado. Ellas eligen llevar Mis heridas de amor. En esta perfecta unión de amor reciben el poder de Dios para redimir y salvar almas Conmigo. Muchos están siendo purificados por medio de las vidas de Mis almas víctimas. Estas almas son las que verdaderamente se convierten en Mi Cuerpo Místico, y por eso, participan en la redención de la humanidad. La salvación de las multitudes depende de la respuesta de Mis almas víctimas (cf.* Jn *6,8-9). Estos son mis santos cuyas túnicas han sido lavadas por la sangre del Cordero de Dios y se han purificado a imagen y semejanza de Dios (cf.* 1 Jn *3,3* / Ap *7,14).* (1/11/12*)*

126. Una cruzada de almas víctimas —Diario de una MDC

Satanás está obrando para realizar su nuevo orden mundial de destrucción, pero Mi cruzada de almas víctimas poseerá el poder de Dios para aplastar la cabeza de Satanás.

Vosotros sois el talón de la Reina del Cielo y de la Tierra. Continúa dando tu vida diariamente por la misión que te he confiado... No pierdas la esperanza en todo lo que he puesto en tu corazón.

Mi cruzada de almas víctimas tendrá que sufrir mucho y ser formada a la perfección en el amor para luchar esta batalla feroz, pero sabes que Mi Cruz ha triunfado. Ahora, por medio de esta cruzada, necesita triunfar en los corazones de Mi pueblo. Persevera en el amor. Persevera en la confianza. (10/4/12)

127. Cada alma víctima intensifica el fuego de amor
—Diario de una MDC

Sentí a Jesús en la Cruz. La carne de Su pecho, como una cortina, parecía abrirse y podía ver Su Corazón como fuego. Esta visión de Su Corazón, como fuego en el centro de Su pecho, estaba toda en un círculo; sentí que era la Eucaristía viva. Mi Señor me hizo comprender que cada una de sus almas víctimas está en ese fuego. Cada alma víctima intensificaba el fuego del amor en el Corazón de Jesús. Entonces, el fuego, con todas las almas víctimas, consumió todo el Cuerpo de Jesús y el Espíritu Santo, como una inmensa paloma, como le vi en el año 2008, salió volando de la Cruz sobre el mundo. Cubría la tierra con un manto de la Preciosa Sangre de Jesús. Todos nosotros, sus almas víctimas, éramos Uno con el Espíritu Santo participando en el cumplimiento de la salvación del mundo.

Entonces Jesús dijo: *Mis almas víctimas, unidas en Mí, llevarán a su cumplimiento la salvación del mundo. No fueron Mis milagros los que salvaron al mundo, sino Mi amor en el sufrimiento revelado en la Cruz. Mis milagros fueron un don para que la gente supiera que yo soy el Hijo de Dios. Yo soy el Camino, la Verdad y la Vida... El Camino de la Cruz —el Camino del Amor en el sufrimiento— es el poder de Dios que salva al mundo... Deseo que Mi Cuerpo, la Iglesia, complete Mi amor en el sufrimiento aquí en la tierra* (19/7/10).

128. Mi resto fiel traspasará la oscuridad

—Diario de una MDC

Vine al mundo para sufrir y morir, vine al mundo para la Cruz... Mira la opresión y la oscuridad en tu familia como la misma oscuridad en el mundo y en Mi Iglesia... Esta oscuridad también oprime Mi Corazón, y sigo sufriendo. Hija Mía, Dios Padre quiso, desde el principio de los tiempos, que Mi Cuerpo (la Iglesia) se uniera a su Cabeza para traspasar esta oscuridad. Será Mi resto santo en Mi Iglesia el que, unido en Mi Cruz, traspasará la oscuridad. Hija Mía, debes elegir amar siempre. En tu familia, ama por medio de tu silencio, ama con tu dulzura, ama con bondad, ama con paciencia, persevera en el amor. Cree, hija mía, todo lo que te he dicho. Todo se cumplirá (11/29/10).

6–B: Vamos a misa para ser víctimas con la Víctima

Como católicos, sabemos que la misa es el sacrificio de Cristo que se ofrece al Padre como Víctima de amor, pero pocos comprenden que la razón por la que estamos allí es para convertirnos en **UNA víctima con Él**. El Concilio Vaticano II enseña que **los fieles,** «participando del sacrificio eucarístico, fuente y cumbre de toda la vida cristiana, ofrecen a Dios la Víctima divina y **se ofrecen a sí mismos juntamente con ella**»[317]. Durante el canon de la misa, oramos:

> Concede a cuantos compartimos este pan y este cáliz, que,… seamos en Cristo víctima viva para alabanza de tu gloria[318].

Esta ofrenda victimal debe transformarnos completamente de manera que todo lo vivimos «por Cristo, con Él y en Él». Es así como los santos llegan a ser santos. San Alberto Hurtado escribe:

> Al participar personalmente en el estado de víctima de Jesucristo, nos transformamos en la Víctima divina. Como el pan se transubstancia realmente en el cuerpo de Cristo, así todos los fieles nos transubstanciamos espiritualmente con Jesucristo Víctima. Con esto, nuestras inmolaciones personales son elevadas a ser inmolaciones eucarísticas de Jesucristo, quien, como Cabeza, asume y hace propias las inmolaciones de sus miembros. […] Un alma permanece superficial mientras que no ha sufrido. **En el misterio de**

[317] *Lumen Gentium*, N° 11.
[318] Plegaria eucarística IV.

Cristo existen profundidades divinas donde no penetran por afinidad sino las almas crucificadas[319].

La recepción frecuente de la Eucaristía no nos llevará a la intimidad con Cristo a menos que le permitamos hacernos *Uno* con Él que es la Víctima de Amor. Jesús dijo: «El que come mi Carne y bebe mi Sangre permanece en Mí, y Yo en él» (*Jn* 6, 56). Como dijimos anteriormente, Cristo es el Esposo que se entrega totalmente a su esposa en la Cruz. Él «entrega» su Cuerpo y «derrama» su Sangre por nosotros. Ahora espera a que su esposa le corresponda y se entregue a Él.

Tomás de Kempis

> Mira cómo Yo me ofrecí todo al Padre por ti; y también te di todo mi cuerpo y sangre en manjar, para ser todo tuyo, y que tú quedases todo mío. Mas si tú estás pegado a ti mismo, y no te ofreces de buena gana a mi voluntad, no es cumplida ofrenda la que haces, ni será entre nosotros entera la unión[320].

Ser UNA Víctima de amor es una forma de vida y no solo un acto de ofrenda.

---

[319] Padre A. Hurtado, texto N° 33.
[320] Tomas Kempis, *Imitación de Cristo,* Cap 8.

Papa Francisco

Nutrirnos de ese «Pan de vida» significa entrar en sintonía con el Corazón de Cristo, asimilar sus elecciones, sus pensamientos, sus comportamientos. Significa entrar en un dinamismo de amor y convertirse en personas de paz, personas de perdón, de reconciliación, de compartir solidario. Lo mismo que hizo Jesús[321].

—"UNA HOSTIA, UNA VÍCTIMA"—

Jesús revela su deseo a la beata Conchita:

Un conjunto de víctimas, unidas a la gran víctima, ...formando un solo cuerpo con el Mío, una sola sangre expiatoria e impetratoria con la mía, como miembros que son del que es la Cabeza, Cristo tu Redentor... Una hostia, una víctima, un sacerdote que se inmole y me inmole en tu corazón en favor del mundo. El Padre recibirá esta ofrenda que le presente el Espíritu Santo con agrado y lloverán las gracias del cielo en la tierra.

Este es el núcleo, el globo, el conjunto concreto y esencia de la perfección en mis Obras de la Cruz. Claro está que mi inmolación basta y sobra para aplacar a la divina justicia de Dios, pero el cristianismo neto, la flor del Evangelio, ¿qué otra cosa es o a qué tiende, sino a unir las víctimas en UNA, los dolores y las virtudes y los méritos en ese UNO que soy Yo para que tengan valor y alcancen gracias?; ¿qué otra cosa pretende el Espíritu Santo en mi iglesia sino esa unificación conmigo de voluntades, de sufrimientos, de corazones en un mismo corazón que es el Mío? ¿A qué otra cosa tendió toda mi vida, sino a formar ese UNO conmigo por la caridad, por el amor? ¿A qué bajó al mundo el Verbo, sino a formar con su carne inmaculada y con su sangre purísima una Sangre que expiara y alcanzara gracias? ¿Qué otro objeto tiene la Eucaristía, sino unificar

---

[321] Papa Francisco, Angelus, 16 Agosto de 2015, w2.vatican.va

los cuerpos y las almas conmigo transformándolos y divinizándolos?

Y no tan solo en los altares de piedra, sino en los corazones, templos vivos del Espíritu Santo debe ofrecerse al cielo esta Víctima asimilándose, siendo las almas también hostias, siendo también víctimas… y Dios se conmoverá[322].

El Catecismo de la Iglesia Católica, después de enseñar en el N.° 1367 que Cristo es la Víctima Eucarística, añade:

> La Eucaristía es igualmente el sacrificio de la Iglesia. La Iglesia, que es el Cuerpo de Cristo, participa en la ofrenda de su Cabeza. Con él, ella se ofrece totalmente. Se une a su intercesión ante el Padre por todos los hombres. En la Eucaristía, el sacrificio de Cristo es también el sacrificio de los miembros de su Cuerpo. La vida de los fieles, su alabanza, su sufrimiento, su oración y su trabajo se unen a los de Cristo y a su total ofrenda, y adquieren así un valor nuevo. El sacrificio de Cristo, presente sobre el altar, da a todas las generaciones de cristianos la posibilidad de unirse a su ofrenda.
>
> En las catacumbas, la Iglesia es con frecuencia representada como una mujer en oración, los brazos extendidos en actitud de orante. Como Cristo que extendió los brazos sobre la Cruz, por él, con él y en él, la Iglesia se ofrece e intercede por todos los hombres[323].

Todos los fieles se unen silenciosamente a la ofrenda cuando Cristo, a través del sacerdote, dice las palabras de la consagración: «Esto es mi Cuerpo, que será entregado por vosotros»; «Este es el cáliz de mi Sangre, Sangre de la alianza nueva y eterna, que será derramada por vosotros y por muchos para el perdón de los pecados. Haced esto en conmemoración mía». Conchita, en el

---

[322] Bta. Concepción Cabrera de Armida, Diario T. 40. p. 289-295, 6 junio de 1916.
[323] *Catecismo* N° 1368.

momento de la consagración de la Preciosa Sangre, unía su propia sangre con la de Jesús, sacrificándola por amor al Padre[324].

El *Catecismo* enseña que **los laicos en la misa pueden ofrecer como sacrificio todos los aspectos de sus vidas unidos a la ofrenda de Cristo:**

> En efecto, todas sus [laicos] obras, oraciones, tareas apostólicas, la vida conyugal y familiar, el trabajo diario, el descanso espiritual y corporal, si se realizan en el Espíritu, incluso las molestias de la vida, si se llevan con paciencia, todo ello se convierte en sacrificios espirituales agradables a Dios por Jesucristo, que ellos ofrecen con toda piedad a Dios Padre en la celebración de la Eucaristía uniéndolos a la ofrenda del cuerpo del Señor. De esta manera, también los laicos, como adoradores que en todas partes llevan una conducta sana, consagran el mundo mismo a Dios[325].

129. Cadena de corazones traspasados

—Diario de una MDC

> *El flujo de Mi Sangre se intensifica a través de Mi Cuerpo, la Iglesia. El triunfo de Mi sacrificio de amor se cumplirá por medio de Mi Cuerpo, la Iglesia.*
>
> *Mi Madre es Esposa e Iglesia, imítenla. Ella —siendo* Uno *con Mi Cuerpo— unió sus lágrimas a Mi Preciosa Sangre y de esta manera redimió almas Conmigo. Vosotros estáis llamados a hacer lo mismo. A través de vosotros, que sois Mi Cuerpo, la gracia salvadora de Mi Preciosa Sangre entrará en todos los corazones que estén abiertos. Por lo tanto, pequeños Míos, sufridlo todo Conmigo para que*

---

[324] Ver: «oración», p. 446.

[325] *Catecismo de la Iglesia Católica* N° 901-902, cf. LG 10, *1 P* 2, 5.

muchos puedan entrar en el redil de Mi Sagrado Corazón. Debéis convertiros en la cadena de corazones traspasados que romperá la cadena de tinieblas y esclavitud. Traedme muchas almas víctimas (12/19/11).

—ENCADENADOS POR AMOR A CRISTO—

Papa Benedicto XVI

«Encadenado» es en primer lugar una palabra de la teología de la Cruz, de la comunión necesaria de todo evangelizador, de todo pastor con el Pastor supremo, que nos ha redimido «entregándose», sufriendo por nosotros. El amor es sufrimiento, es entregarse, es perderse, y precisamente de este modo es fecundo. Pero así, en el elemento exterior de las cadenas, de la falta de libertad, aparece y se refleja otro aspecto: la verdadera cadena que ata a Pablo a Cristo es la cadena del amor. «Encadenado por amor»: un amor que da libertad, un amor que lo capacita para hacer presente el mensaje de Cristo y a Cristo mismo. Y también para todos nosotros esta debería ser la última cadena que nos libera, unidos con la cadena del amor a Cristo. Así encontramos la libertad y el verdadero camino de la vida, y, con el amor de Cristo, podemos guiar también a los hombres que nos han sido encomendados a este amor, que es la alegría, la libertad[326].

[326] Papa Benedicto XVI, reunión con los sacerdotes de la diócesis de Roma, 23 feb. de 2012, w2.vatican.va.

6–C: María es la perfecta alma víctima de amor

Jesucristo es la perfecta y pura Víctima de Amor y María es la perfecta y pura víctima unida a la Víctima. María no es solo la Madre de Jesús, sino también la esposa del Cordero que, con el Espíritu Santo, dice: «¡Ven!». Como esposa, ella estaba unida a la crucifixión interior de Jesús y a la crucifixión del Calvario. La Corredentora, llena del Espíritu Santo, clama al Padre: «¡Abba, Padre, sálvalos!».

Por lo tanto, para entrar en la más íntima y perfecta relación de amor con Jesucristo aquí en la tierra, que es la relación de víctima unida a la Víctima, necesitamos consagrarnos a María, Madre y Esposa, con el entendimiento y abandono de que ella nos llevará al pie de la Cruz. Ese es el lugar del encuentro donde contemplamos a Jesús crucificado, donde podemos tocar sus heridas, y donde María es capaz de formarnos más perfectamente en todas sus virtudes que son las virtudes de Jesús.

Por lo tanto, convertirse en una víctima de amor es un proceso espiritual de crecimiento y de adentrarse en una profunda e íntima relación personal con Jesucristo mismo, una relación que nos lleva con María al matrimonio espiritual con el Esposo. Es esta apasionada aventura amorosa la que nos mueve a querer amarlo como Él nos ha amado; el amor del Cordero sin mancha que da su vida por su Esposa, por nosotros, la Iglesia.

Pocos entienden lo que es ser un alma víctima porque el Amor no se conoce, ni se entiende. Amar es sufrir. Amar es dar la vida por otro. Para entender lo que es ser alma víctima, debemos contemplar a Jesús-Víctima y a María-víctima unida a Él.

130. María es la portadora del Mesías
—Diario de una MDC

María es la portadora del Mesías que viene a través de su vientre virginal. Hija mía, estás preparando el pasaje para la segunda venida de Cristo. Él vendrá en todo Su esplendor para ser reconocido por todos. La sangre de sus almas víctimas está realizando la preparación de este pasaje. María, como Esposa del Espíritu Santo, será la primera en caminar por este pasaje, en un cortejo encabezado por los santos hijos de Dios (sacerdotes). Este será el reinado del Espíritu Santo. Poco tiempo después, Yo vendré en toda Mi gloria para ser visto por todos. Debes extender la alfombra de las almas víctimas, la cual crea el pasaje santo para Dios (15/12/11).

131. Jesús, María y José fueron almas víctimas
—Diario de una MDC

San José y María fueron almas víctimas perfectas y santas. Estaban unidos siendo Uno *con la Víctima de Amor. San José nunca pronunció una queja durante sus muchas pruebas, luchas y sufrimientos.*

La existencia humana aquí en la tierra está llena de luchas, desafíos, dificultades, sufrimientos, pruebas y lágrimas debido a la caída. Vine a transformar el sufrimiento humano por medio de Mi muerte y resurrección. La Sagrada Familia vivió la condición humana a través de Mí, Conmigo y en Mí;

así sus vidas se transformaron en Amor, el amor de la Santísima Trinidad.

El mundo se está hundiendo en el abismo del mal y de las tinieblas porque Mi Espíritu no es buscado y amado. Es a través de María, la Esposa del Espíritu Santo, que obtenéis más perfectamente el poder del Espíritu Santo. Es el Espíritu Santo quien os unirá como Un Cuerpo a Mi amor crucificado para participar en la salvación del mundo. Solo mis almas víctimas participan en la obra de la redención y conquistarán Conmigo a los principados de la muerte. Por lo tanto, pequeña Mía, ¡tráeme almas víctimas! (31/1/11).

— COMO UNA ALFOMBRA —

Personas importantes son recibidas con «alfombra roja». El Señor usó esa imagen para llamarnos a ser, nosotros mismos, la «alfombra roja» para nuestra Reina, la Santísima Virgen María, que viene a reinar. Las Madres de la Cruz y los Misioneros de la Cruz laicos forman parte de la alfombra roja que representa la sangre de los mártires ocultos de amor. Ellos son el pasaje por el cual María caminará como Reina trayendo el Nuevo Pentecostés. Ella será escoltada por los sacerdotes que se ofrecen como almas víctimas. La alfombra roja representa el pasaje integrado por almas víctimas para preparar el camino al reinado del Espíritu Santo. La alfombra sirve para llevar a los sacerdotes hacia delante en el camino de ser almas víctimas y para sostenerlos.

Santa Faustina

Me anonadaré a favor de las almas. No reparar en ningún sacrificio, me tiraré bajo los pies de las hermanas como una pequeña alfombra, sobre la cual pueden no solo caminar, sino que pueden también limpiarse los pies. Mi lugar está bajo los pies de las hermanas. Lo procuraré en la práctica de manera inadvertida para los ojos humanos. Basta que Dios lo vea[327].

San Juan Pablo II, recordando cómo se postró en el suelo el día de su ordenación, escribió el siguiente poema:

Pedro, tú eres el piso, para que otros puedan caminar sobre ti … sin saber adónde van. Tu guía sus pasos …
Tú quieres servir a sus pies para pasar como la roca sirve a las pezuñas de las ovejas[328].

San Andrés de Creta expresó el mismo deseo de postrarse ante el Señor:

Corramos a una con quien se apresura a su pasión, e imitemos a quienes salieron a su encuentro. Y no para extender por el suelo, a su paso, ramos de olivo, vestiduras o palmas, sino para prosternarnos nosotros mismos, con la disposición más humillada de que seamos capaces y con el más limpio propósito, de manera que acojamos al Verbo que viene y así logremos captar a aquel Dios que nunca puede ser totalmente captado por nosotros. […]

Así es como nosotros deberíamos prosternarnos a los pies de Cristo, no poniendo bajo sus pies nuestras túnicas o unas ramas inertes, que muy pronto perderían su verdor, su fruto y su aspecto agradable, sino revistiéndonos de su gracia, es decir, de Él mismo, pues lo que os habéis incorporado a Cristo por el bautismo os habéis revestido de Cristo. Así debemos ponernos a sus pies como si fuéramos unas túnicas[329].

---

[327] Sta. Faustina Kowalsda, *Diario*, N° 243.
[328] Juan Pablo II, *Don y Misterio*, p. 45.
[329] Oficio de Lectura, Domingo de Ramos. San Andrés de Creta, Sermón 9.

132. Participa en Mi Crucifixión interior
—Diario de una MDC

Hija mía, deseo que las almas participen en Mi crucifixión interior siendo una con Mi Madre. Es de esta manera que obtendrán la mayor cantidad de gracias para el mundo.

Se acerca un tiempo de gran destrucción para el mundo; Mis mártires de amor ocultos son quienes el Padre usará para ayudar a muchos a ir a la Luz. Son Mis mártires de amor ocultos quienes poseen el poder de levantar Mi ejército de sacerdotes santos, necesario para la batalla decisiva que está muy cerca. Pequeños míos, ustedes están llamados a ayudar a formar a Mis mártires de amor a la perfección en Mí. Acepten Mi cáliz de amor y sufrimiento y sufran Conmigo —Uno Conmigo— las penas de Mi Sagrado Corazón. Como un Padre que es todo amor, sufro las enfermedades de los corazones de Mis hijos, pero Mi mayor sufrimiento es que no me permiten tocarlos, a Mí que soy el Sanador de todos los corazones. Buscan la sanación en todas las formas excepto en EL ÚNICO que puede darles vida. Deseo que todas las Madres de la Cruz se unan con Mi Madre Dolorosa para obtener gracias para la humanidad. La salvación de muchos depende de su RESPUESTA (28/6/11).

El Espíritu Santo está suscitando almas víctimas y formándolas en el martirio oculto del corazón. Son guerreros de amor para estos tiempos decisivos que, con María, conquistarán al dragón y propiciarán el reinado de su Corazón Inmaculado y el Nuevo Pentecostés.

6–D: Las almas víctimas poseen el poder de Dios

Jesús es victorioso en su sacrificio como víctima. También es así con los cristianos. El Padre Raniero Cantalamessa escribe:

> En casi todos los mitos antiguos la víctima es el vencido, y el verdugo el vencedor. Jesús cambió el signo de la victoria. Inauguró un nuevo tipo de victoria que no consiste en hacer víctimas, sino en hacerse víctima. *Victor quia victima*, «vencedor por ser víctima», así define san Agustín al Jesús de la Cruz.
>
> El valor moderno de la defensa de las víctimas, de los débiles y de la vida amenazada nació sobre el terreno del cristianismo; es un fruto tardío de la revolución llevada a cabo por Cristo. Tenemos la prueba contraria. En cuanto se abandona (como hizo Nietzsche) la visión cristiana para resucitar la visión pagana, se pierde esta conquista y se vuelve a exaltar «al fuerte, al poderoso, hasta su punto más excelso: el superhombre», y se define a la cristiana como «una moral de esclavos», fruto del resentimiento impotente de los débiles contra los fuertes[330].

[330] Raniero Cantalamessa, predicación en la basílica de San Pedro, Viernes santo, 2010. http://www.vatican.va/liturgical_year/holy-week/2010/documents/holy-week_homily-fr-cantalamessa_20100402_sp.html.

133. Las víctimas de amor prenderán fuego al mundo —Diario de una MDC

> *Mi Padre se valdrá de Mis víctimas de amor para prender fuego en el mundo. Mis víctimas de amor poseen el fuego de Mi Espíritu. Entren en el horno de Mi amor por el camino de elegir sufrir todo Conmigo en sus vidas ocultas. Mi Corazón tiene sed de ese amor* (1/7/11).

134. Mis almas víctimas tienen el poder de restaurar la vida —Diario de una MDC, Fiesta del Sagrado Corazón de Jesús.

> Esta mañana, en la Misa, vi a Jesús interiormente en mi corazón, en Luz radiante, sosteniendo Su Corazón en Su mano izquierda. Todo Su ser era Luz, no solo Su Corazón. Una Luz que salía, expandiéndose, penetrando… Una Luz que también atraía hacia Él.
>
> Entonces anoche empecé a ver a Jesús de la misma manera, pero no había luz que saliera de Él, y el corazón que ahora veía en Su mano era pequeño, arrugado y negro. Me parecía un corazón muerto; no pude entender lo que el Señor me estaba revelando. Después de la Misa, ante el Santísimo Sacramento, nuestro Señor me explicó:
>
> *La Luz de Dios no resplandecerá por un tiempo. Son ustedes quienes deben mantener Mi Luz brillando en el mundo. Este corazón muerto en el pecado, que te revelo esta noche, (este corazón muerto representaba a muchos), volverá a la vida a través de la sangre de Mis mártires de amor. Recibe*

esta noche, en la Fiesta de Mi Sagrado Corazón, estos corazones.

¿Señor, cómo los recibo?

Riega estos corazones con tus lágrimas de dolor, ruega por ellos por medio de la oración de tu sufrimiento puro, bendícelos con tu beso de amor y úngelos con las gracias de Mi Eucaristía. Es la vida de Mis almas víctimas la que tiene el poder de resucitar a los muertos. Hija mía, levanta muchas víctimas de amor, porque muchos se perderán durante la gran oscuridad (15/6/12).

135. Las llagas de Jesús y el poder de nuestras oraciones como almas víctimas —Diario de una MDC

Anoche, mientras rezábamos el rosario durante nuestro cenáculo, vi por primera vez las llagas de Jesús como pasajes muy grandes. Entonces Jesús levantó mi cuerpo en Su abrazo crucificado. La familia de A.C. intercedía con gran amor por muchas almas, entonces vi una larga fila de hombres, mujeres y niños que entraban en las llagas de Jesús. Me permitió ver con mayor claridad los rostros de los niños, sus ojos tenían la mirada en blanco de la desesperanza. Al mismo tiempo, a través de la mirada de sus ojos, sentí el inmenso dolor y sufrimiento de sus corazones. No pude contener mis lágrimas al ver y sentir tantas heridas y dolor en el Cuerpo de Cristo, mis hermanos. Mis lágrimas siguen derramándose esta mañana mientras sigo viendo los ojos de los niños de nuestro Señor. Derramo lágrimas por ellos y lloro por mi

Señor y mi Madre, sufriendo como Un solo Corazón con ellos por toda la humanidad. ¡Qué dolor, qué sufrimiento, qué amor! ¡¡Ven Espíritu Santo, ven a renovar la faz de la tierra!!

Mis llagas son el pasaje para entrar en la infinidad de Dios. Yo permití que Mi Cuerpo se convirtiera en una llaga (significando que Su Cuerpo entero fue traspasado y herido) *para que TODA la humanidad pudiera entrar. Cada alma víctima tiene el poder de Dios, porque Yo soy Víctima, para atraer a las almas a Mis llagas*[331].

Vuestro «fiat», en el deseo de ser Mis almas víctimas, ha permitido al Espíritu Santo uniros a Mi amor crucificado. Primero os revelé la infinita profundidad y anchura de cada una de Mis llagas, entonces os levanté, Mis pequeñas víctimas de amor, en Mi abrazo crucificado. Mientras vosotros (A.C.) orabais como Un *solo corazón y mente a través de Mí, Conmigo y en Mí, la oración recibió el poder del Espíritu Santo para atraer almas a Mis llagas. Creed en el poder de vuestras oraciones, siendo* Uno *con la Víctima perfecta de Amor. Sigan orando y viviendo como la fuerza oculta de Dios* (1/2/11).

---

[331] Cf. *Jn* 12, 20-33; Mensaje del 14 de dic. de 2011.

136. No hay salvación fuera de la Cruz
—Diario de una MDC

> *No hay salvación fuera de la Cruz... Todos Mis hijos han sido llamados a entrar en la Cruz, a unirse al Amor Crucificado y participar en la salvación del mundo... ¡Traedme almas víctimas! Proclamad Mi gloriosa Cruz al mundo con el poder del Espíritu Santo que se os ha dado. Dad vuestras vidas por esta misión.* (11/8/10).

Concluimos este capítulo con un mensaje de un querido sacerdote que vive este Camino:

> Me queda claro que un alma víctima es una perla preciosa: singular, excepcional, inusual. Sí, todos estamos llamados, pero ¡cuántos condicionamientos nos impiden acercarnos, aunque sea un poco, a esa plenitud! ¡Cuántos cristianos, incluso consagrados por voto o por el sacerdocio, ni sospechan que pueden llegar a vivir esta relación con el Señor! Tal vez por eso me he sentido tan llamado a apoyarlos con mis oraciones para que se realice el milagro de «suscitar almas víctimas» y llevarlas al Señor.

Capítulo Siete

Maternidad espiritual para sacerdotes

Este capítulo ha sido escrito por dos Madres de la Cruz y un Misionero de la Cruz con el deseo y la esperanza de compartir humildemente con ustedes lo que hemos aprendido y estamos viviendo personalmente como madres y padres espirituales, a través de nuestra íntima unión con los Corazones de Jesús y María.

Esta es nuestra oración:

> Consagramos este capítulo al Corazón Inmaculado de María, Madre Universal, y Dispensadora de todas las Gracias. Con ella, al pie de la Cruz, imploramos a la Santísima Trinidad que nos dé la gracia de ser sus instrumentos de luz y de amor que revelarán el tesoro escondido de la maternidad espiritual a aquellas almas escogidas por el Señor —nuestro Amor Crucificado— y de sembrar en ellas las semillas de la nueva vida que, a su debido tiempo, florecerán y darán abundante fruto en el corazón de una Iglesia renovada y fiel. ¡Ven, Espíritu Santo! ¡Ven!

No podemos comenzar a compartir sobre esta vocación sin primero hacer una aclaración enfáticamente:

LA MATERNIDAD ESPIRITUAL
SOLO SE PUEDE VIVIR EN MARÍA

Vivida sin ella, no es maternidad espiritual. La Santísima Virgen María es la fuente de la maternidad espiritual instituida por Cristo en la Cruz. Necesitamos imitar sus cualidades, virtudes y características. Debemos llevar en nosotros la esencia de María, su ADN espiritual.

7–A:
¿Qué es entonces la maternidad espiritual?

En el documento de la Congregación para el Clero, *Adoración eucarística para la santificación de los sacerdotes y maternidad espiritual*, la Iglesia nos dice:

La VOCACIÓN a ser madre espiritual para los sacerdotes es **demasiado poco conocida, escasamente comprendida y, por tanto, poco vivida a pesar de su vital y fundamental importancia. Esta vocación a menudo está escondida, invisible al ojo humano, pero apunta a transmitir vida espiritual**[332].

[332] Congregación para el Clero, *Adoración eucarística para la santificación de los sacerdotes y maternidad espiritual*, p. 10 (8 Dic. de 2007). Este y otros documentos sobre maternidad espiritual: www.amorcrucificado.com.

El párrafo anterior define lo que es la Maternidad Espiritual. Vamos a desglosarlo:

1. **UNA VOCACIÓN**: Es un llamado de Dios.
2. **DEMASIADO POCO CONOCIDA**: A pesar de ser una vocación específicamente vivida por amor al sacerdocio, la gran mayoría de los sacerdotes no la conocen; por lo tanto, es temida, desconfiada y mal juzgada.
3. **ESCASAMENTE COMPRENDIDA**: Muy pocos han comprendido el ancho, la profundidad, la longitud y la altura, la dimensión completa del misterio de amor contenido en la maternidad espiritual.
4. **POCO VIVIDA A PESAR DE SU VITAL Y FUNDAMENTAL IMPORTANCIA**: Aunque el Señor está llamando a muchos a vivir esta unión espiritual, muy pocos la viven, y pocos han llegado a comprender y asimilar su importancia y valor.
5. **ES UNA VOCACIÓN A MENUDO ESCONDIDA, INVISIBLE AL OJO HUMANO:** Así como la vocación a la maternidad es tan a menudo desapercibida y no apreciada, también lo es la maternidad espiritual. Se vive en los sufrimientos cotidianos ocultos del corazón femenino.
6. **APUNTA A TRANSMITIR VIDA ESPIRITUAL**: Solo podemos transmitir a nuestros hijos espirituales lo que tenemos en nosotros; por lo tanto, las mujeres que responden deben ser, como María, adoradoras eucarísticas. La comida, el alimento y la fuente de vida de una madre espiritual debe ser la Eucaristía. María y la Eucaristía son la vida del sacerdocio.

El documento establece los cimientos de la maternidad espiritual:

- Orar por los sacerdotes con o sin su conocimiento.
- Ofrecer sacrificios y penitencias por ellos.

Para entender el don de la maternidad espiritual se requiere una reflexión más profunda porque se trata de un misterio que abarca la totalidad de la persona humana y que solo puede abordarse con la gracia del Espíritu Santo. Comencemos por contemplar las características naturales de la maternidad:

1. El fruto de la unión entre un hombre y una mujer es vida en el vientre de la madre. Una mujer se convierte en madre cuando concibe.
2. Desde el momento de la concepción comienza una comunión de cuerpo y alma entre madre e hijo. Es la gestación.
3. Especialmente durante el embarazo, la madre y el niño viven una **PROFUNDA INTIMIDAD**. Lo que afecta a la madre afecta al niño: salud o enfermedad, alegría o sufrimiento.
4. Es la madre quien lo alimenta en su vientre con su propia sangre.
5. Es la madre quien, a través de su propio dolor, lo trae al mundo: «da a luz», lo que significa que ella lo lleva a la luz.
6. Es la madre quien lo cuida con su leche hasta que el niño alcanza la madurez para el alimento sólido.

Dios ha querido que el vínculo entre madre e hijo sea una unión profunda, íntima y sólida. Esta comunión es esencial para la sana formación y desarrollo del niño. Sin este vínculo natural, la maternidad entraría en un **DESORDEN**, y el niño no prosperaría. Esto ha sido probado científicamente, revelando lo esencial que es la maternidad para el bienestar de la humanidad.

A través de nuestra contemplación de las vidas de Jesús y María, hemos comprendido cuán esencial es también la maternidad espiritual para el bienestar de la humanidad. Debemos ir a ellos y beber de la fuente.

Jesús es concebido por la unión esponsal del Espíritu Santo y María. Desde ese momento comienza una unión plena entre Jesús y María que podemos llamar la gestación del amor entre ellos. Esta profunda intimidad continúa y crece a lo largo de sus vidas en la tierra.

María es preparada por más de treinta y tres años de unión con Jesús para convertirse en Madre Espiritual de la humanidad al pie de la Cruz. Ella fue preparada mientras vivía la crucifixión interior con Jesús durante esos años. El amor entre ellos se consumó en la Cruz cuando sus corazones fueron traspasados como *Uno*. Esta unión perfecta de amor da vida a una nueva creación: los «nuevos Adanes» y las «nuevas Evas».

7–B:
El nacimiento de «nuevos Adanes y nuevas Evas» al pie de la Cruz

El primer fruto del amor de Jesús y María en la Cruz es san Juan, el escogido del Señor, su discípulo amado. De todos los apóstoles, él es el que conocía íntimamente el Corazón de Jesús. De esta intimidad nace su apertura a la intimidad con María en la Cruz. Su unión con ella es el fruto profundo y doloroso del traspaso de los dos corazones sufrido por amor. En esta nueva unión de san Juan y María, establecida por Jesús al pie de la Cruz, encontramos la esencia más pura de la maternidad espiritual.

Jesús esperó hasta poder compartir su Pasión con ellos, hasta estar en su agonía, para llamarlos a ser madre e hijo-discípulo. **No podían ser madre e hijo sin haber sido primero víctimas de amor** —*Uno* con la Pasión de Cristo—. La unión con Cristo en la Cruz está en el centro de la maternidad de María y de la filiación-discipulado de san Juan. En la Cruz se unen y su relación adquiere un nuevo sentido y una nueva fecundidad porque tiene el fuego del amor puro y perfecto. Cuando alcanza su madurez, florece como maternidad espiritual.

La maternidad de María para Juan supera con creces los modelos que tenemos de relaciones entre madres y sus hijos adultos. **Ella se convierte en instrumento de Dios para continuar la obra de redención en él,** especialmente a través de la sanación y formación de su corazón. Esto incluye la sanación de sus emociones, sentimientos, deseos y su auto-imagen. Jesús-hombre, lo formó; María-mujer completó la formación de su corazón como solo una mujer puede hacerlo.

Ella también es su compañera. El Señor dijo: «No es bueno que el hombre esté solo. Le voy a hacer alguien que sea una ayuda adecuada para él» (*Gn* 2, 18)[333]. Nadie es más apto para acompañar y ayudar al hombre que la mujer: María Santísima. La relación de María y san Juan demuestra que Jesús quiso que la complementariedad entre hombre y mujer encontrase expresión, no solo en las relaciones maritales orientadas a tener hijos, sino también en relaciones espirituales que dan vida espiritual a muchos.

«Mujer, ahí tienes a tu Hijo» (*Jn* 19, 26). «Mujer» es una alusión al Génesis porque María es la nueva Eva, la Inmaculada, la que desata los nudos del pecado, la victoriosa sobre la Serpiente. Esta es la madre y compañera que Jesús nos da.

Jesús también le habló a san Juan: «Luego dice al discípulo: "Ahí tienes a tu madre" (*Jn* 19, 27). **Él solo puede ser bendecido con el don de María si responde con todo su corazón.** Él debe recibirla. Juan comprendió que contemplar a María es recibirla, por tanto: «Desde aquella hora el discípulo la acogió en su casa» (*Jn* 19, 27). Ella no es una madre a la que visitamos mientras la mantenemos a distancia. Juan acogió a María en su propia casa, en su corazón —un corazón que pertenece a Jesús— y le permitió entrar en la intimidad de su sacerdocio.

San Juan recibe de Cristo el Corazón traspasado de la Madre del Hombre-Dios, el Corazón Inmaculado de la Hija del Padre y el Corazón fecundo de la Esposa del Espíritu Santo. Él hereda la criatura llena de la Santísima Trinidad. Viviendo en intimidad con María, recibe las gracias de su maternidad espiritual y vive su sacerdocio cumpliendo la voluntad de Dios. Sin María como su madre espiritual, el discípulo no podría haber subido a las alturas de la unión mística que le permitió escribir el Libro del Apocalipsis, que revela las profundidades del Corazón de Dios. San Juan con María, en su unión de corazones que se aman en Cristo Crucificado, están llenos del Espíritu Santo y se ayudan mutuamente a cumplir su misión.

En el drama de la Cruz, en medio del dolor más atroz, hay otra amada de los dos corazones, un testigo de honor: María Magdalena. Ella es la compañera inseparable de Jesús y de nuestra Madre

---

[333] Biblia versión *Dios Habla Hoy*.

Celestial. Lo que las une, lo que las ha hecho *Un* corazón, es el amor infinito que estas dos mujeres tienen por Él. Sin embargo, son dos mujeres muy diferentes en su origen: María Santísima es la Llena de Gracia, la Inmaculada, redimida por Cristo, pero nunca manchada por el pecado. María Magdalena, en cambio, es la mujer de quien salieron siete demonios (*Lc* 8, 2); su respuesta al amor redentor de Cristo la salva, la purifica, la restaura y la dignifica.

A través de su traspaso de amor al pie de la Cruz en unión con María Santísima, ella recibe su plena identidad como madre espiritual, porque el que está muriendo es también su Amado, el Señor y Maestro de su corazón. También ella vive la impotencia de Cristo en la Cruz. Su Maestro está muriendo, su «Rabbuní» (*Jn* 20, 16) se está desvaneciendo, su Jesús, su Vida, su TODO. Ella sufre CON Jesús, ya no dos, sino *Uno* en su sacrificio de amor. Siendo una con María, nace su maternidad espiritual.

María, ahora Madre de la Iglesia, sigue formando a san Juan y a María Magdalena en la escuela de su corazón, como lo hace con cada uno de nosotros. Ella es la mayor y más íntima amiga de María Magdalena, su maestra y hermana en el Señor, y ahora, sobre todo, ¡su madre! Nosotros, como ellos, debemos ser formados en la escuela de amor: El Inmaculado Corazón de María.

En el nuevo Adán y la nueva Eva, Jesús y María, encontramos la perfecta relación armoniosa. Son el modelo y la fuente de gracia para todos los hombres y mujeres renovados.

Habiendo unido a María y al discípulo amado, Jesús, «sabiendo que ya todo estaba cumplido», dijo: «Tengo sed» (*Jn* 19, 28). Su misión terrenal queda cumplida. Con san Juan y María Magdalena comienza un nuevo linaje de hombres y mujeres renovados, purificados en la Sangre del Cordero; nuevos Adanes y nuevas Evas formadas en el corazón del Nuevo Adán y la Nueva Eva. Es el comienzo de una alianza de amor con Cristo a través de María Santísima.

7–C: Maternidad espiritual vivida en el martirio de María

La maternidad espiritual no es un programa, ni un nuevo apostolado, ni algo que se haga siguiendo un conjunto de reglas. Nos convertimos en madres espirituales cuando llegamos a conocer íntimamente el amor apasionado de nuestro Esposo, Jesucristo, a través del poder de la Cruz y decidimos responder apasionadamente. La maternidad espiritual es un DON del Espíritu Santo que crece a medida que el Espíritu sana nuestros corazones femeninos a través de la preciosa Sangre de Jesús y nos transforma para convertirnos en una nueva creación.

Con motivo de la clausura del Concilio Vaticano II, el Papa Pablo VI habló proféticamente sobre las mujeres:

> Ha llegado la hora en que la vocación de la mujer se cumple en plenitud, la hora en que la mujer adquiere en el mundo una influencia, un peso, un poder jamás alcanzado hasta ahora.
>
> Por eso, en este momento en que la humanidad conoce una mutación tan profunda, las mujeres llenas del espíritu del Evangelio pueden ayudar tanto a que la humanidad no decaiga[334].

Lo que el Papa previó se realiza cuando las mujeres abrazan la identidad que Dios les dio como esposas de Jesús y madres espirituales. El Esposo se complace en compartir todo con su Esposa, de ahí la poderosa influencia de ella sobre el mundo.

San Juan Pablo II dijo que «la santidad se mide según el "gran misterio", en el que la Esposa responde con el don del amor al don

[334] Mensaje a las mujeres, 8 de Diciembre de 1965, w2.vatican.va

del Esposo [Jesús]»[335]. Una santa esposa de Jesús es aquella que responde con todo su corazón, abandonándose a Él completamente. Entonces el Esposo comparte su poder con ella para que cumpla su misión maternal para los hijos espirituales que Él les confía.

La Iglesia está descubriendo la necesidad urgente de que los sacerdotes tengan madres espirituales. A medida que Cristo purifica los corazones en el fuego de su Sagrado Corazón, restaura la capacidad de los hombres y las mujeres para amarse verdaderamente y complementarse mutuamente en el servicio del Reino. Por nuestro estado de quebrantamiento, nos cuesta creer que una relación madre-hijo entre mujeres y sacerdotes sea posible o incluso deseable. Tendemos a pensar solamente en los peligros que se derivan de nuestra naturaleza caída, pero también necesitamos creer que Cristo en el Calvario derramó su Espíritu para hacer todas las cosas nuevas. Él estableció la maternidad espiritual cuando unió a la Santísima Virgen María y san Juan como madre e hijo. El Señor continúa suscitando relaciones entre las madres espirituales y los sacerdotes, pero esto solo es posible en la medida en que sean verdaderamente almas víctimas, ¡*Uno* con la Víctima!

La misión de una madre espiritual es ayudar a sus hijos sacerdotes a vivir plenamente el llamado a ser víctimas y no olvidar su importancia. María fue al Calvario con san Juan y quiere llevar a cada sacerdote a su Hijo Crucificado. La madre de los Macabeos animó a cada uno de sus hijos a ser mártir: «al ver morir a sus siete hijos en el espacio de un solo día, sufría con valor porque tenía la esperanza puesta en el Señor»[336]. Es una relación que tiene que vivirse con la misma pureza, con la misma pasión y la misma dedicación con que la primera Madre de la Cruz, María Santísima, la vivió con el Discípulo Amado. Esto, en nuestra humilde opinión, es esencial para estos tiempos decisivos en que hemos entrado.

---

[335] *Mulieris Dignitatem*, N° 27. http://www.catolico.org/doc/mulieris_dignitatem.htm.
[336] *2 Mac* 7, 20.

137. Las madres son la fortaleza de los sacerdotes

—Diario de una MDC (IV estación del Vía Crucis: Jesús encuentra a su madre María).

> *Camina Conmigo en Mi Pasión. A través de María, Mi madre, recibí la fuerza y el celo que necesitaba para seguir hasta la Cruz... Ella no era solo Mi consuelo, sino también Mi fuerza. Mi Madre conoció y aceptó Mi misión... Con su gran y puro amor de Dios, ella me alentó y me llevó a la Cruz. Fue ella quien me animó a comenzar Mi misión en las bodas de Caná... ¿Ves la importancia de las santas madres que son iconos vivos de Mi Madre para Mis sacerdotes? Mis sacerdotes necesitan a estas santas madres para ayudarlos a fortalecerse y para animarlos* (20/2/09).

138. Llevaré a cada uno a la Cruz —Diario de una MDC

Yo, Madre de todos en el cielo y en la tierra, Madre de todos los sacerdotes, deseo su santidad. Igual que abracé a san Juan al pie de la Cruz, envuelto en la preciosa sangre de mi adorable Hijo, también quiero abrazar a cada sacerdote. En mi Hijo, cada uno de ellos es mi hijo. Los amo con mi maternal y puro corazón. Quiero llevarlos a ser santos como Jesús es santo; quiero llevarlos a la morada de Su Corazón traspasado. Llevaré a cada uno de ellos a la Cruz como acompañé a mi Hijo. Los formaré para ser víctimas perfectas como formé a mi Hijo. Pondré en sus corazones el amor de la Cruz como el Padre puso este amor en el Corazón de mi Hijo y en el Mío.

Hija mía, quiero que ayudes a cada sacerdote a venir a la Cruz; comparte con ellos tu experiencia de la Cruz. Pequeña Mía, comparte con ellos tu vida. Son los testimonios vivos de la gracia de Mi Hijo los que tocan y despiertan a los corazones. Diles que me permitan revelarles el amor de Jesús crucificado, solo este amor tiene el poder de transformar. Cuando cada uno de mis sacerdotes consagrados se una, a través de mi corazón, al Amor Crucificado, se abrirán los corazones de los fieles (5/08/09).

La fecundidad de María como madre espiritual es el fruto del martirio oculto de su corazón. Jesús lo explicó a Conchita de esta manera:

> Al pie de la Cruz nacieron sus hijos: Mi muerte les dio la vida en el Corazón de María, pero ella, antes de morir, debía en la tierra manifestar esa maternidad comprando con los crueles dolores de mi ausencia, las infinitas gracias presentes y futuras para sus hijos.
>
> La aureola especial de Madre de la humanidad, la conquistó María con sus martirios de soledad después de mi muerte[337].

Por lo tanto, una madre espiritual debe ser una madre de la Cruz, un alma víctima que entrega su vida por amor a sus hijos espirituales. El Ven. Arzobispo Luis Martínez comprendió el poder de las madres espirituales y animó a Conchita a perseverar en el amor:

> Tú también, como Jesús, debes amar al Padre en nombre de todos tus hijos y por todas las almas que Dios ha vinculado contigo a través de la extraordinaria gracia de la maternidad espiritual... Algunos de tus hijos amarán al Padre con muchas limitaciones. Tú debes compensar para ellos. Tal vez algunos —¡que el Señor no lo permita!— nunca amarán. Debes amar por ellos. Con qué deseo debes tratar de amar por todos para que al Padre no le falte ni siquiera una chispa de amor de tu familia espiritual[338].

---

[337] Bta. Conchita Cabrera de Armida, *Diario* (T. 41, pp. 286-288, 30 junio de 1917).

[338] Traducido de *To be Jesus Crucified*, (Alba House, 2013), pp.12-13. Notas del retiro conducido por monseñor Luis María Martínez para Conchita.

139. Estas palabras sobre las Madres de la Cruz le fueron dadas por nuestro Señor a nuestra Comunidad, Amor Crucificado:

> *Como Madres de la Cruz, rogad por Mis amados sacerdotes igual que rezáis por vuestros hijos. Dad vuestras vidas por ellos igual que la dais por vuestros hijos. Vuestras voces (MDC) están unidas siendo Una con Mi Madre ante el trono de Dios. Vuestras vidas unidas en María están derramando gracias sobre Mis sacerdotes.* (9/11/08)

> *Las Madres de la Cruz unen su fiat a Mi Madre de la Cruz como víctimas intercesoras. Viven una vida de oración, penitencia y sacrificio, unidas en Mi amor crucificado, para la expiación de los pecados y la santificación de Mis sacerdotes. Sus vidas ordinarias, vividas con sencillez, humildad, silencio interior y en oración, son una dulce fragancia que llega al Corazón de Mi Padre. Las oraciones, los sacrificios, los sufrimientos y las lágrimas de las madres, unidas a la Cruz por María, ¡son una fuerza oculta que santificará, purificará y ayudará en la salvación de muchas almas!*

140. Palabras de nuestra Madre Santísima a las Madres de la Cruz:

> *Las Madres de la Cruz son mis doncellas que, unidas a mí, renovarán el sacerdocio. Vuestro «fiat» a ser almas víctimas será perfeccionado en mí*

«Fíat». Vuestras vidas serán un paño sagrado que absorbe la preciosa Sangre de Jesús. De esta manera, vosotras seréis cálices puros y vivos, llenos de la Sangre de Jesús. Viviréis vuestras vidas ocultas como yo, en oración, sacrificio y sufrimiento. Vuestras vidas ocultas vividas en vuestros monasterios domésticos serán una fuente de gracia para la santificación de los sacerdotes.

Imitaréis a la perfección mis virtudes de humildad, sencillez, dulzura, silencio y caridad. Seréis mujeres con una intensa vida de oración, centradas en la Eucaristía. Vuestras vidas serán una ofrenda continua de oración mientras ofrecéis vuestros sacrificios y deberes diarios en el altar de vuestros hogares. Al amar en el sufrimiento, imitándonos a Jesús y a mí, serán nuestro gozo y consuelo (13/06/09).

Una madre espiritual es un alma víctima que, ante todo, ama al Señor y vive en total docilidad a Él. Él es el que la ha amado y la ha llevado a enamorarse de Él. Ella le da un cheque en blanco, teniendo plena confianza en *Abba*, y decimos Abba porque nos vemos como las niñas de sus ojos, ¡como una niña bajo la mirada contenta de su Padre que la ama apasionadamente! Por el amor de Dios por ella, una madre espiritual ama a todos los que Él pone en su corazón.

Santa Teresita de Lisieux vivió su maternidad espiritual como víctima de amor, siendo con su corazón apasionado, *Uno* con Jesús crucificado:

> Sentí un gran dolor al pensar que aquella sangre caía al suelo sin que nadie se apresurase a recogerla, y tomé la resolución de estar siempre con el espíritu al pie de la Cruz

para recibir el rocío divino que goteaba de ella, comprendiendo que luego tendría que DERRAMARLO SOBRE LAS ALMAS. También resonaba continuamente en mi corazón el grito de Jesús en la Cruz: «¡Tengo sed!». Estas palabras encendían en mí un ardor desconocido y muy vivo... Quería dar de beber a mi Amado, y yo misma me sentía devorada por la sed de almas... No eran todavía las almas de los sacerdotes las que me atraían, sino las de los grandes pecadores; ardía en deseos de arrancarles del fuego eterno... Y para avivar mi celo, Dios me mostró que mis deseos eran de su agrado[339].

Jesús inflamó especialmente su corazón maternal con el fuego de su amor por los sacerdotes. Escribe ella a su hermana:

Sí, Celina, vivamos para las almas..., seamos apóstoles..., salvemos sobre todo las almas de los sacerdotes. Esas almas debieran ser más transparentes que el cristal... Pero, ¡ay!, ¡cuantos malos sacerdotes, cuantos sacerdotes que no son lo bastante santos...! Oremos y suframos por ellos, y en el último día Jesús estará agradecido. ¡Nosotras le daremos almas...! ¿Comprendes, Celina, el grito de mi corazón...?[340].

Celina, siento que Jesús nos pide a ambas que saciemos su sed dándoles almas, especialmente las almas de los sacerdotes.

Convirtamos las almas. Este año debemos formar muchos sacerdotes que amen a Jesús y lo traten con la misma ternura con que María lo trató en la cuna[341].

---

[339] Sta. Teresita de Lisieux, *Historia de un alma,* Cap 5: Después de la gracia de Navidad http://www.archimadrid.es/elpilar/Parroquia/Docu/Historiadeunalma.pdf.

[340] Sta. Teresita, «Carta 94», 14 de julio de 1889. www.slideshare.net/EduardoSebGut/cartas-santa-teresita-de-lisieux-35816476

[341] Translated from Frederick L. Miller, *The Trial of Faith of St. Therese of Lisieux*, (Alba House, 1998), pp. 33-34.

Jesús enseñó a **Conchita** que, como madre espiritual de sacerdotes, su primera llamada fue a ser víctima de amor con Él en su vida ordinaria como esposa y madre:

> Quiero almas que se dediquen con fervor, con dedicación y determinación y sin buscar descanso, que oren día y noche por mis sacerdotes[342].

> Ofrécete en oblación por mis sacerdotes; únete a mi sacrificio para alcanzarles gracias... Es Cristo, siempre crucificado en los miembros de su Cuerpo místico, quién continúa salvando al mundo[343].

Jesús quiere que Conchita le dé santos sacerdotes. Unida a Él, ella pertenecerá a los sacerdotes porque su vida será una oblación por ellos. Jesús le dice:

> Este será el verdadero consuelo de mi Corazón, el de darme sacerdotes santos; dime que sí aceptas, que pertenecerás conmigo a los sacerdotes para siempre, porque en el cielo seguirá tu misión a su favor.
>
> Pero mira, otro martirio: **lo que los sacerdotes hagan en contra de Mí, tú lo sentirás, porque en esto consiste en el fondo el asociarte al sacerdocio mío en ellos: en que sientas y en que te duelan sus infidelidades y miserias.**
>
> De esta manera, das gloria a la Trinidad. Tendremos las mismas causas de padecer[344].

---

[342] Bta. Conchita Cabrera de Armida, http://www.apcross.org/sacerdotes.htm.

[343] Ibíd. *Diario espiritual de una madre de familia*, M.M. Philipon O.P. ed., pp. 152-153.

[344] Ibíd. P. 341 cita del «Diario de Conchita», 29 de nov. de 1928.

El Papa Benedicto XVI escribió sobre la intercesión de **santa Verónica Giuliani** como madre espiritual:

> Ella ofrece sus oraciones y sus sacrificios por el Papa, por su obispo, por los sacerdotes y por todas las personas necesitadas, incluidas las almas del purgatorio. Resume su misión contemplativa en estas palabras: «Nosotros no podemos ir predicando por el mundo para convertir almas, pero estamos obligadas a rezar continuamente por todas las almas que se encuentran en estado de ofensa a Dios... especialmente con nuestros sufrimientos, es decir, con un principio de vida crucificada». Nuestra santa concibe esta misión como «estar en medio», entre los hombres y Dios, entre los pecadores y Cristo crucificado[345].

El Papa Benedicto XVI dijo que **santa Catalina de Siena** «aun consciente de las faltas humanas de los sacerdotes, siempre tuvo una grandísima reverencia por ellos, pues dispensan, mediante los sacramentos y la Palabra, la fuerza salvífica de la sangre de Cristo». El Papa añadió:

> La llamaban «mamá» pues como hijos espirituales obtenían de ella el alimento del espíritu. También hoy la Iglesia recibe un gran beneficio del ejercicio de la maternidad espiritual de numerosas mujeres, consagradas y laicas, que alimentan en las almas el pensamiento de Dios, fortalecen la fe de la gente y orientan la vida cristiana hacia cumbres cada vez más elevadas. «Hijo os declaro y os llamo (escribe Catalina dirigiéndose a uno de sus hijos espirituales, el cartujo Giovanni Sabbatini), en cuanto yo os doy a luz mediante continuas oraciones y deseo en presencia de Dios, como una madre da a luz a su hijo»...
>
> La santa de Siena siempre invitó a los ministros sagrados, incluso al Papa..., a ser fieles a sus

---

[345] Audiencia general, 15 de dic de 2010. w2.vatican.va.

responsabilidades, impulsada siempre y solamente por su amor profundo y constante a la Iglesia[346].

Jesús dijo a santa Faustina:

Confío a tu cuidado dos perlas preciosas para Mi Corazón, que son las almas de los sacerdotes y las almas de los religiosos; por ellas rogarás de manera especial, la fuerza de ellas vendrá de tu anonadamiento. Las plegarias, los ayunos, las mortificaciones, las fatigas y todos los sufrimientos, los unirás a la oración, al ayuno, a la mortificación, a la fatiga, al sufrimiento Mío y entonces tendrán valor ante Mi Padre[347].

Unidos con todas las santas mujeres de Dios, oramos esta oración escrita por una Madre de la Cruz inspirada por la Bta. Conchita:

Señor mío y Dios mío, dame un corazón amoroso y humilde, un corazón valiente, lleno de celo y audacia, un corazón tierno, un corazón manso y dócil, dispuesto a tomar, una por una, las espinas que penetran tu tierno Corazón, y con ellas traspasar mi corazón sin otro deseo que ser tu consuelo en cada momento de mi vida.

Mi corazón está herido por amor a Ti, mi Señor; y movida por una profunda compasión, junto con María, con Conchita, y todas las santas mujeres que han caminado por el sendero de la maternidad espiritual desde el principio de los tiempos, me ofrezco por completo como víctima unida a la Víctima, para la santificación de todos los sacerdotes y la salvación de cada hombre en cada estado de vida. ¡Jesús, mi Salvador y mi Dios! ¡Sálvalos! ¡Sálvalos!

---

[346] Audiencia General, 24 Nov de 2010 w2.vatican.va

[347] Sta. Faustina Kowalska, *Diario,* N.° 531.

7–D: Los Sacerdotes deben recibir el don de la maternidad espiritual

Los sacerdotes deben anhelar el don de una madre espiritual, ya que es el designio del Señor para unirlos con Él. Si Dios mismo estableció este tipo de unión desde la Cruz al vincular a su madre con san Juan, ¿cómo podemos ignorarlo? ¿Por qué lo rechazamos o lo negamos? Él conoce nuestras debilidades y lo que necesitamos. Él conoce nuestros anhelos, nuestra soledad y nuestros desiertos. Él, siendo Dios, quería a su madre con Él.

Los que viven la maternidad espiritual, según la voluntad de Dios, gozarán de estos frutos: un sentido claro de identidad, la fuerza y el poder del Espíritu Santo en su vocación, fuerza en las tentaciones y dificultades, apoyo, consuelo, armonía en sus vidas, madurez espiritual, estabilidad espiritual, purificación y alegría.

¡Es una relación que, si es vivida correctamente, está llamada a dar mucho fruto! Lo que une a María y al Discípulo Amado es el amor extremo e incondicional que ambos sienten por Jesús. Por la voluntad de Dios, María ahora puede expresar su pasión de amor por Jesús con el discípulo amado. ¿Cómo? Dando su vida por él. ¡Juan, por su parte, se convierte en Cristo para amarla también con el mismo amor de su Señor! Él crece en santidad en plena conformidad con la voluntad de Dios que le pide desde la Cruz que ame a María y la reciba como su madre.

Desde el comienzo de la Iglesia, mujeres y hombres han servido juntos. Ellas estaban entre los discípulos de Jesús y san Pablo. El cardenal Ratzinger dijo a los obispos: «Las mujeres nunca fueron obispos o sacerdotes, pero estaban entre los que llevaron adelante la vida apostólica y su tarea universal». La relación de Jesús con las mujeres, descrita por san Juan Pablo II, es el modelo perfecto para los hijos espirituales: «Trascendiendo las normas establecidas de su propia cultura, Jesús trató a las mujeres con apertura, respeto, aceptación y ternura. De esta manera, honró la dignidad que las mujeres siempre han poseído de acuerdo con el plan de Dios y en su amor». Los sacerdotes de hoy también tienen que enfrentar el reto de trascender las normas establecidas.

En vista de la necesidad urgente de renovar el sacerdocio y de saber que las madres espirituales de sacerdotes están «destinadas a transmitirles la vida espiritual», podemos ver por qué el Cardenal Hummes, prefecto de la Congregación para el Clero, escribió:

> No podemos prescindir de una maternidad espiritual para nuestra vida sacerdotal… en la historia de la Iglesia [esta maternidad] siempre ha acompañado silenciosamente al elegido linaje sacerdotal: se trata de la consagración de nuestro ministerio a un rostro determinado, a un alma consagrada que esté llamada por Cristo y, por tanto, que elija ofrecerse a sí misma, sus sufrimientos necesarios y sus inevitables pruebas de la vida, para interceder en favor de nuestra existencia sacerdotal, viviendo de este modo en la dulce presencia de Cristo…
>
> Esta maternidad, en la que se encarna el rostro amoroso de María, es preciso pedirla en la oración, pues solo Dios puede suscitarla y sostenerla[348].

Jesús le dijo a santa Catalina de Siena que los hombres que se creen sabios se han vuelto orgullosos y que enviará a las mujeres a instruirlos:

> Sí; yo les enviaré mujeres, ignorantes y débiles por naturaleza, pero prudentes y poderosas con el auxilio de mi gracia para confundir su arrogancia. Si reconocen el estado de locura en que se encuentran, si se humillan, si se aprovechan de las instrucciones que les enviaré por medio de esos mensajeros débiles, pero fortalecidos por mis dones,

[348] Carta con motivo de la jornada mundial de oración por la santificación de los sacerdotes, 22 abril, 2008. http://www.vatican.va/roman_curia/congregations/cclergy/documents/rc_con_cclergy_doc_20080530_santificazione-sacerdotale_sp.html.

tendré misericordia de ellos. Pero si menosprecian estos saludables avisos, les enviaré tantas humillaciones que se convertirán en el ludibrio de todos[349].

¡Quién habría pensado que Dios renovaría el sacerdocio a través de madres espirituales! Pero para que los sacerdotes se beneficien de esta gracia, tienen que recibirla humildemente y reconocer cuando el Señor obra a través de las madres espirituales.

[349] San Francisco de Capua, *Vida de santa Catalina de Siena*, Parte II, Cap 1, http://www.cervantesvirtual.com/obra-visor/vida-de-santa-catalina-de-siena--0/html/ff8cf004-82b1-11df-acc7-002185ce6064_2.html#I_2.

7–E: Toda mujer está llamada a la maternidad espiritual de María

Según el Papa Francisco, la maternidad «no es sencillamente un dato biológico, sino que comporta una riqueza de implicaciones». Dijo que «la mujer tiene una sensibilidad especial para las "cosas de Dios", sobre todo en ayudarnos a comprender la misericordia, la ternura y el amor que Dios tiene por nosotros»[350]. La maternidad espiritual está en el alma de todas las mujeres.

Santa Benedicta de la Cruz escribió:

> Para entender nuestra singular naturaleza femenina, miremos al amor puro y a la maternidad espiritual de María. La maternidad espiritual es el núcleo del alma de una mujer. Esto es cierto, sea la mujer casada o soltera, profesional o doméstica o ambas, religiosa en el mundo o en el convento. A través de este amor, una mujer es el arma especial de Dios en su lucha contra el mal[351].

Algunos objetan diciendo que solo María puede ser madre espiritual, pero si reconocemos, como lo hizo santa Benedicta, que la maternidad espiritual es el núcleo del alma femenina, entonces todas las mujeres son llamadas por Dios a ser madres espirituales con María.

Cuando Isabel le dijo a María: «Tú eres bendita» (*Lc* 1, 42), la estaba reconociendo como la elegida de Dios; cuando añadió «entre todas las mujeres», estaba profetizando que todas las mujeres están llamadas a participar en la bendición y misión de María. Dios escogió a María «entre todas las mujeres», no para separarla de sus

---

[350] Papa Francisco - 25 aniv de *Mulieris Dignitatem*, 12 Oct 2013, w2.vatican.va.

[351] Benedicta de la Cruz, traducido de la cita de Freda Mary Oben en *The Life and Thought of St. Edith Stein* (New York: Alba House, 2001), p. 82.

hermanas, sino para que sea el canal de gracia para que todas ellas participen en su vocación.

El Padre Raniero Cantalamessa, predicador de la casa papal, escribió:

> Solo los hombres pueden ser sacerdotes, pero la sabiduría de Dios ha guardado para las mujeres una obra aún más elevada en cierto sentido, que el mundo no entiende y rechaza con desprecio: formar sacerdotes y contribuir a elevar la calidad, no la cantidad, del sacerdocio católico[352].

El Padre Cantalamessa cree que la difusión de la maternidad espiritual en todo el mundo es obra del Espíritu Santo en la Iglesia para estos tiempos:

> El Señor hoy está llamando a los fieles, cada vez en mayor número, a orar, a ofrecer sacrificios, a fin de tener sacerdotes santos. Una preocupación, una pasión, por sacerdotes santos se ha extendido como un signo de los tiempos por toda la Iglesia de hoy.
>
> El sacerdocio real y universal de los creyentes ha encontrado una nueva manera de expresarse: contribuir a la santificación del sacerdocio ministerial. Estas vocaciones se extienden cada vez más allá de los muros de los monasterios de clausura, donde han estado ocultas y están llegando a los fieles. Esta vocación se está extendiendo por todas partes, es un llamado que Dios dirige a muchos[353].

---

[352] Raniero Cantalamessa, traducido de *Sober Intoxication of the Spirit*, Part II, (Cincinnati:Servant Books), p. 61.

[353] Ibid. p. 60.

A continuación, se da un testimonio del poder de la maternidad espiritual. Una Madre de la Cruz abre su corazón a otra MDC respecto a su sufrimiento por un sacerdote en crisis:

Mi querida hermanita:

Tanta pena y dolor en nuestros corazones… ¿Cómo puedo expresar los sentimientos de mi corazón cuando oigo a un sacerdote decirme que el sacerdocio no era realmente su vocación y que está listo para empezar una nueva vida, buscar una buena esposa y tener una familia... Y en mi corazón, querida hermanita, siento que esto es lo mismo que si tú o yo dijéramos: «El matrimonio y la maternidad no son realmente mi vocación. No siento que estoy satisfecha con mi vida de esta manera, así que voy a comenzar una vida religiosa como una mujer consagrada. ¡Yo era demasiado joven, o me engañaron, o mi matrimonio fue arreglado!»

La verdad de esto es que la gente está abandonando la Cruz. ¡Ya nadie quiere perder su vida! Nadie quiere ofrecer su vida para salvar almas o sufrir con el Amado porque en realidad no hay Amado para ellos … Su primer amor es amor a su ego, autopreservación, autorrealización… Es desconcertante oír a un sacerdote decirte este tipo de cosas y verlo en paz, feliz y relajado, aceptando esto como una opción ante Dios, y luego justificar su posición porque pasó por depresión y ansiedad; y ¡¿por qué soportar eso?! Podríamos contarle un montón sobre nuestras ansiedades, nuestras depresiones y tristezas de nuestros corazones, todo lo que llevamos día tras día… ¡Al parecer, ahora un seguidor de Cristo, un discípulo de nuestro Señor, debe venir a este mundo para disfrutarlo, ser feliz, tener una vida agradable y satisfactoria! Sí, nuestra alegría y satisfacción debe ser consolar al Amado, sufrir con Él, acompañarlo en su pasión de amor por toda la humanidad, ¡eso es lo que debe ser un seguidor de Cristo! ¡Pero el mundo, la carne y Satanás están cambiando a la humanidad muy, muy rápido!

¿Quién quedará, querida hermanita? Creo que muy pocos permanecerán al pie de la Cruz, muy pocos aceptarán ser, con Cristo, una oblación para Abba, en reparación de los pecados del mundo, para salvar almas. Así que, siendo *Uno* con Cristo, solo podemos sufrir y llorar la pérdida de otro discípulo que abandona el verdadero AMOR, dejando ese eterno AMOR VERDADERO por un amor menor y efímero. ¡Ten piedad de nosotros, mi Señor!

Solo puedo amar y sufrir por este hijo espiritual donde está... Y espero y rezo para que un milagro cambie su modo de pensar y percibir la vida. Así que, ¡unamos nuestras oraciones, sacrificios y oblaciones de amor a nuestro Amor Crucificado, con verdadera confianza y creamos en la promesa de Abba para nosotros! ¡Seamos de los que permanecen, los que amamos a nuestro Señor y Salvador apasionadamente!

7–F:
Urgencia de la maternidad espiritual

La Iglesia reconoce que es más urgente que nunca levantar un ejército de madres espirituales para sacerdotes y seminaristas. El Cardenal Mauro Piacenza escribió:

> Esta obra de verdadero apoyo, que siempre ha sido esencial para la vida de la Iglesia, hoy parece más urgente que nunca, especialmente en el Occidente secularizado, que aguarda y necesita una nueva y radical proclamación de Cristo. Las madres de sacerdotes y seminaristas representan así un verdadero «ejército», que desde la tierra ofrece oraciones y sacrificios al cielo, y desde el cielo intercede en mayor número para que toda gracia y bendición pueda ser

derramada sobre las vidas de los sagrados ministros de la Iglesia[354].

La misión de la Comunidad Amor Crucificado es ayudar a levantar el ejército de Dios de almas víctimas, madres espirituales, para suscitar sus «Apóstoles de la Luz» para la batalla decisiva que está a la puerta:

141. Dad vida a Mis sacerdotes —Diario de una MDC

Vosotras, pequeñas Mías, sois el consuelo de Mi Corazón sufriente porque cada una de vosotras se ha unido a María, la Madre de Dios y la Madre de todos. Al contemplar a cada una de vosotras veo que irradiáis su belleza. Permitidle que os forme hasta la perfección.

Las necesito, Mis fieles hijas, para traer vida a Mis Misioneros de la Cruz. Son Mis mártires ocultos de amor, en unión perfecta con la Reina de los Mártires, quienes levantarán a Mis Apóstoles de la Luz.

Sabed que he fijado Mi morada en cada uno de vuestros corazones, por lo tanto, ***irradiad la humildad y la pureza de Mi Madre.*** *No os canséis, en vuestras vidas ocultas, de sufrirlo todo Conmigo, pues vosotras sois Mi resto Santo que Dios Padre usará para purificar Mi Iglesia y traspasar la oscuridad que la penetra. Por lo tanto, id hijas Mías, siendo Mis guerreras santas con María, a capturar al dragón y lanzarlo al infierno.*

---

[354] Cardinal Mauro Piacenza, (Prefecto de la Congregación para el Clero, 2 de enero, 2013) Traducida del inglés. Ver: «Maternidad spiritual».

Os bendigo con Mi Preciosa Sangre y os sello con el poder de Mi Cruz (1/4/11).

142. Renovad la Iglesia —Diario de una MDC

María*: Usaremos vuestras vidas ocultas, vividas en Jesús crucificado, para ayudar en la renovación de la Iglesia, en la santificación de los sacerdotes y en la salvación de muchas almas. Seréis la fuerza oculta que levante mi ejército de santos sacerdotes. Estos son los sacerdotes que darán paso al reinado de mi Inmaculado Corazón, un nuevo Pentecostés para la Iglesia. Los caminos de Dios no son los caminos del mundo. Él usará la vocación de la maternidad, unida a mí, para traer nueva vida a la Iglesia. Sabed que las tareas más comunes de la maternidad, vividas con amor sacrificado, agradan mucho al Padre. Él usará estas madres sencillas y generosas, unidas a mí, para renovar la Iglesia. Este es el poder de la Cruz: almas unidas al Amor Crucificado solo para amar a Jesús como Él os ha amado. Este es el amor que transformará al mundo* (13/06/09).

143. Levantad a los sacerdotes caídos
—Diario de una MDC

María lleva a mi corazón a las Estaciones de la Cruz. Ella me pide que, en cada caída de Jesús, contemple a los sacerdotes caídos y a una humanidad caída.

Cree, hija mía, que las Madres de la Cruz ayudarán a levantar a muchos de mis sacerdotes caídos. Sus vidas ocultas, vividas en profunda contemplación conmigo, serán una fuerza oculta para levantar a mis sacerdotes (3/2/09).

144. Permitid a Mi Madre formar a cada uno de vosotros
—Diario de una MDC

Es por medio de la vida oculta de las Madres de la Cruz que se levantará Mi ejército de santos sacerdotes. Estas madres espirituales vivirán las lágrimas y penas de sus corazones siendo una con Mi Madre Dolorosa. Los dolores de Mi Madre continúan derramando una lluvia de gracias sobre el mundo y, a medida que Mis MDC se hagan una con Mi madre, la lluvia se convertirá en un torrente de gracias. Por lo tanto, cada MDC ha de perfeccionarse viviendo su vida ordinaria con todas sus pruebas, penas, agotamiento... con amor puro y, de esta manera, encontrará su alegría; la alegría de saber que está participando en los dolores ocultos de Mi madre para la salvación de muchas almas.

Permitidle a Mi madre formar a cada una de vosotras, hijas Mías. Es la Rosa Mística la que quiere formar vuestros tiernos corazones. María revela los dolores de su corazón traspasado que siguen estando ocultos y las rosas de la oración, del sacrificio y de la penitencia. Debéis imitar a María y así vuestras vidas se convertirán en dulce fragancia de oración y viviréis vuestros sacrificios y penitencias en vuestros deberes más ordinarios como mujeres.

> *Vuestras vidas, siendo Mis víctimas de amor, pasarán desapercibidas para el mundo, pero las verán los ojos del Padre. Él usará vuestras vidas ocultas de amor para humillar a los soberbios. Sabed que sois Mi consuelo* (31/5/11).

145. Dad vida a los huesos muertos de Mis hijos
—Diario de una MDC

> *Es la fuerza oculta de las Madres de la Cruz la que ayudará a dar vida a los huesos muertos de Mis hijos (sacerdotes)* (10/8/11).

7–G:
Correspondencia entre sacerdotes y sus madres espirituales

Carta de un hijo espiritual, carta #1:

Muy querida en Cristo,

Creo que es providencial que yo sienta cada vez más fuerte mis incapacidades y mi pequeñez humana y cristiana. Es duro reconocerlas, pero están por todas partes. Incapacidades de amar, de comunicar el Evangelio, de ser un padre para las personas con quienes me relaciono en ámbito pastoral. Eso lleva consigo una tentación de desconfianza y de tristeza interior.

Intento ver y sentir la presencia de Dios en mi vida, pero no me viene, o mejor dicho, no viene como yo quisiera. Debo seguir mi purificación, caminar en la fe, incluso cuando el corazón se siente solo y agobiado, viendo las infinitas necesidades de la gente. En este camino interior de prueba, tus mensajes son un bálsamo y una luz que Dios me regala. Te los agradezco mucho. Dios dirá hasta cuándo estaré en esta fase, y qué es lo que en realidad debo aprender y entender.

Tu hijo que pide tu oración y humildemente te bendice,

Carta de un hijo espiritual, carta #2

Muy querida en el Señor,

Este contratiempo me puso a prueba. Podría haberme rebelado interiormente y asumido la actitud de víctima, buscando una sutil venganza o simplemente podría haber caído en amargura, pensando que «el otro se impuso». No fue fácil, pero he rechazado esas actitudes, sobre todo movido por la fe. Veo en esta prueba una señal de Abba que me pone en mis manos un sacrificio difícil para ofrecerlo... por muchas personas.

Estando con esta lucha interior, y pidiendo al Señor fuerza, comencé a celebrar la misa. Sentí inmediatamente una presencia del Espíritu en torno a mí, acompañándome. Era como una invitación a renovar, durante la misa, mi ofrecimiento como víctima al Señor con esta nueva situación, así lo hice y obtuve una casi total paz interior.

Vi que la gracia de Dios nos llega, pero para que dé su fruto completo, requiere que no solo la pidamos, sino que estemos dispuestos a acogerla, aunque sea doloroso.

Solo te pido que me ayudes con tu oración. Veo que el enemigo se dio cuenta de esta lucha interior en mí y con frecuencia me sugiere pensamientos de venganza, rebelión, etc. Hay que vencerlo con la oración.

Con mi afecto filial en san Juan, y mi bendición,

Carta de un hijo espiritual, carta #3

Muy querida en el Señor:

Hoy, día de san Juan, he podido orar tranquilamente ¡Qué suerte, qué felicidad la de san Juan, de poder acoger en su casa a la Virgen María! Ella sería como un recuerdo viviente de todo lo que Cristo hizo, dijo y pidió. Además caldearía en el corazón de Juan todo ese patrimonio para que él lo viviera a fondo y lo transmitiera al mundo.

Algo así el Señor me ha concedido vivir contigo. Yo mismo descubrí, casi sin quererlo, que era «tu san Juan». Seguramente debo aprender mucho, pero lo ya vivido ha sido grande. No nace ni de ti ni de mí, y mira a un futuro que no podemos imaginar.

Con la intercesión de san Juan, te bendigo, y pido tu bendición mariana y materna…

Carta de una madre espiritual, #1

GRACIAS por permitirme el honor de ser la custodia —como una con María, la Madre de la Cruz—, de tu vocación sacerdotal como tu madre espiritual. Esto es algo que atesoro y tomo muy en serio. ¡GRACIAS por bendecirme a mí y a mi familia a través de quién eres: ordenado sacerdote/víctima de Cristo!

Mi querido padre/hijo, a través de las palabras que me escribes, ¡veo la belleza de lo que Dios está haciendo en tu corazón! ¡Veo el poder del Espíritu Santo obrando la transformación de tu corazón! ¡He estado agradeciendo y alabando a Dios por su misericordia y amor que se prodigan sobre ti!

Sí, la Cruz es el lugar de nuestra profunda purificación, de nuestro morir a nosotros mismos, de soltar nuestro control, nuestros títulos, nuestro modo de pensar limitado… ¡Y es también el lugar donde entramos en la intimidad más profunda con Dios!

Padre, persevera en SUFRIR TODO CON JESÚS, y entrarás en el fuego del Espíritu Santo en el Sagrado Corazón de Jesús. Sigue PERSEVERANDO como leo que estás haciendo. Sí, no estás caminando solo, estoy contigo y tú conmigo. Nos estamos ayudando mutuamente, como María y san Juan, a morir como *Uno* con Cristo, ¡¡para que podamos llegar a ser los SANTOS para lo que Él nos creó!! ¡¡Los nuevos hombres y mujeres del Reino de Cristo!!

Mi corazón está lleno de ENTUSIASMO y ANTICIPACIÓN sabiendo cuán poderosamente el Espíritu está trabajando en ti. ¡CONFÍA! ¡CONFÍA! ¡CONFÍA! ¡Te estás volviendo un hombre nuevo, el nuevo Adán!

Que siempre seas consolado al recordar que te sostengo como la «fuerza oculta» de Dios. ¡Ruego por ti todos los días ante el Santísimo Sacramento, y es un gran honor ofrecer mi vida como sacrificio vivo con Jesús y María por ti! ¡¡Tus oraciones y sacerdocio me consuelan mucho y también me sostienen!! ¡¡GRACIAS DE NUEVO!!

¡Recibo humildemente tu bendición sacerdotal y te envío mi amor maternal a través de nuestra Madre de Dolores!

Carta de una madre espiritual, carta #2

Mi queridísimo Padre…, mi padre y mi hijo en Cristo:

¿¿Y tú dices que no has aprendido a ser PADRE?? ¡¡Eres PADRE hasta la médula!! Lo desbordas… Eres profundo, tierno, sensible, humilde… Cualidades importantísimas en un verdadero hombre de Dios, porque así es Cristo y así quiere Él a sus Sacerdotes. Y además, eres observador. ¡No se te escapa una! De hecho, porque escuchas y observas conoces el corazón humano. Tienes un gran sentido del humor: ¡uno que no ofende! ¡¡¡Bendito sea Dios!!!

Eres valiente… Solo te hizo falta un poquito de amor del corazón de tu madre-hija para salir de tu anonimato. Detrás de la timidez, detrás de los temores, se ocultaba el SACERDOTE MARAVILLOSO que eres y que yo me siento orgullosa de llamar Padre, de llamar hijo… El sacerdote de Cristo por el que doy gracias a Dios cada día, por el que con gusto ofrezco mi vida, el que le da sentido y enorme gozo a mi maternidad espiritual… ¿¿Te das cuenta cuán PADRE eres??

Tienes razón: Hemos vivido una preciosa aventura espiritual juntos… ¡¡Y las que nos quedan por vivir!! Y la cuestión es que, así como lo hizo la Santísima Virgen con su Jesús, así te acompañaré yo en tu sacerdocio. ¡Siempre tienes mi bendición maternal con todo el amor de mi corazón!

Tu madre-hija en Cristo,

Respuesta del hijo espiritual:

Estimada en Cristo,

Una vez más: muchas gracias por todo. Gracias por tu generoso interés. Tus mensajes me acompañan y me sostendrán toda mi vida sacerdotal...

Yo no tengo mucho más que decir en este momento. Simplemente que estoy impresionado por cuánto me has ayudado, que sé que puedo contar siempre con tu ayuda y de las demás almas víctimas. Con tus respuestas ya tengo bastante material para meditar por un buen tiempo y valorar más la vocación a la cual el Señor me ha llamado.

Carta de una madre espiritual, carta #3:

Mi Padrecito querido:

¡Cuatro años de sacerdote en esta Navidad! Ahora vengo a entender por qué tu sacerdocio es un regalo tan grande para mí... ¡¡¡Tu sacerdocio es un PRECIOSO regalo para Dios!!!

Él sabe lo mucho que te cuestan ciertas cosas que constituyen tu vida sacerdotal, te da la opción y ¡te anima a perder el miedo a volar! ¡¡A perder el miedo a amar!! Y a dejarte amar también, que eso también nos asusta... Y el Señor te dice a través de mí: «¡¡Tú nos llegas!!» Hay una simplicidad y sencillez tan preciosa en ti: ¡Eso me llega! Hay una pureza en ti tan bella: ¡Eso me llega! Hay una verdad que vive en ti: ¡Eso me llega! Hay tanto amor en ti que, aunque tímido aún para expresarse, está ahí... Con miedo a darse, sí, ¡¡¡pero está ahí!!! Y yo sé que cuanto más te abras al amor (que es perder el miedo a amar y a darse a los demás), más libre vas a ser y más vas a experimentar el verdadero gozo, la alegría de ver con los ojos de Dios, de llevar en ti sus mismos sentimientos, de llevar en ti la ternura de un Papá que nos ama con amor tierno, con amor de madre, como nos dice el Papa Francisco.

Escucha cuando puedas sus homilías en santa Marta. ¡¡¡La del 11 de diciembre es un tesoro!!!! Dios mismo nos afirma y confirma por medio de nuestro Santo Padre.

¡¡Cuánto te quiero mi Padrecito!! ¡Eres un regalo preciosísimo para mi corazón!

¡¡Por siempre, Feliz Navidad!! Nace en mi maternidad espiritual a una nueva vida en el Espíritu… ¡¡¡Cómo lo hizo el Niño Dios de María Santísima!!!

¡Recibe todo mi amor que se desborda por ti en esta Navidad Santa! ¡¡¡Bendito seas, mi padrecito!!!

¡Somos *Uno* con Jesús y María!

Capítulo Ocho

Preparación para la batalla decisiva

8–A: Signos de los tiempos y profecías

— ESTÉN PREPARADOS PARA LA BATALLA —

Cristo venció a Satanás en la Cruz, pero la batalla continúa ferozmente hasta su segunda venida. Las Sagradas Escrituras nos advierten:

> ¡Ay de la tierra y del mar!, porque el Diablo ha bajado a vosotros, rebosando furor, sabiendo que le queda ya poco tiempo —*Ap* 12, 12.

Este capítulo no trata sobre especulación apocalíptica. Busca más bien crear conciencia sobre lo que está sucediendo en el mundo y cómo debemos prepararnos para cumplir nuestra misión a la luz de lo que el Señor nos ha enseñado.

Nuestra tendencia, cuando enfrentamos algún peligro, es tratar de salvar nuestro cuerpo, pero, como hemos aprendido en este libro, la salvación de Cristo es una realidad mucho más grande. Este Camino a la unión con Dios contiene la formación para la batalla espiritual que ya ha comenzado. Puedes ver cómo el dragón está causando estragos en todas partes. Muchos se desesperarán, pero el resto fiel será capaz de dar testimonio de Cristo con la certeza de su victoria.

Vivimos en tiempos de persecución. El 10% de los cristianos del mundo sufren alguna forma de persecución por su fe; algunos sufren un verdadero genocidio. El 82% de la población cristiana de Irak ha sido asesinada o exiliada; dos tercios de los cristianos de Siria han sido asesinados o desplazados; Asia Bibi, una esposa y madre, languidece en una mazmorra pakistaní debido a su fe cristiana; en Nigeria, muchas iglesias han sido incendiadas, quemando vivos a los feligreses; en algunos países, las mujeres cristianas son secuestradas y vendidas como esclavas impunemente… Estos son solo ejemplos.

En Occidente: una gran apostasía.

Según un estudio de *Pew Research* del 2 de septiembre de 2015, la mayoría (52%) de los adultos estadounidenses criados como católicos abandonaron la Iglesia en algún momento de sus vidas y el 41% se mantienen alejados. Los bautismos y los matrimonios en la Iglesia han disminuido drásticamente. La situación en Europa es aún peor. En el año 2016, el 4% de los católicos alemanes asistía regularmente a la misa dominical y, según un estudio del Instituto Allensbach, el 60% de los «fieles» dicen que no creen en la vida después de la muerte y solo una tercera parte cree en la resurrección de Cristo. En Francia, una encuesta publicada por *Le Monde* (2007) encontró que el 51% de la población francesa se identifica como católica, ¡pero solo la mitad de los «católicos» creían en Dios![355]

Un cristianismo que no tiene la luz de Cristo es incapaz de dar testimonio a los no creyentes; se convierte en un escándalo y un

---

[355] The Telegraph, 10 de enero del 2007. http://www.telegraph.co.uk/news/worldnews/1539093/France-no-longer-a-Catholic-country.html

obstáculo para la evangelización. Pero la Iglesia sobrevivirá la tormenta con aquellos que permanezcan fieles a Cristo. Ellos serán cada vez más excluidos de la sociedad como si fueran un obstáculo para el progreso. Cada vez más cristianos son despedidos de sus empleos, penalizados o encarcelados por su fe, pero nada de esto es razón para ser pesimistas porque sabemos que Cristo ya ha triunfado. Se nos ofrece la oportunidad de acompañar a Cristo a la Cruz y ser sus instrumentos en estos tiempos decisivos.

— PREPARADOS COMO SAN MAXIMILIANO KOLBE —

Los gobiernos no podrán detener el colapso de la civilización. El terrorismo y la agitación social no se resolverán simplemente confiando en los esfuerzos humanos porque la raíz del problema es que el Señor de la vida ha sido rechazado. **¿Qué sucede cuando se apaga la luz? Quedamos en la oscuridad. Solo podemos volver a la luz volviendo a Cristo.**

Los cristianos tienen la misión de ser la luz del mundo. Como en el pasado, **la batalla será ganada por un resto fiel** de hombres y mujeres que el Señor está levantando para ser sus guerreros en estos tiempos decisivos. Para ser uno de ellos, debemos estar dispuestos a ser despojados de nuestro pecado y orgullo, y aprender a ser guiados por el Espíritu. Debemos discernir los signos de los tiempos y entrar en la batalla totalmente comprometidos, bien armados y dispuestos a entregar nuestras vidas.

Esta preparación es lo que el *Camino* nos ha estado enseñando. **La llamamos la preparación de san Maximiliano Kolbe** porque él vio los signos de los tiempos y se preparó. Fundó la Milicia de la Inmaculada conformada de guerreros espirituales totalmente consagrados a María. Cuando los nazis invadieron Polonia —su patria— en 1939, san Maximiliano había fundado el mayor convento franciscano del mundo. Para formar y preparar al pueblo, publicaban una revista mensual con una tirada de 1,000,000 de ejemplares y un periódico diario con 250,000 suscripciones.

San Maximiliano no tenía miedo de decir la verdad sobre los signos de los tiempos y sufrir conflictos, porque conocía la naturaleza de la batalla y su misión personal. Él escribió:

> Los tiempos modernos están dominados por Satanás y lo serán aún más en el futuro. Ni siquiera los hombres más inteligentes pueden entablar batalla con el infierno. Solo la Inmaculada ha recibido de Dios la promesa de la victoria sobre Satanás.
>
> Sin embargo, asunta al cielo, la Madre de Dios requiere nuestra colaboración. Busca almas que se consagren enteramente a ella, que sean en sus manos instrumentos para la derrota de Satanás y la propagación del Reino de Dios en la tierra[356].

Los nazis destruyeron todo, pero no pudieron destruir las almas que estaban preparadas. La preparación de san Maximiliano no era para evitar el sufrimiento, sino para poder llevar a cabo plenamente la misión que el Señor le encomendó en medio de enormes pruebas: ser fiel y ser un faro de luz para los demás. El miedo al sufrimiento y a la muerte no pudieron detenerlo. Mientras muchos cristianos colaboraron con el mal o cayeron en la desesperación durante la Segunda Guerra Mundial, san Maximiliano estaba listo para dar su vida como un mártir en Auschwitz.

No sabemos si seremos llamados al martirio derramando nuestra sangre, pero todos debemos vivir el martirio blanco: sufrir fielmente con Jesús en estos tiempos difíciles. No sabemos cuándo llegará el fin del mundo, lo que sí sabemos es que cada uno de nosotros tiene una misión en esta batalla y un tiempo corto para cumplirla. No hay tiempo que perder.

---

[356] San Max. Kolbe, traducción de cita del P. Jeremiah J. Smith, *The Knight of the Immaculate: Father Maximilian Kolbe* (Pickle Partners Publishing, Nov 11, 2016) books.google.com.

> Por tanto, estad en vela, porque no sabéis qué día vendrá vuestro Señor. Comprended que si supiera el dueño de casa a qué hora de la noche viene el ladrón, estaría en vela y no dejaría que abrieran un boquete en su casa. Por eso, estad también vosotros preparados, porque a la hora que menos penséis viene el Hijo del hombre (*Mt* 24, 42-44).

— EL PROPÓSITO DE LA PROFECÍA —

Jesús inauguró un período de tiempo llamado los «Últimos Tiempos». Es llamado así porque Él es la revelación completa y definitiva. No hay nada que ningún profeta pueda agregar a Cristo, y ningún signo puede apuntar a otra dirección[357]. San Agustín escribió: «Aunque Dios es Todopoderoso, no puede dar más; aunque supremamente sabio, no sabe dar más; aunque inmensamente rico, no tiene nada más que dar». Esto no significa que la profecía haya cesado, sino que ahora su propósito es **llevarnos a una comprensión más profunda de lo que Cristo ya ha revelado.** Esta es la obra del Espíritu Santo: «En mi Nombre les enseñará todo y les recordará lo que les he dicho»[358].

Por medio de la profecía, el Espíritu Santo reaviva en nosotros el fuego de la Palabra de Cristo, nos enseña a leer los signos de los tiempos y nos da entendimiento para que podamos cooperar en su obra y permanecer en Él a través de las pruebas. Los profetas nos amonestan y nos llaman al arrepentimiento. El Cardenal Ratzinger, comentando las profecías de Fátima, dijo: «La profecía en el sentido de la Biblia no significa predecir el futuro, sino explicar la voluntad de Dios para el presente, lo cual muestra el recto camino hacia el futuro»[359].

Muchos ignoran los signos de los tiempos y las profecías, argumentando que Jesús nos dijo que no conocemos ni el día ni

---

[357] Cf. *Catecismo de la Iglesia Católica* N° 66: "La economía cristiana, como alianza nueva y definitiva, nunca cesará y no hay que esperar ya ninguna revelación pública antes de la gloriosa manifestación de nuestro Señor Jesucristo".

[358] *Jn* 14, 26.

[359] Ratzinger, "Mensaje de Fátima, comentario teológico", 26 de junio del 2000, www.vatican.va.

la hora. Sin embargo, precisamente porque no lo sabemos, debemos estar atentos como enseña san Pablo:

> Vosotros sabéis perfectamente que el Día del Señor vendrá como un ladrón en plena noche. Cuando la gente afirme que hay paz y seguridad, la destrucción caerá sobre ellos repentinamente, como los dolores del parto sobre una mujer embarazada, y nadie podrá escapar.
>
> Pero vosotros, hermanos, no vivís en tinieblas para que ese día os sorprenda como un ladrón: todos vosotros sois hijos de la luz, hijos del día. Nosotros no pertenecemos a la noche ni a las tinieblas. No nos durmamos, entonces, como hacen los otros: permanezcamos despiertos y seamos sobrios[360].

La analogía de san Pablo que habla de una mujer embarazada es significativa. Ella tiene que estar atenta a los signos y síntomas de su cuerpo durante todo el embarazo, no solo el día del parto. Ella no conoce su «hora» de antemano, pero sería necia si retrasara los preparativos hasta que comiencen los dolores de parto. De la misma manera, los cristianos deben estar atentos a medida que se desarrollan los signos de los tiempos; signos del «embarazo» de nuestros tiempos, en los que debemos trabajar en Cristo. «La creación entera, hasta el presente, gime y sufre dolores de parto. Y no solo ella: también nosotros»[361].

La batalla es más peligrosa cuando pensamos que todo está seguro y en paz porque entonces la complacencia nos ciega. ¿Por qué somos tan buenos leyendo los signos que nos interesan, los que afectan nuestro negocio o nuestros planes personales? ¿Estamos atentos a los signos del Señor de la misma manera? ¿Son sus planes nuestra prioridad? ¿Nos damos cuenta de que Él espera que estemos atentos a los signos de los tiempos y que respondamos?

---

[360] *1 Ts* 5, 2-6.
[361] *Rm* 8, 22-23.

> Cuando veis que una nube se levanta en occidente, decís enseguida que va a llover, y así sucede. Cuando sopla viento del sur, decís que hará calor, y así sucede. ¡Hipócritas! Sabéis discernir el aspecto de la tierra y del cielo; ¿cómo entonces no sabéis discernir el tiempo presente?[362].

La verdadera profecía va contra la corriente cultural. La cultura es como una corriente muy poderosa que arrastra con ella todo lo que encuentra a lo largo de su cauce que no está firmemente anclado. Muchos cristianos están siendo arrastrados por la cultura, están acomodando su forma de entender el Evangelio a la «nueva norma» imperante y por ello eso incapaces de discernir las profecías o los signos de los tiempos. Los profetas suelen ser ignorados porque son personas sencillas y ordinarias; Dios escoge a los humildes para confundir a los orgullosos.

> Papa Francisco
>
> Muchas veces nos encontramos, entre nuestros fieles, ancianitas sencillas que quizá no terminaron la escuela primaria, pero que te hablan de las cosas mejor que un teólogo, porque tienen el Espíritu de Cristo [...]
>
> La autoridad de Jesús —y la autoridad del cristiano— viene precisamente de esta capacidad de entender las cosas del Espíritu, de hablar la lengua del Espíritu; viene de esta unción del Espíritu Santo[363].

Las falsas profecías son otra razón por la que muchos ignoran las verdaderas. La falta de fe madura y de discernimiento, junto con la curiosidad y la fascinación por conocer el futuro, conducen a la especulación inútil y a la proliferación de falsas profecías, **pero debemos tener cuidado de una reacción opuesta que cierra nuestros corazones a los auténticos mensajeros de Dios.** Israel sufrió muchas calamidades por su rechazo a los

---

[362] *Lc* 12, 55-56.
[363] Homilía en Sta. Marta, 2 sept de 2014, w2.vatican.va.

profetas. Haber rechazado a Cristo ocasionó la destrucción de Jerusalén y el fin del mundo como lo conocían los judíos. Jesús se lamentó: «¡Si tú también hubieras comprendido en este día el mensaje de paz! Pero ahora está oculto a tus ojos. Vendrán días desastrosos para ti… porque no has sabido reconocer el tiempo en que fuiste visitada por Dios» (*Lc* 19, 42-44).

— El Discernimiento es esencial —

Es fácil aceptar o rechazar profecías sin discernimiento, pero eso bloquea la guía del Señor. San Pablo escribe: ««No extingáis la acción del Espíritu; no despreciéis las profecías; examinadlo todo y quedaos con lo bueno» (*1 Ts* 5, 19-21).

Las profecías y los signos de los tiempos deben discernirse en el contexto de la Fe Católica porque el mismo Espíritu habla a toda la Iglesia. Esto requiere arduo trabajo y humildad. El Cardenal Ratzinger, como prefecto de la Congregación para la Doctrina de la Fe, escribió cuando se hizo público el secreto de Fátima:

> Interpretar los signos de los tiempos a la luz de la fe significa reconocer la presencia de Cristo en todos los tiempos. En las revelaciones privadas reconocidas por la Iglesia… —y por tanto también en Fátima— se trata de esto: **ayudarnos a comprender los signos de los tiempos y a encontrar la justa respuesta desde la fe ante ellos**…
>
> Comprender los signos de los tiempos significa comprender la urgencia de la penitencia, de la conversión y de la fe. Esta es la respuesta adecuada al momento histórico, que se caracteriza por grandes peligros y que serán descritos en las imágenes sucesivas….
>
> El ángel con la espada de fuego a la izquierda de la Madre de Dios recuerda imágenes análogas en el Apocalipsis. Representa la amenaza del juicio que incumbe sobre el mundo. La perspectiva de que el mundo podría ser reducido a cenizas en un mar de llamas, hoy no es

> considerada absolutamente pura fantasía: el hombre mismo ha preparado con sus inventos la espada de fuego[364].

La Iglesia nos enseña a valorar la revelación privada para: «ayudar a vivirla [la revelación pública] más plenamente en una cierta época de la historia»[365].

El Papa Francisco nos enseña cómo discernir:

> Debemos abrirnos a la fuerza del Espíritu y comprender bien qué sucede dentro de nosotros y fuera de nosotros… ¿Cómo se puede hacer esto que la Iglesia llama «conocer los signos de los tiempos»? Los tiempos cambian. Es característico de la sabiduría cristiana conocer estos cambios, conocer los diversos tiempos y conocer los signos de los tiempos…
>
> Ante todo, es necesario el silencio: hacer silencio y mirar, observar. Y después reflexionar dentro de nosotros. Un ejemplo: ¿por qué ahora hay tantas guerras? ¿Por qué ha sucedido todo esto? Y rezar. …silencio, reflexión y oración. Solo así podremos comprender los signos de los tiempos, aquello que Jesús quiere decirnos[366].

---

[364] Cardenal Ratzinger (Benedicto XVI), Congregación para la Doctrina de la Fe, "El Mensaje de Fátima" www.vatican.va.

[365] *Catecismo de la Iglesia Católica,* N° 67.

[366] Meditaciones diarias, 23 Oct. del 2015, w2.vatican.va.

— Abrazar la Cruz y ser valientes —

¿Por qué san Juan Pablo II repitió con frecuencia «No tengáis miedo» si no es porque vamos a enfrentar tormentas que requieren gran valentía? ¿Por qué dijo que viene una nueva primavera, sino para levantar nuestras esperanzas mientras soportamos un duro invierno? ¿Por qué consagró la Iglesia a María Santísima y nos la presentó con tanta insistencia sino para que la escucháramos y camináramos con ella a la Cruz?

Necesitamos valor para ver la verdad sobre los tiempos en que vivimos y tomar nuestro lugar en la batalla. Debemos saber quiénes somos y cuál es la misión que Dios nos ha dado a cada uno. Así podremos fortalecer nuestras relaciones familiares. También es importante pertenecer a una comunidad donde los hermanos comunican el amor, la verdad y la sanación de Dios para poder abrazar la Cruz y perseverar en Cristo.

8–B: Aprendiendo de las profecías

Los santos abrazaron de corazón las instrucciones y advertencias de Dios y por lo tanto pudieron soportar muchas pruebas, mientras que muchos cristianos, por no prepararse, fueron arrastrados por la marea del mundo. Las profecías del pasado son para todos los tiempos. San Cipriano escribió en el siglo III:

> Amenaza ahora una lucha más dura y feroz, a la cual se deben preparar los soldados de Cristo con una fe incorrupta y una virtud robusta, considerando que es por eso que beben todos los días el cáliz de la Sangre de Cristo, para poder derramar ellos la Sangre de Cristo[367].

También hay muchas profecías para nuestros tiempos, pues el profeta Amós escribió: «Ciertamente el Señor Dios no hace nada sin revelar su secreto a sus siervos los profetas»[368].

El Señor nos está preparando **por medio de los Papas, las palabras proféticas de Nuestra Señora, los santos, así como también por los mensajes recibidos por personas ordinarias, incluyendo los mensajes dados a nuestra comunidad. Él nos llama al arrepentimiento, a la conversión y nos enseña un camino para unirnos con Él. También nos advierte sobre las consecuencias si obstinadamente lo ignoramos.**

[367] San Cipriano, mártir, siglo III. «Carta 58», N° 1.
[368] *Amos* 3, 7.

«LA ÚLTIMA PRUEBA DE LA IGLESIA»

Catecismo de la Iglesia Católica[369]

Antes del advenimiento de Cristo, la Iglesia deberá pasar por una prueba final que sacudirá la fe de numerosos creyentes[370]. La persecución que acompaña a su peregrinación sobre la tierra[371] desvelará el "Misterio de iniquidad" bajo la forma de una impostura religiosa que proporcionará a los hombres una solución aparente a sus problemas mediante el precio de la apostasía de la verdad. La impostura religiosa suprema es la del Anticristo, es decir, la de un seudo-mesianismo en que el hombre se glorifica a sí mismo colocándose en el lugar de Dios y de su Mesías venido en la carne[372].

Esta impostura del Anticristo aparece esbozada ya en el mundo cada vez que se pretende llevar a cabo la esperanza mesiánica en la historia, lo cual no puede alcanzarse sino más allá del tiempo histórico a través del juicio escatológico: incluso en su forma mitigada, la Iglesia ha rechazado esta falsificación del Reino futuro con el nombre de milenarismo[373], sobre todo bajo la forma política de un mesianismo secularizado, «intrínsecamente perverso»[374].

La Iglesia solo entrará en la gloria del Reino a través de esta última Pascua en la que seguirá a su Señor en su muerte y su Resurrección (cf. *Ap* 19, 1-9). El Reino no se realizará, por tanto, mediante un triunfo histórico de la Iglesia (cf. *Ap* 13, 8) en forma de un proceso creciente, sino por una victoria de Dios sobre el último desencadenamiento del mal (cf. *Ap* 20, 7-10) que hará descender desde el Cielo a su Esposa (cf. *Ap* 21, 2-4). El triunfo de Dios sobre la rebelión del mal tomará la forma de Juicio final (cf. *Ap* 20, 12)

---

[369] CIC N° 675-677.

[370] Cf. *Lc* 18, 8; *Mt* 24, 12.

[371] Cf. *Lc* 21, 12; *Jn* 15, 19-20.

[372] Cf. *2 Ts* 2, 4-12; *1 Ts* 5, 2-3;2 *Jn* 7; *1 Jn* 2, 18.22.

[373] Cf. DS 3839.

[374] Cf. Pío XI, en *Divini Redemptoris*, condena el "falso misticismo" de esta "falsificación de la redención de los humildes"; GS N° 20-21.

después de la última sacudida cósmica de este mundo que pasa (cf. *2 P* 3, 12-13).

Como las vírgenes prudentes del Evangelio, el Señor espera que estemos atentos a su venida y que **preparemos el mundo a través de nuestro testimonio y evangelización.** El cardenal Mauro Piacenza, prefecto de la Congregación para el Clero, dijo en una reunión de sacerdotes en Los Ángeles, California:

> La Iglesia es capaz de resistir a todos los ataques, a todos los asaltos que las potencias políticas, económicas y culturales pueden desencadenar contra ella, pero no resiste al peligro que proviene de olvidar esta palabra de Jesús: «Vosotros sois la sal de la tierra, vosotros sois la luz del mundo». El mismo Jesús indica la consecuencia de este olvido: «Si la sal se hace insípida, ¿cómo se preservará el mundo de la corrupción?»[375].

En tiempos de prueba, Dios suscita modelos para recordarnos que Cristo es más poderoso que el mundo. Uno de ellos es Tito Brandsma, un frágil y pacífico sacerdote holandés. Los nazis lo llamaban «ese pequeño fraile peligroso», temían el poder de su testimonio y sus palabras. Tito, al aferrarse al amor y a la verdad, entró en conflicto con las fuerzas del mal. Escribió: **«Solo el que tenga el valor de entrar en conflicto con el mundo lo puede ganar para Cristo»** Murió mártir, ejecutado en Dachau el 26 de julio, 1942.

El cardenal Ratzinger desafió a los obispos con el mismo mensaje:

> No debe haber un concepto de «comunión» en el que el evitar conflictos sea el valor pastoral primordial. La fe es siempre también una espada y de hecho puede promover

---

[375] M. Piacenza, "El sacerdocio en el siglo XXI", 4 de Oct del 2011, https://www.facebook.com/note.php?note_id=255403751169329, cf. Mateo 5,13-14.

conflictos por causa de la verdad y el amor (cf. Mt. 10, 34)[376].

8–B–1
— Los Papas modernos frente a la batalla —

La batalla espiritual aumentó dramáticamente en la década de los sesenta por el secularismo y el relativismo. La revolución sexual se extendía como una epidemia. El Papa Juan XXIII había previsto que la Iglesia necesitaba urgentemente una renovada confianza en el poder de Dios y en 1959 sorprendió a todos anunciando el Concilio Vaticano II[377]. En Pentecostés de ese año, el Papa imploró a toda la Iglesia que orara a Dios: «Renueva tus maravillas en nuestros días como en un nuevo Pentecostés».

El Concilio abrió las puertas a una nueva apreciación de la acción dinámica del Espíritu Santo, tanto en la Iglesia como en cada creyente: la conciencia de que todos los bautizados son llamados a la santidad (llamada universal a la santidad) y la importancia de vivir la fe y llevarla al mundo. Pero surgió una batalla, muchos intentaron utilizar las enseñanzas del Concilio para acomodar la Iglesia a la cultura secular. Hubo una fuerte oposición cuando el Papa Pablo VI, en su encíclica *Humanae Vitae*[378], advirtió que la mentalidad anticonceptiva conduciría al deterioro del matrimonio y la familia. El tiempo demostró que sus palabras fueron proféticas.

---

[376] J. Ratzinger, a los obispos, Mayo de 1998. Traducido de cita en: *New Outpourings of the Holy Spirit,* (Ignatius Press, October, 2007) p. 59.

[377] Juan XXIII anunció el Concilio el 25 enero del 1959; lo convocó el 25 de dic. del 1961.

[378] 25 de julio de 1968.

— SAN JUAN PABLO II —

Nadie estaba más consciente de la crisis en la Iglesia y en el mundo que san Juan Pablo II. Dos años antes de ascender al Papado, dijo en una visita a Estados Unidos:

> Estamos ahora frente a la mayor confrontación histórica que la humanidad ha atravesado. No creo que amplios círculos de la sociedad estadounidense o amplios círculos de la comunidad cristiana se den cuenta de esto completamente. Estamos ahora enfrentando la confrontación final entre la Iglesia y la anti-Iglesia, el Evangelio y el anti-evangelio.
>
> Tenemos que estar preparados para pasar grandes pruebas en un futuro no muy lejano; pruebas que requerirán que estemos dispuestos incluso a entregar nuestras vidas, y una donación total de nosotros mismos a Cristo y por Cristo. A través de vuestras oraciones y las mías, es posible aliviar esta tribulación, pero ya no es posible evitarla ... ¡Cuántas veces la renovación de la Iglesia se ha producido con sangre! No va a ser diferente esta vez[379].

Años más tarde el nuncio Papal recordó este mensaje a los obispos de los Estados Unidos en su asamblea general[380].

El Papa Juan Pablo II había vivido en su propia carne la batalla contra los poderes diabólicos durante la Segunda Guerra Mundial y la subsiguiente ocupación comunista de su amada Polonia. Entendió la raíz del problema: la civilización occidental estaba perdiendo rápidamente su fe cristiana y sus principios morales y por lo tanto se dirigía hacia la autodestrucción. Cuando la luz de Cristo es rechazada, los demonios se aprovechan de la oscuridad, y el nihilismo abre el camino a las ideologías radicales. Un fruto de esa oscuridad fue la legalización del «derecho» a matar a los no

---

[379] K. Wojtyla, a los obispos de USA, 1976, *Wall Street Journal*, 9 de Nov. del 1978.

[380] http://www.usccb.org/about/leadership/usccb-general-assembly/2013-november-meeting/nuncio-address-2013.cfm

nacidos. Este nuevo holocausto pronto cobró más vidas que las dos guerras mundiales combinadas.

El Papa comprendió que Dios le había asignado «una tarea especial en la situación actual del hombre, de la Iglesia y del mundo»[381]. Tenía por seguro que la clave para ganar la batalla era «abrir las puertas a Cristo» y proclamar con urgencia la necesidad de entender y recibir la misericordia de Dios, como el Señor le reveló a santa Faustina[382].

Visitando los Estados Unidos, esta vez como Papa, Juan Pablo II dijo:

> Este mundo... es el teatro de una batalla interminable que está librándose por nuestra dignidad e identidad como seres libres y espirituales. Esa lucha tiene su paralelismo en el combate apocalíptico (cf. *Ap* 11, 19; 12, 1-6)...
>
> En nuestro siglo, más que en cualquier otra época de la historia, la cultura de la muerte ha adquirido una forma social e institucionalizada de legalidad para justificar los más horribles crímenes contra la humanidad: el genocidio, las soluciones finales, las limpiezas étnicas y el masivo quitar la vida a los seres humanos aun antes de su nacimiento, o también antes de que lleguen a la meta natural de la muerte...
>
> Existe una gran confusión en amplios sectores de la sociedad acerca de lo que está bien y lo que está mal, y están a merced de quienes tienen el poder de crear opinión e imponerla a los demás. La familia se halla especialmente atacada...
>
> El «dragón» (*Ap* 12, 3), el «príncipe de este mundo» (*Jn* 12, 31) y el «padre de la mentira» (*Jn* 8, 44), intenta incesantemente desarraigar del corazón humano el sentido de gratitud y respeto al don original, extraordinario y

---

[381] JPII, Santuario del Amor Misericordioso en Collevalenza, Italia, 22 de Nov. 1981.

[382] JPII la canonizó. Primera del siglo XXI.

fundamental de Dios: la misma vida humana. Hoy esa batalla ha llegado a ser cada vez más directa[383].

— **PAPA BENEDICTO XVI** —

Muchos años antes de ser Papa, Ratzinger previó que «**la Iglesia se haría pequeña**»

[La Iglesia] se hará pequeña, tendrá que empezar todo desde el principio. Ya no podrá llenar muchos de los edificios construidos en una coyuntura más favorable. Perderá adeptos, y con ellos muchos de sus privilegios en la sociedad... Como pequeña comunidad, reclamará con mucha más fuerza la iniciativa de cada uno de sus miembros...

Le resultará muy difícil. En efecto, el proceso de la cristalización y la clarificación le costará también muchas fuerzas preciosas. La hará pobre, la convertirá en una Iglesia de los pequeños. El proceso resultará aún más difícil porque habrá que eliminar tanto la estrechez de miras sectaria como la voluntariedad envalentonada. Se puede prever que todo esto requerirá tiempo. El proceso será largo y laborioso, al igual que también fue muy largo el camino que llevó de los falsos progresismos, en vísperas de la revolución francesa, cuando también entre los obispos estaba de moda ridiculizar los dogmas y tal vez incluso dar a entender que ni siquiera la existencia de Dios era en modo alguno segura... Pero tras la prueba de estas divisiones surgirá, de una Iglesia interiorizada y simplificada, una gran fuerza, porque los seres humanos serán indeciblemente solitarios en un mundo plenamente planificado. Experimentarán, cuando Dios haya desaparecido totalmente para ellos, su absoluta y horrible pobreza. Y entonces descubrirán la pequeña comunidad de los creyentes como algo totalmente nuevo. Como una

---

[383] Homilía de la Solemnidad de la Asunción, 8vo. Día Mundial de la Juventud, (Cherry Creek State Park, Denver, Colorado, USA, 15 Agosto, 1993) w2.vatican.va

> esperanza importante para ellos, como una respuesta que siempre han buscado a tientas. A mí me parece seguro que a la Iglesia le aguardan tiempos muy difíciles. Su verdadera crisis apenas ha comenzado todavía. Hay que contar con fuertes sacudidas. Pero yo estoy también totalmente seguro de lo que permanecerá al final: no la Iglesia del culto político…, sino la Iglesia de la fe. Puede que no vuelva a ser la fuerza dominante en la sociedad en la medida en que lo fue hasta hace poco tiempo, pero florecerá de nuevo y se hará visible a los seres humanos como la patria que les da vida y esperanza más allá de la muerte[384].

El Papa Benedicto vio claramente que los cristianos enfrentarán grandes pruebas en un futuro próximo, pero también vio que con la fe las pruebas se convierten en oportunidades para dar gloria a Dios, como dijo a los jóvenes:

> Queridos amigos, que ninguna adversidad os paralice. No tengáis miedo al mundo, ni al futuro, ni a vuestra debilidad. El Señor os ha otorgado vivir en este momento de la historia para que gracias a vuestra fe siga resonando su Nombre en toda la tierra[385].

El futuro depende de que permitamos a Dios ser el centro. El Papa habló de una crisis causada por la pérdida de la fe:

> Realmente, el mundo está en la oscuridad allí donde el hombre no reconoce ya su vínculo con el Creador, poniendo en peligro asimismo su relación con las demás criaturas y con la creación misma. El momento actual está marcado lamentablemente por un profundo malestar y por diversas

---

[384] J. Ratzinger, *Fe y Futuro,* http://www.opusdei.es/es-es/article/libro-electronico-fe-y-razon-segun-benedicto-xvi/ .

[385] Papa Benedicto XVI, homilía, Madrid, España (20 de agosto, 2011), w2.vatican.va.

crisis: económicas, políticas y sociales, que son su expresión dramática[386].

Nuestros problemas aumentarán hasta que regresemos a Dios y le demos autoridad sobre nuestras vidas para ser su presencia en el mundo. Esto es lo que enfrentamos según el Papa Benedicto XVI:

> A mi parecer, el destino del mundo en esta situación dramática depende de esto: de si Dios, el Dios de Jesucristo, está presente y si es reconocido como tal, o si desaparece[387].

> Es fundamental que toda la comunidad católica de Estados Unidos llegue a comprender las graves amenazas que plantea al testimonio moral público de la Iglesia, el laicismo radical, que cada vez encuentra más expresiones en los ámbitos político y cultural. Es preciso que en todos los niveles de la vida eclesial se comprenda la gravedad de tales amenazas[388].

> La formación de líderes laicos comprometidos y la presentación de una articulación convincente de la visión cristiana del hombre y de la sociedad siguen siendo la tarea principal de la Iglesia en vuestro país[389].

> Vemos cómo el mal quiere dominar en el mundo y que es necesario entrar en lucha contra el mal. Vemos cómo lo hace de tantos modos, cruentos, con distintas formas de violencia, pero también enmascarado como el bien, destruyendo así las bases morales de la sociedad[390].

---

[386] Ibíd. Al Cuerpo diplomático, (9 de enero, 2012), w2.vatican.va.
[387] Ibíd. Homilía a la Conferencia de Obispos Suizos (7 de Nov., 2006), w2.vatican.va.
[388] Ibíd. Discurso a los obispos de USA, (19 enero, 2012).
[389] Ibíd.
[390] Ibíd. Discurso al Colegio Cardenalicio, (22 de Mayo de 2012), es.zenit.org.

Papa Benedicto XVI, comentando el evangelio de los labradores que son ajusticiados por matar al hijo, dijo:

> Esos labradores constituyen un espejo también para nosotros… Queremos poseer el mundo y nuestra misma vida de modo ilimitado. Dios es un estorbo para nosotros. O se hace de él una simple frase devota o se lo niega del todo, excluyéndolo de la vida pública, de modo que pierda todo significado. La tolerancia que, por decirlo así, admite a Dios como opinión privada, pero le niega el ámbito público, la realidad del mundo y de nuestra vida, no es tolerancia sino hipocresía. Sin embargo, donde el hombre se convierte en único amo del mundo y propietario de sí mismo, no puede existir la justicia. La amenaza de juicio nos atañe también a nosotros, a la Iglesia… Con este evangelio, el Señor nos dirige también a nosotros las palabras que en el Apocalipsis dirigió a la Iglesia de Éfeso: «Arrepiéntete. (…) Si no, iré donde ti y cambiaré de su lugar tu candelero» (*Ap* 2, 5). También a nosotros nos pueden quitar la luz; por eso, debemos dejar que resuene con toda su seriedad en nuestra alma esa amonestación[391].

El Papa Benedicto nos ha dado una visión de los signos de nuestros tiempos y de las consecuencias si no respondemos.

---

[391] Ibíd. Homilía, (2 de octubre de 2005), w2.vatican.va.

— PAPA FRANCISCO —

El Papa Francisco, en línea con sus predecesores, continúa alertándonos sobre los signos de los tiempos: «Yo les digo que hoy en día hay más mártires que durante los primeros tiempos de la Iglesia»[392]. «La humanidad vive en este momento un giro histórico»[393]. «Hemos entrado en la Tercera Guerra Mundial, solo que se está peleando a pedazos, en capítulos»[394].

En noviembre del 2013, el Papa Francisco dijo:

> **Los cristianos que sufren tiempos de persecuciones, tiempos de prohibición de la adoración, son una profecía de lo que sucederá a todos. Pero precisamente en momentos como esos, es decir, cuando los tiempos de los paganos se cumplen, «levantaos, alzad la cabeza, se acerca vuestra liberación»**[395].

Solo unos meses después, en julio del 2014, milicias radicales invadieron la ciudad de Mosul, Irak, expulsaron a los cristianos y destruyeron las Iglesias. Por primera vez en 1600 años no se celebra misa allí. ¿Vamos a esperar a despertar cuando nos ocurra a nosotros? ¿Sufrimos con ellos como un solo cuerpo en Cristo? ¿Vemos lo que ocurre a las familias en nuestro entorno? El Papa Francisco nos dice:

> No podemos olvidar que la mayoría de los hombres y mujeres de nuestro tiempo vive precariamente el día a día, con consecuencias funestas. Algunas patologías van en aumento. El miedo y la desesperación se apoderan del corazón de numerosas personas, incluso en los llamados países ricos. La alegría de vivir frecuentemente se apaga, la

---

[392] Papa Francisco, homilía (4 de marzo de 2014).

[393] Ibíd. *Evangelii Gaudium*. N° 52. w2.vatican.va.

[394] Ibíd. Comentario a periodistas, (18 de agosto de 2014), vuelo de regreso de Corea del Sur a Roma, www.repubblica.it. Tras el ataque terrorista en París el 13 de Nov. de 2015, el Papa reiteró que estamos en la "III Guerra Mundial a pedacitos".

[395] Ibíd. Homilía (28 de Nov. del 2013), w2.vatican.va.

falta de respeto y la violencia crecen, la inequidad es cada vez más patente. Hay que luchar para vivir y, a menudo, para vivir con poca dignidad[396].

[396] Ibíd. *Evangelii Gaudium* N° 52. w2.vatican.va.

8–B–2
— María nos prepara —

Los mensajes de nuestra Madre tienen un hilo común: ella nos atrae al amor de Dios, nos alerta sobre la amenaza del mal en el mundo y nos exhorta a ser fieles a su Hijo. He aquí algunos de los mensajes más conocidos:

— NUESTRA SEÑORA DE GUADALUPE —

En los albores de la cristiandad en América, entre el 9 y el 12 de diciembre de 1531, la Santísima Virgen María visitó a san Juan Diego en Tepeyac, México. La evangelización no avanzaba debido al mal ejemplo de muchos españoles, las tensiones aumentaban y la guerra parecía inminente.

Nuestra Señora tiene la apariencia de una mujer mexicana. Tanto los nativos como los españoles la veían como la Madre de Dios y la madre de ellos. «Guadalupe» en lengua azteca suena como la palabra, *coatlaxopeuh*, que significa «El que aplasta a la serpiente». Pero Nuestra Señora de Guadalupe era también el nombre de la patrona de Cáceres, provincia española, tierra de muchos de los conquistadores[397].

La Madre de todos trajo la reconciliación y una ola sin precedentes de evangelización. Durante los siete años posteriores a las apariciones, se bautizaron un promedio de 3000 nativos por día. Considerando que 3000 fueron también los que se unieron a los apóstoles en el día de Pentecostés, ¡podemos ver que la Virgen de Guadalupe propició un Pentecostés en México que duró siete años y trajo ocho millones a la Iglesia!

Nuestra Señora de Guadalupe también vino a rescatar a Europa en un momento decisivo para su supervivencia. Cuando el Imperio Otomano estaba a punto de someter a Europa al islam, el Papa S. Pío V quiso unir a los cristianos para la defensa, pero, como sucede a menudo, pocos respondieron. Sin embargo, logró formar una Liga

[397] http://www.catolico.org/maria/guadalupe_espana.htm.

Católica, **un resto fiel**. El 7 de octubre de 1571, solo cuarenta años después de que la Virgen vino a México, las dos flotas se encontraron en la batalla naval de Lepanto. Los cristianos, con 101 galeones, estaban en gran desventaja frente a los 300 galeones de la flota musulmana. Sabían que solo la mano de Dios podía salvarlos. El Papa pidió a los cristianos que rezaran el rosario. Un gran crucifijo entronizado sobre el galeón principal presidía la flota cristiana, mientras que una réplica de Nuestra Señora de Guadalupe que había venido de México, ocupaba el lugar de honor en el galeón del almirante Juan Andrea Doria. Los soldados entraron en la batalla en oración y lograron una victoria milagrosa. En gratitud, el Papa Pío V estableció el 7 de octubre como la Fiesta de Nuestra Señora del Rosario.

Hoy la cristiandad está otra vez en gran peligro. San Juan Bosco vio en un sueño profético otra batalla naval decisiva para la Iglesia. La Santísima Virgen está preparando a su resto fiel.

— SANTÍSIMA VIRGEN DEL BUEN SUCESO[398] —

En Quito, Ecuador, corriendo el siglo XVII, Nuestra Señora anunció a la Venerable Madre Mariana de Jesús Torres que alrededor del siglo XX, «la luz de la fe se extinguirá en las almas debido a la casi total corrupción de las costumbres». Ella advirtió de los ataques contra el matrimonio y la inocencia de los niños… **Pero quedará un resto fiel de almas víctimas:** «Las pocas almas que perseverarán en la fe y las virtudes sufrirán cruel e indescriptible congoja, algo así como un prolongado martirio». Añadió: «Aquellos a quienes el misericordioso amor de mi Santísimo Hijo haya destinado para tal restauración necesitarán gran fuerza de voluntad, constancia, valor y mucha confianza en Dios». La Santísima Virgen anunció su victoria final: «De una manera asombrosa destronaré al soberbio Satanás, poniéndolo bajo mi planta y encadenándolo en el abismo infernal».

---

[398] http://www.catolico.org/maria/buen_suceso.html.

— UNA ERA DE PRESENCIA MARIANA SIN PRECEDENTES —

Nuestra Madre nos ha visitado a lo largo de los siglos, pero su presencia se ha vuelto cada vez más frecuente desde su aparición en París en 1830, conocida como la Medalla Milagrosa. Mientras que la Revolución Francesa dio lugar a una era de incredulidad, la Madre de Dios vino a rescatar a sus hijos y formarlos como un resto fiel para luchar contra la serpiente.

San Luis María Grignion de Montfort escribió en el «Tratado de la verdadera devoción a la Santísima Virgen María»:

> La salvación del mundo comenzó por medio de María, y por medio de ella debe alcanzar su plenitud. María casi no se manifestó en la primera venida de Jesucristo... Pero, en la segunda venida de Jesucristo, María tiene que ser conocida y puesta de manifiesto por el Espíritu Santo, a fin de que por ella Jesucristo sea conocido, amado y servido[399].

— NUESTRA SEÑORA DE LA MEDALLA MILAGROSA —

18 de julio de 1830 se aparece la Virgen María a santa Catalina Labouré, en el convento de Rue du Bac, París, Francia.

Los fieles habían sufrido los terrores de la Revolución Francesa y las ideas de la "Ilustración" amenazaban la fe. María vino para ofrecer su protección maternal, darnos la «Medalla Milagrosa», y enseñarnos a orar: «Oh María, concebida sin pecado, ruega por nosotros que recurrimos a ti». La batalla continúa...

— NUESTRA SEÑORA DE LA SALETTE —

El 19 de septiembre de 1846, la Virgen María se aparece a los pastorcitos Melanie Calvat y Maximin Giraud en La Salette,

---

[399] Montfort. http://www.montfort.org/content/uploads/pdf/PDF_ES_26_1.pdf.

Francia. Nuestra Madre lloraba porque la fe se estaba perdiendo. Se lamentó de que pocos iban a misa el domingo y de que abundaba la blasfemia y el desprecio a Dios. Nuestra Señora tenía un crucifijo grande sobre su pecho, con un martillo y unas tenazas a cada lado. De esta manera nos quiso mostrar que podemos clavar a Jesús en la Cruz o quitarle los clavos. La Virgen les pidió que propagasen su mensaje por lo que tuvieron que sufrir mucho.

— NUESTRA SEÑORA DE LOURDES —

El 11 de febrero de 1858, la Madre de Dios se aparece a santa Bernardita Soubirous en Lourdes, Francia. La Inmaculada Concepción vino a rescatar a sus hijos de la corriente de impureza auspiciada por el racionalismo ateo. La fe se consideraba ignorancia. Santa Bernardita valientemente enfrentó burla y malos tratos, incluso dentro de la Iglesia, primero por las apariciones y después por las curaciones milagrosas. Ella fue testigo de que la batalla contra Satanás la ganan los puros y humildes de corazón cuando se mantienen firmes en la fe.

— NUESTRA SEÑORA DE PONTMAIN —

En enero de 1871, Nuestra Señora vino nuevamente a niños franceses en un momento de crisis, esta vez como Madre de la Esperanza. La esperanza era muy necesaria porque el ejército invasor prusiano había conquistado la mayor parte de Francia y se acercaba al pueblecito de Pontmain. Los jóvenes de la ciudad fueron reclutados para ir al frente. Además, hubo una epidemia y, el 17 de enero, un terremoto. Todo el mundo estaba aterrorizado. Algunos dijeron: «¿Para qué rezar? Dios no escucha», pero ese mismo día el párroco pidió a los niños que oraran. Esa noche, Nuestra Señora se apareció a los niños en el cielo, pero los adultos no podían verla y reprocharon a los niños. Un mensaje apareció en el cielo en letras doradas: «Oren, mis pequeños… Dios pronto concederá lo que piden… Mi Hijo se deja conmover a la compasión». La Virgen contemplaba un crucifijo de color sangre que apareció frente a Ella. Durante el tiempo preciso de la aparición, el general prusiano que estaba a punto de avanzar en dirección a Pontmain, recibió órdenes de detenerse. Once días más tarde, se firmó un armisticio. Incluso entonces, los niños fueron víctimas de acoso a manos de algunos clérigos y militares, pero permanecieron fieles. Las apariciones fueron aprobadas por la Iglesia al año siguiente.

— NUESTRA SEÑORA DE FÁTIMA —

Advertencia urgente del cielo

Nuestra Madre del Cielo juega un papel crucial en el plan de Dios para despertarnos, prepararnos para la batalla y llevarnos al cielo. En 1917, a finales de la Primera Guerra Mundial, la Virgen se apareció a los pastorcitos Lucía, Jacinta y Francisco en Fátima, Portugal y les pidió con urgencia que rezaran el rosario por la paz y por la conversión de los pecadores: «**Rezad, rezad mucho y haced sacrificios por los pecadores**, porque muchas almas van al infierno por no tener quien se sacrifique y rece por ellas». **Nos pidió también que adoremos a Jesús Eucarístico y nos enseñó el poder de la vida ordinaria escondida de oración.**

Cuando le preguntaron al Cardenal Ratzinger por qué el tercer secreto de Fátima no había sido revelado, él respondió:

> Desde aquel lugar se lanzó al mundo una severa advertencia, que va en contra de la facilonería imperante; una llamada a la seriedad de la vida, de la historia, ante los peligros que se ciernen sobre la humanidad. Es lo mismo que Jesús recuerda con harta frecuencia; no tuvo reparo en decir: «Si no os convertís, todos pereceréis» (Lc 13,3). La conversión —y Fátima nos lo recuerda sin ambages— es una exigencia constante de la vida cristiana. Deberíamos saberlo por la Escritura entera[400].

---

[400] J. Ratzinger con Vittorio Messori. *Informe sobre la fe.* www.mercaba.org.

> La Revelación ha llegado a su plenitud con Jesucristo; Él mismo es la Revelación. Pero no podemos ciertamente impedir que Dios hable a nuestro tiempo a través de personas sencillas y valiéndose de signos extraordinarios que denuncian la insuficiencia de las culturas que nos dominan, contaminadas de racionalismo y de positivismo. Las apariciones que la Iglesia ha aprobado oficialmente —Lourdes, ante todo, y posteriormente Fátima— ocupan un lugar preciso en el desarrollo de la vida de la Iglesia en el último siglo. Muestran, entre otras cosas, que la Revelación —aun siendo única, plena y, por consiguiente, insuperable— no es algo muerto; es viva y vital[401].

Años más tarde, Ratzinger, siendo ya Papa Benedicto XVI, visitó a Fátima y nos advirtió:

> Se equivoca quien piensa que la misión profética de Fátima está acabada. Aquí resurge aquel plan de Dios que interpela a la humanidad desde sus inicios: «¿Dónde está Abel, tu hermano? [...] La sangre de tu hermano me está gritando desde la tierra» (Gn. 4, 9). El hombre ha sido capaz de desencadenar una corriente de muerte y de terror, que no logra interrumpirla... En la Sagrada Escritura se muestra a menudo que Dios se pone a buscar a los justos para salvar la ciudad de los hombres y lo mismo hace aquí, en Fátima, cuando Nuestra Señora pregunta: «¿Queréis ofreceros a Dios para soportar todos los sufrimientos que Él quiera mandaros, como acto de reparación por los pecados por los cuales Él es ofendido, y como súplica por la conversión de los pecadores?» (Memorias de la Hermana Lucía, I, 162)[402].

---

401 Ibíd.

402 Homilía en la explanada del santuario de Nuestra Señora de Fátima (13 Mayo, 2010) w2.vatican.va.

— NUESTRA SEÑORA DE TODOS LOS PUEBLOS —

La Santísima Madre se apareció en Ámsterdam (1949-1952) y profetizó un declive de la fe sin precedentes y un tiempo de grandes pruebas. Nos dio también el remedio: pidió que abracemos con ella la Cruz, que es nuestra victoria, que pidamos por el Espíritu Santo. Estos son algunos extractos[403]:

> Veo un camino largo y hermoso. Tengo que ir por ese camino, pero siento como si no tuviera ganas. Yo represento a la humanidad... Estoy tan cansada, pero de todas formas he de proseguir, aunque sea muy despacio.
>
> Mi Hijo está siendo perseguido de nuevo. ¡Toma la Cruz y plántala en el centro! Solo entonces habrá paz.
>
> Reza pues ante la Cruz: «Señor Jesucristo, Hijo del Padre, manda ahora tu Espíritu sobre la tierra. Haz que el Espíritu Santo habite en el corazón de todos los pueblos, para que sean preservados de la corrupción, de las calamidades y de la guerra...»
>
> En este mundo moderno que sabe actuar tan rápidamente en lo material, también en lo espiritual hay que actuar de forma moderna y rápida.

[403] Mensajes N° 5 (7 de oct. de 1945), N° 17 (1 de oct. de 1949), N° 27 (11 de feb. de 1951), N° 29 (28 de marzo de 1951), http://www.de-vrouwe.info/es/mensajes.

— NUESTRA SEÑORA DE AKITA, JAPÓN —

La Segunda Guerra Mundial devastó a Japón. Todos sufrieron sin distinción de su participación en la guerra. Dos de sus ciudades fueron aniquiladas por bombas atómicas, por lo tanto, es notable que Nuestra Señora en Akita advirtiera al mundo que, si no regresamos a Dios, «fuego caerá del cielo y borrará una gran parte de la humanidad, tanto buenos como malos». En Akita no hubo aparición. La hermana Agnes escuchó una voz procedente de una estatua, replica de Nuestra Señora de Todos los Pueblos. Apareció una herida sangrante en la mano derecha de la estatua y dos años más tarde, la estatua comenzó a llorar, lo cual ocurrió en 101 ocasiones. Los mensajes de Akita tienen aprobación eclesiástica. Estos son algunos extractos[404]:

3 de agosto de 1973

Muchos hombres en este mundo afligen al Señor. Yo deseo que las almas le consuelen para suavizar la ira del Padre Celestial. **Yo deseo, con mi Hijo, almas que repararán con sus sufrimientos y su pobreza por los pecadores y los ingratos...**

He impedido la venida de calamidades ofreciéndole (al Padre) los sufrimientos del Hijo en la Cruz, su Preciosa Sangre, y amadas almas que lo consuelan **formando una cohorte de almas víctimas. La oración, la penitencia y los sacrificios valientes pueden apaciguar la ira del Padre.** Deseo esto también de tu comunidad... Que cada uno se esfuerce según su capacidad y oficio, ofreciéndose enteramente al Señor.

13 de octubre de 1973

Si los hombres no se arrepienten y no se mejoran, el Padre infligirá un castigo terrible sobre toda la humanidad. Será un castigo más grande que el diluvio, tal como nunca se ha visto antes. Fuego descenderá del cielo y destruirá una gran parte de la humanidad, tanto malos como buenos, sin excluir sacerdotes o

[404] http://www.catolico.org/maria/akita.htm.

fieles. Los sobrevivientes se encontrarán tan desolados que envidiarán a los muertos. Las únicas armas que quedarán serán el Rosario y el Signo dejado por mi Hijo. Cada día recita las oraciones del Rosario. Con el rosario recen por el Papa, los obispos y los sacerdotes.

La acción del diablo se infiltrará incluso dentro de la Iglesia de tal manera que uno verá cardenales opuestos a cardenales, obispos contra obispos. Los sacerdotes que me veneren serán despreciados y combatidos por sus compañeros... Iglesias y altares serán saqueados.

La Iglesia se llenará de quienes aceptan componendas y el demonio presionará a muchos sacerdotes y almas consagradas para que dejen el servicio del Señor. El demonio será especialmente implacable en contra de las almas consagradas a Dios. Pensar en la perdida de tantas almas es la causa de mi tristeza.

— NUESTRA SEÑORA DE KIBEHO, (VIRGEN DOLOROSA)[405]—

Ruanda, África, 1981-1989. Mientras aumentaban las tensiones entre las tribus y se despreciaba el camino de la fe, la Virgen se apareció con el nombre de "Madre del Verbo" a Alphonsine y a otros adolescentes. Les compartió una visión apocalíptica de lo que pronto iba a suceder, quiso advertir y preparar a sus hijos, les mostró ríos de sangre y los llamó al arrepentimiento. Nadie podía imaginar lo que venía. Entonces, en 1994, estalló la guerra entre tribus desembocó en un genocidio. Un vecino mataba a su vecino, esposos mataban a sus esposas... Mientras el mundo permanecía en silencio, más de 800,000 personas fueron masacradas. Entre los muertos había muchos que estuvieron presentes en las apariciones.

Los mensajes en resumen

1. Un llamamiento urgente al arrepentimiento y la conversión de los corazones: «Arrepiéntete, arrepiéntete, arrepiéntete» «Conviértete mientras todavía hay tiempo».

2. Una evaluación del estado moral del mundo: «El mundo va con prisa hacia su ruina, caerá en el abismo» «Si no se arrepienten y convierten sus corazones, caerán en el abismo».

3. La profunda tristeza de la Madre de Dios por la falta de fe y arrepentimiento.

4. «La fe y la incredulidad vendrán sin ser vistas». Estas palabras misteriosas fueron repetidas por la Virgen María a Alphonsine al comienzo de las revelaciones. De hecho, tanto la fe como la incredulidad están creciendo de maneras inesperadas. El Señor está preparando su resto mientras el enemigo está sembrando su rebelión.

5. El sufrimiento que salva: «Nadie alcanzará el cielo sin sufrir» «Un hijo de María no rechaza el sufrimiento». Los videntes fueron invitados a vivir aceptando el sufrimiento a través de la fe en el amor, mortificándose y negándose a sí mismos placeres para la conversión del mundo.

---

[405] kibeho-sanctuary.com/index.php/en/apparitions/message.

6. «Oren siempre y con un solo corazón». María nos ruega orar con mayor celo y pureza de corazón. Oren intensamente por todo el mundo, enseñen a otros a orar, y oren por aquellos que no rezan.
7. La devoción mariana expresada mediante la oración sincera y regular del rosario.
8. Oren siempre por la Iglesia cuando muchos problemas se presenten en los tiempos venideros.

Estos mensajes aprobados por la Iglesia son una advertencia urgente de nuestra Madre dirigida a todo el mundo. Lo que ocurrió en Ruanda se está fraguando a nivel mundial con la pérdida de la fe, la violencia y las amenazas de guerra. María no viene a causar miedo, sino a hacernos conscientes de lo que enfrentamos, para que nos dejemos llevar por ella a Jesús crucificado.

8–B–3
— Un tiempo profético —

Vivimos en un tiempo extraordinariamente profético. Hemos presentado algunos mensajes aprobados por la Iglesia de Nuestra Santísima Madre y de los Papas. Veamos ahora algunos santos canonizados en nuestro tiempo: santa Teresita de Lisieux, santa Faustina, san Maximiliano Kolbe, san Padre Pío y santa Benedicta de la Cruz se destacan por su misión profética y sus palabras, pero hay muchos otros. El número sin precedentes de canonizaciones después del Concilio Vaticano II es en sí mismo un signo profético de nuestros tiempos[406]. Muchos de ellos recibieron mensajes proféticos.

[406] San Juan Pablo II beatificó y canonizó más personas que todos sus predecesores en los cinco siglos anteriores.

—SANTA TERESITA DE LISIEUX— UN RESTO DE ALMAS VÍCTIMAS

Santa Teresita, a quien san Juan Pablo II nombró doctora de la Iglesia en 1997, escribió:

> **La legión de pequeñas almas, víctimas del amor misericordioso**, llegará a ser tan numerosa «como las estrellas del cielo y las arenas de la orilla del mar». Será terrible para Satanás; ayudará a la Santísima Virgen a aplastar completamente su orgullosa cabeza[407].

Nuestra Madre María formará a estas pequeñas almas para ser grandes santos[408], una fuerza oculta del Señor, capaces de ver la verdad y luchar la batalla como sus testigos valientes para nuestra salvación y la salvación de muchos. Sus pequeñas almas víctimas serán un poderoso ejército que conquistará las fuerzas de Satanás y propiciará un nuevo Pentecostés y el triunfo del Corazón Inmaculado.

— SANTA FAUSTINA KOWALSKA — DIVINA MISERICORDIA Y LA SEGUNDA VENIDA

La doctrina de la Divina Misericordia siempre ha estado en el corazón del Evangelio, sin embargo, el Señor ha querido para nuestros tiempos, a través de santa Faustina, una mayor toma de conciencia y una propagación sin precedente del mensaje de su misericordia. Ella advirtió a sus hermanas que una gran guerra venía y les pidió que oraran por Polonia. Murió el 5 de octubre de 1938, a la edad de 33 años. La Segunda Guerra Mundial comenzó el 1 de septiembre de 1939 con la invasión Nazi de Polonia.

La devoción a la Divina Misericordia se difundió rápidamente al principio, pero el 6 de marzo de 1959 el Santo Oficio prohibió el uso de «imágenes y escritos que promuevan la devoción a la Divina

---

[407] St. Thérése of Lisieux, *The Legion of Mary Handbook*, pp. 256-257.
[408] Ver: L.M.G.de Montfort, Tratado de la verdadera devoción a María, cap.2, N° 35.

Misericordia en las formas propuestas por Sor Faustina». Parecía ser el fin de la devoción.

Después de casi veinte años, en abril de 1978, el Vaticano revocó la prohibición, gracias a las oraciones de muchos y a la intervención de otro santo polaco: el cardenal Karol Wojtyła de Cracovia, quien pocos meses después fue elegido Papa y el 30 de abril del año 2000 canonizó a santa Faustina, la primera santa del siglo XXI.

¿Apreciamos la urgencia de recurrir a la misericordia de Dios? Jesús le dijo a santa Faustina que el mensaje de misericordia era una preparación para su venida final.

- «Prepararás al mundo para mi última venida»[409].
- «Habla al mundo de mi misericordia para que toda la humanidad conozca mi infinita misericordia. Es una señal de los últimos tiempos, después de ella vendrá el día de la justicia»[410].
- «Escribe, habla a las almas de esta gran misericordia mía, porque está cercano el día terrible, el día de mi justicia»[411].
- «Estoy prolongándoles el tiempo de la misericordia, pero hay de ellos si no reconocen este tiempo de mi visita»[412]
- «Antes del Día de la Justicia, os envío el Día de la Misericordia»[413].
- «Quien no quiere pasar por la puerta de mi misericordia, tiene que pasar por la puerta de mi justicia»[414].

[409] Santa Faustina Kowalska, *Diario* № 429.
[410] Ibíd. N° 848.
[411] Ibíd. N° 965.
[412] Ibíd. N° 1160.
[413] Ibíd. N° 1588.
[414] Ibíd. N° 1146.

La Santísima Madre también habló a santa Faustina:

> Yo di al mundo el Salvador y tú debes hablar al mundo de su gran misericordia y preparar al mundo para su segunda venida. Él vendrá, no como un Salvador Misericordioso, sino como un Juez Justo. Oh, qué terrible es ese día. Establecido está ya, es el día de la justicia, el día de la ira divina. Los ángeles tiemblan ante ese día. Habla a las almas de esa gran misericordia, mientras sea aún el tiempo para conceder la misericordia. Si ahora tú callas, en aquel día tremendo responderás por un gran número de almas[415].

Te exhortamos a tomar a pecho las palabras del Señor que se encuentran en el Diario de santa Faustina ya que hoy son más relevantes y urgentes que nunca. Recuerda que el deseo del Señor es que lo recibamos para que Él pueda hacernos santos como lo hizo con santa Faustina.

— Beata Elena Aiello —

Al beatificar a la Hermana Elena Aiello en la fiesta de la santa Cruz del año 2011, el Papa Benedicto XVI atrajo nuestra atención a sus muchas profecías que tienen mucho en común con las profecías de Fátima, Akita, el Padre Pío, san Juan Bosco y otros. Son un llamado urgente a regresar al Señor y a prepararnos para las pruebas. Aquí presentamos una muestra[416]:

> Jesús: «¡Oh! ¡Qué triste está mi Corazón de ver que los hombres no se convierten (o responden) a tantos llamados de amor y dolor, manifestados por mi amada Madre a los hombres errantes! ¡Vagando en la oscuridad, siguen viviendo en pecado, y más lejos de Dios! Pero cerca está el azote de fuego para limpiar la tierra de las iniquidades de los malvados. La Justicia divina requiere reparación por

---

[415] Ibíd. N° 635.

[416] Beata Elena Aiello, Viernes Santo, 16 de abril de April de 1954.

tantas ofensas y maldades que cubren la tierra y no se pueden tolerar más. Los hombres obstinados en sus culpas no se vuelven a su Dios.

Hay oposición a la Iglesia y los sacerdotes son despreciados por causa de los malos que dan escándalo. Ayúdame, sufriendo, a reparar por tantas ofensas y, así, salvar al menos en parte, a la humanidad precipitada en una ciénaga de corrupción y muerte.

Hazle saber a todos los hombres que, arrepentidos, deben regresar a Dios y, al hacerlo, pueden esperar el perdón, y ser salvados de la justa venganza de un Dios despreciado».

Al decir esto, Nuestro Señor Dios desapareció. Entonces la Virgen se me apareció. Estaba vestida de negro, con siete espadas traspasando su Inmaculado Corazón. Acercándose, con una expresión de profundo dolor y con lágrimas en sus mejillas, me habló diciendo:

«Escucha atentamente, y revela a todos: mi Corazón está triste por tantos sufrimientos en la inminente ruina del mundo. La justicia de nuestro Padre está muy ofendida. Los hombres viven en su obstinación del pecado. La ira de Dios está cerca. Pronto el mundo se verá golpeado por grandes calamidades, revoluciones sangrientas, huracanes espantosos y el desbordamiento de arroyos y mares.

Levanta tu voz hasta que los sacerdotes de Dios presten oído a mi voz y avisen a los hombres que el tiempo está cerca, y si no regresan a Dios con oraciones y penitencias, el mundo será presa de una nueva guerra más terrible. ¡Las armas más mortíferas destruirán pueblos y naciones! Los dictadores de la tierra, especímenes infernales, demolerán las iglesias, profanarán la Santa Eucaristía, y destruirán las cosas más queridas. En esta guerra impía, mucho será destruido de lo que ha sido construido por las manos del hombre.

Nubes con rayos de fuego en el cielo y una tempestad de fuego caerán sobre el mundo. Este terrible flagelo, nunca antes visto en la historia de la humanidad, durará setenta horas. Las personas sin Dios serán aplastadas y exterminadas. Muchos se perderán porque permanecen en su obstinación del pecado. Entonces se verá el poder de la luz sobre el poder de las tinieblas.

No te calles, hija mía, porque las horas de las tinieblas, del abandono, están cerca. Me inclino sobre el mundo, manteniendo en suspenso la justicia de Dios. De lo contrario, estas cosas ya habrían sucedido. Las oraciones y las penitencias son necesarias porque los hombres DEBEN VOLVER A DIOS y a mi Inmaculado Corazón —la Mediadora de los hombres con Dios—, y así el mundo será por lo menos en parte salvo.

Propaga a gritos estas cosas a todos, como eco verdadero de mi voz. Que esto sea conocido de todos porque ayudará a salvar muchas almas, y evitará mucha destrucción en la Iglesia y en el mundo».

—UN NUEVO COMBATE REQUERIRÁ NUEVO PODER Y ENTENDIMIENTO—

He aquí las palabras proféticas de Ralph Martin en la Basílica de san Pedro[417]:

Porque los amo, deseo mostrarles lo que estoy haciendo en el mundo hoy. Quiero prepararlos para lo que vendrá. Días de oscuridad vendrán sobre el mundo, días de tribulación… Edificios que están de pie no lo estarán; los apoyos que mi pueblo tiene no los tendrá. Quiero que estén preparados, pueblo mío, para conocerme solo a mí, y adherirse a mí y poseerme más profundamente que nunca.

---

[417] Ralph Martin es consultor del Pontificio Consejo para la Promoción de la Nueva Evangelización. Proclamó estas palabras en la misa de clausura de la Conferencia internacional de la Renovación Carismática Católica, lunes de Pentecostés, 19 de mayo de 1975, Vaticano.

Yo los guiaré en el desierto... Yo los despojaré de todo de lo que ahora dependen para que dependan solo de mí.

Un tiempo de oscuridad vendrá sobre el mundo, pero un tiempo de gloria viene para mi Iglesia, un tiempo de gloria viene para mi pueblo. Yo derramaré sobre vosotros todos los dones de mi Espíritu. Yo los prepararé para el combate espiritual; Yo los prepararé para un tiempo de evangelización que el mundo nunca ha visto. Y cuando no tengan nada sino solo a mí, lo tendrán todo: tierra, campos, hogares, hermanos, hermanas, amor, alegría y paz más que nunca antes. Estén preparados, pueblo mío, Yo quiero prepararlos...

Les hablo de los albores de una «nueva era» para mi Iglesia; les hablo de un día que no se ha visto antes... Prepárense para la obra que Yo comienzo ahora, porque las cosas que ven a su alrededor van a cambiar. El combate en que deben entrar ahora es diferente; es nuevo. Necesitan mi sabiduría que aún no tienen; necesitan el poder de mi Espíritu Santo como aún no lo han tenido; necesitan un entendimiento de mi voluntad y de las formas en que Yo trabajo que aún no tienen. Abran sus ojos, abran sus corazones para prepararse para mí y para el día que ahora he comenzado. Mi Iglesia será diferente, mi pueblo será diferente. Dificultades y pruebas vendrán sobre ustedes. Los consuelos que ahora conocen estarán lejos de ustedes, pero el consuelo que tendrán es la ayuda de mi Espíritu Santo. Los buscarán para matarlos, pero Yo los ayudaré. Vengan a mí. Únanse en torno a mí. Prepárense pues Yo proclamo un nuevo día de victoria y de triunfo para vuestro Dios. He aquí, que ha comenzado.

Voy a renovar a mi Iglesia. Voy a renovar a mi pueblo. Haré que mi pueblo sea uno. Yo pido que se alejen de los placeres del mundo. Yo los llamo a alejarse de buscar la aprobación del mundo en sus vidas... Yo quiero transformar sus vidas... Yo tengo palabra para mi Iglesia. Yo anuncio mi llamado. Estoy formando un poderoso ejército... Mi poder está sobre ellos. Seguirán a mis pastores elegidos...

Sean los pastores que os he llamado a ser... Estoy renovando mi Iglesia. Yo liberaré al mundo.

Sepan que Yo, vuestro Dios, traje a Pedro y Pablo a Roma para dar testimonio de mi gloria. Yo también los elegí a ustedes y los he traído a Roma para dar testimonio de mi gloria, confirmada ahora por vuestro pastor. Vayan a sanar a las naciones. Sepan que Yo estoy con ustedes, y aunque pasen por tribulaciones y pruebas, Yo estaré con ustedes hasta el fin. Les estoy preparando un lugar en la gloria. Mírenme a mí y yo los libraré del poder del maligno. He aquí que yo estoy con ustedes ahora, todos los días, hasta el final de los tiempos.

Han conocido la verdad en estos días. Ustedes han experimentado la verdad en estos días. En este momento ven claramente la verdad. Es la verdad de mi Reino, mi Reino que prevalecerá... Yo deseo que tomen la verdad, descansen en la verdad, crean la verdad. No la negocien, no la pierdan por confusiones, no tengan miedo de la verdad. Más bien permanezcan de pie en la verdad, con sencillez, con amor, firmemente arraigados en la verdad como piedras de fundación sobre las que mi Iglesia pueda tener nueva vida y nuevo poder.

8–B–4
—Profecías recibidas por nuestra comunidad—

Sentimos la obligación de transmitir los mensajes que el Señor ha confiado a nuestra Comunidad Amor Crucificado. Son una llamada urgente a entrar en el *Camino* para ser *Uno* con Él, víctimas de amor en el corazón de la Iglesia. De esta manera, nuestra vocación es ser luz en tiempos de oscuridad para propiciar un nuevo Pentecostés.

146. La justicia de Dios —Diario de una MDC

La justicia de Dios está sobre Mi pueblo. Será Mi resto santo de almas víctimas el que con sus oraciones y sacrificios cubrirá la tierra como el rocío del cielo (cf. Miqueas 5, 7-9). *La justicia de Dios vendrá sobre el mundo. Hija mía, el día grande y terrible se acerca a la tierra. La gran mayoría será sorprendida en total desconcierto. La vida como la conocen dejará de existir. Es mi resto santo de almas víctimas el que derrotará a Satanás y a todos sus principados. Perseverad sufriendo todo Conmigo. Perseverad siendo* Uno *con la Palabra (el mensaje) de la Cruz, porque entonces, y solo entonces, poseeréis el poder de Dios.*

Vuestras vidas en Mi amor crucificado se convierten en la espada de la justicia. Traedme muchas almas víctimas para el combate que se acerca. Pequeños Míos, os necesito (26/9/11).

147. Preparaos para encontraros con la justicia —Diario de una MDC

Preparad el camino. ¿Preparar para qué? Preparaos para encontraros con la Justicia (de Dios). El amor (Dios) es Justicia. Vosotros os habéis encontrado con la Misericordia, pero cada alma debe prepararse para encontrarse con la Justicia. En ese día, ¿permanecerán de pie o serán arrastrados por Su justicia? Pequeña Mía, muy pocos están preparados para encontrarse con la Justicia. La mirada de la Justicia los condenará o abrazará en un instante. Pocos están preparados para encontrarse con la Justicia, la mirada de la Verdad. Estás llamada a ayudar a muchos a preparar el camino por medio del «Camino Sencillo de Unión» que te he confiado.

Mis mártires ocultos de amor son un regalo de la Divina Misericordia para ayudar a muchos a estar preparados para encontrarse con la mirada de la Justicia. Mis víctimas ocultas de amor están preparando el camino por medio del poder de su sangre unida a Mi Preciosa Sangre, que se derrama sobre muchos por la misericordia de Abba.

Sed puros y santos como Yo soy Santo. Vivid lo que sois, MIS mártires de Amor divino, preparando a las multitudes para el día grande y terrible. Preparad el camino siendo los nuevos hombres y mujeres revestidos con la túnica blanca, lavada en la Sangre del Cordero. Vosotros sois Mi ejército blanco, enviado al mundo para preparar el camino para el encuentro con la Justicia (de Dios) 11/12/13.

148. David y Goliat

—Diario de una MDC (cf. *Sam* 17, 32-51).

Pequeña Mía, se acerca la hora. Tú posees la espada del Espíritu en la misión que se te ha dado. Mi familia de Amor Crucificado son Mis guerreros de amor que derrotarán al dragón en la batalla decisiva que se acerca. Prepárate para enfrentarte con este mal como David se enfrentó a Goliat. Conquistarás al dragón con tu pequeñez y pureza porque es Dios quien está contigo. No debes temer. Cree con la inocencia y el celo de David. Hija Mía, forma bien a Mi familia en las enseñanzas que te doy.

*Debéis **también afrontar la batalla con cinco piedras**. **Primero, la piedra de la humildad,** teniendo conocimiento perfecto de vuestra nada y de Mi poder y majestad. **Segundo, la piedra de la pureza**, pureza de mente, corazón, intención, palabra, y deseo... **Tercero, sencillez**, desprendimiento de todo, sobre todo de vuestro ego. **Cuarto, confianza**, perfectamente abandonados a Mi voluntad. **Quinto, valentía**, valentía enraizada en amor a Mí para ser perfectamente obedientes a Mis órdenes.*

Estas piedras son vuestras armas para la batalla, porque el dragón no será derrotado según los criterios del mundo sino a la Luz del Amor. Por lo tanto, familia Mía, preparaos para la batalla. Estad atentos a Mí (18/01/12).

149. «Os estoy formando como Mis guerreros de amor» —Diario de una MDC

*Convertíos en la Espada del Espíritu para vencer al dragón. La armadura con que os vestís es para protegeros de ser vencido y conquistado por el enemigo, pero vuestra espada es la que tiene el poder para traspasar al enemigo y vencerlo. «Vistámonos con la armadura de la luz... revestíos del Señor Jesucristo» (*Rm *13, 12. 14): esto es convertirse en la Espada del Espíritu. Os he estado llevando a través del camino de unión con vuestro Señor Crucificado — unión con la Palabra (el mensaje) de la Cruz. Es en esta unión donde entráis en vuestro Señor Crucificado y, comenzando a los pies de la Cruz con María, vuestras vidas se convierten en la Espada del Espíritu. Estos son los guerreros que librarán la batalla decisiva y que tienen el poder de Dios para vencer al dragón. Yo deseo que cada uno de vosotros llegue a ser* Uno *con la Espada del Espíritu a través de Mi Cruz* (02/11/11).

150. El tiempo está cerca —Diario de una MDC

El tiempo está cerca en que todos serán llamados a sufrir persecución por Mí. Este tiempo de persecución dividirá a Mis seguidores en dos bandos: los que están Conmigo y los que están contra Mí. Pocos permanecerán Conmigo en el tiempo de la gran tribulación. Vosotros, pequeños Míos, os estáis preparando para ese tiempo. Vuestras vidas, vividas con humildad y pureza de corazón, unidas a Mí, serán la luz en esta oscuridad. Vuestras vidas, ocultas y transformadas en Mi amor crucificado, prepararán un Nuevo Pentecostés para el mundo.

Mi fuerza oculta de madres espirituales, siendo una con Mi Madre Dolorosa, levantará un ejército de sacerdotes santos de Dios para la batalla decisiva que se librará contra los principados de las tinieblas...

Mis mártires ocultos de amor son el poder de Dios para librar esta guerra contra los principados de la muerte. No tengáis miedo de proclamar a los cuatro vientos lo que les hablo en lo oculto de vuestros corazones. Estoy haciendo nuevas todas las cosas a través de Mis víctimas ocultas de amor purificado... Confiad y sufrid todo con perseverancia paciente (25/2/2014).

151. Sed Mis profetas de luz para alertar y despertar
—Diario de una MDC

Os he formado, entrenado y revestido para que seáis Mis profetas de luz para alertar y despertar a Mi pueblo antes de que el horrible día del juicio venga sobre vosotros. Habrá lamentos, gemidos y rechinar de dientes en vuestras calles. La oscuridad del mal os cubrirá. Estad preparados cuando sucedan estas cosas que os digo. No permitáis que el ladrón os atrape desprevenidos. Creed, sois Mi pueblo, Mis pequeños, sostenidos en la palma de la mano del Padre. Creed que Soy Uno *con vosotros, la Luz del mundo, Mis hostias vivas. Creed para que Mi Luz pueda brillar a través de vosotros para penetrar la oscuridad que consume al mundo. Creed en el poder de Dios obrando por medio de Su fuerza oculta. Amad y continuad sufriendo TODO, siendo* Uno *Conmigo en*

Mi sacrificio de amor, para entrar preparados con la armadura de Dios a la batalla más feroz que está muy cerca. No os avergoncéis de Mis palabras (cf. Mc *8, 38) y compartid con muchos el tesoro del cielo que se os ha confiado (El Camino Sencillo de Unión). Completad Mi Camino y, siendo Mis Mensajeros de Esperanza, enseñadlo a los cuatro vientos. Esta es vuestra misión. Responded con gran celo y valentía de corazón, siendo Mis guerreros de amor, para estos tiempos decisivos* (20/10/2012)[418].

152. Sed pequeños para conquistar con la Cruz
—Diario de una MDC

Creed que la espada de esta misión conquistará al dragón.

(El Espíritu Santo entonces me trajo a la mente a David y Goliat.) ¿Cómo puede ser que el pequeño que no podía llevar la armadura de los guerreros poderosos derrote al gigante?

Los caminos de Dios nunca son los caminos del mundo. Él llevaba la armadura de Dios y poseía el poder de Dios. Confió en Dios con la inocencia de un niño. Dios venció al enemigo por medio de Su humilde instrumento para que toda la gloria sea dada a Dios y no al hombre.

El enemigo será vencido y todas las cosas serán hechas nuevas, pero nunca a la manera del mundo. Dios ha elegido dar la espada de la justicia a Su pequeña semilla de mostaza. La espada de la misión

---

[418] *Mt* 24, 42-51.

es el poder de Dios que traspasará y vencerá al dragón.

***Debéis permanecer pequeños**, insignificantes e inocentes, bebiendo la leche pura de las palabras que os traigo (cf.* 1 P *2). Creed, pequeños Míos, creed que el Dios del cielo y de la tierra os ha elegido para la batalla decisiva. Vivid con la inocencia de un niño la misión que os he dado. Sed pequeños, puros y humildes, sed nada; y seré Yo quien haga lo imposible. Confiad con la inocencia de un niño... porque no sois nada; pero yo soy Dios, y voy a utilizar a Mis pequeños para confundir a los poderosos del mundo. Creed en el poder de Mi Cruz y el poder de Mi Preciosa Sangre, porque es solo a través del triunfo de Mi Cruz que será conquistada toda oscuridad. Vivid, amad y sufrid siendo Uno Conmigo, y os convertiréis en la espada que traspasará esta oscuridad* (12/11/11).

153. Nuevo Pentecostés —Diario de una MDC

El tiempo está cerca, aproximándose con rapidez. Pequeños Míos, ¿estáis respondiendo plenamente? ¿Estáis preparados para el día grande y terrible que se aproxima? Vosotros sois Mi pueblo. Os he estado formando para la batalla que se acerca. ¿Estáis listos, familia Mía? El cielo mira con anticipación, pues pronto los ojos de muchos contemplarán Mi Cruz gloriosa en el cielo. Levantad a Mis mártires ocultos de amor para la batalla decisiva que se acerca. Llamad a Mis víctimas de amor porque ellos son la vía para que la Reina del Cielo dé paso al nuevo Pentecostés para el mundo (26/01/12).

154. «Nuevo combate» —Diario de una MDC

El mundo depende de espadas, misiles y armas para ganar batallas, pero esta batalla decisiva será ganada por la Cruz. Mis almas víctimas, uniéndose a Mi amor crucificado, librarán al mundo de la esclavitud y la oscuridad de Satanás (01/29/2010).

155. Solo el amor purificado puede ganar esta batalla —Diario de una MDC

Queridísimos Míos, el tiempo es corto y la batalla es feroz. Vosotros estáis en guerra contra los principados de las tinieblas que se han apoderado de la tierra. La hora del triunfo de Mi Cruz también está cerca. Estoy formando a Mi resto santo para pelear la batalla más feroz en la historia de la salvación... Debéis estar dispuestos a luchar de acuerdo con Mi voluntad y plan. Solo el amor purificado puede ganar esta batalla y traer Mi paz. Solo el amor de Mis almas víctimas puede luchar esta batalla y ganar. Traedme y formad Conmigo muchas almas víctimas santas. Sabed que son los laicos los que responderán primero y Mis hijos serán los últimos porque sus corazones se han enfriado y endurecido.

Debéis estar dispuestos a ser mis profetas para estos tiempos. Satanás tratará de silenciar vuestras voces, porque es Mi voz, pero debéis perseverar con celo y humildad. No tengáis miedo de hablar, con

valor y amor, la verdad sobre el pecado en el corazón de Mi pueblo y llamarlos al arrepentimiento a Mis pies crucificados.

Hija Mía, te prometo que los que vengan, se arrodillen y besen mis pies, recibirán las gracias del arrepentimiento que es oro precioso. Debes ser la voz (que clama) en el desierto preparando el camino para Mi Madre. Debes extender la alfombra de almas víctimas (7/15/2011).

—¡CRISTO ES VICTORIOSO! ¡EL MAL NO PREVALECERÁ! —

Cristo conquistó las fuerzas del enemigo con su amor crucificado. Ahora nos llama a participar en la batalla y en la victoria. El Papa Benedicto XVI nos recordó la promesa de Jesús: «El mal no prevalecerá».

> «Las puertas del infierno», es decir las fuerzas del mal, no prevalecerán, «non praevalebunt». Viene a la memoria el relato de la vocación del profeta Jeremías, cuando el Señor, al confiarle la misión, le dice: «**Yo te convierto hoy en plaza fuerte, en columna de hierro, en muralla de bronce,** frente a todo el país: frente a los reyes y príncipes de Judá, frente a los sacerdotes y la gente del campo; lucharán contra ti, pero no te podrán —non praevalebunt—, porque yo estoy contigo para librarte» (*Jr* 1, 18-19)**... el poder de Dios es el amor, amor que irradia su luz desde el Calvario[419].**

La victoria es segura, pero tenemos que responder. ¿Te unirás a Cristo en su Camino hasta el final?

[419] Homilía en la Solemnidad de san Pedro y san Pablo (29 Junio de 2012) w2.vatican.va.

El regreso del hijo pródigo
Rembrandt

Cuando sufrimos con Cristo y vamos con Él camino al Calvario,
Él nos lleva al Corazón del Padre.

Oraciones

CONSAGRACIÓN AL ESPÍRITU SANTO
Venerable Félix de Jesús Rougier, M.Sp.S.J.

Recibe, ¡Oh Espíritu Santo de Amor!
La consagración perfecta y absoluta de todo mi ser
que te hago en este día,
para que te dignes ser en adelante
en cada uno de los instantes de mi vida
y en cada una de mis acciones:
Mi Director, mi Luz, mi Guía, mi Fuerza,
y todo el Amor de mi corazón.

Yo me abandono sin reservas
a tus divinas operaciones,
y quiero ser dócil a tus santas inspiraciones.
¡Oh Santo Espíritu!, dígnate formarme con María,
y en María, en Cristo Sacerdote y Víctima
que pueda consolar Su Sagrado Corazón
y extender su Reino de santidad
para gloria del Padre y la salvación de los hombres.
Jesús, Salvador de los hombres,
¡Sálvalos!

CONSAGRACIÓN PERSONAL A JESUCRISTO, SABIDURÍA ENCARNADA, POR LAS MANOS DE MARÍA

Por san Luis-Marie Grignion de Montfort —Forma breve

Yo, _____ pecador infiel, renuevo y ratifico hoy en tus manos los votos de mi bautismo. Renuncio para siempre a Satanás, a sus pompas y a sus obras, y me entrego enteramente a Jesucristo, Sabiduría encarnada, para llevar mi Cruz tras Él, todos los días de mi vida; y a fin de que sea más fiel de lo que he sido hasta ahora, te escojo hoy, ¡oh, María!, en presencia de toda la corte celestial, por mi Madre y Señora.

Te entrego y consagro mi cuerpo y mi alma, mis bienes interiores y exteriores, y aun el valor de mis buenas acciones pasadas, presentes y futuras, otorgándote entero y pleno derecho de mí y de todo lo que me pertenece, sin excepción, a tu agrado, a la mayor gloria de Dios, en el tiempo y la eternidad. Amén.

ORACIÓN DURANTE LA CONSAGRACIÓN DE LA PRECIOSA SANGRE EN LA MISA

Bta. Concepción Cabrera de Armida

¡Padre eterno amadísimo!, por las manos purísimas de María, recibe mi sangre que en este cáliz pongo, en unión con la de Jesús, sacrificándola por tu amor, por tus sacerdotes y en favor de la salvación y regeneración del mundo por la Cruz.

Acéptala, Padre mío, y rocía con ella a los buenos y a los malos, a los vivos y a los difuntos, haciendo fecundo el campo de la Iglesia por medio del sacrificio ¡Amén!

Versión breve

Padre amado, por las manos inmaculadas de María, recibe esta sangre de Jesús, unida a la nuestra como sacrificio de amor, por tus sacerdotes y por todos.

OFRECIMIENTO COMO HOSTIAS VIVAS

Bta. Concepción Cabrera de Armida

Padre Santo, por las manos de María, te ofrecemos al Verbo encarnado en quien tienes todas tus complacencias.

Impulsados por la caridad que el Espíritu Santo ha derramado en nuestros corazones, nos ofrecemos constantemente en Su unión como hostias vivas, y nos sacrificaremos por Tu amor en las ocasiones que se nos presenten, implorando gracias para el mundo y la Iglesia, especialmente para los sacerdotes.

Jesús, salvador de los hombres, ¡sálvalos, sálvalos!

ORACIÓN DEL ÁNGEL DE FÁTIMA

¡Dios mío, yo creo, adoro, espero y te amo! ¡Te pido perdón por los que no creen, no adoran, no esperan y no te aman! (Tres veces).

Santísima Trinidad, Padre, Hijo y Espíritu Santo, yo te adoro profundamente y te ofrezco el Preciosísimo Cuerpo, Sangre, Alma y Divinidad de nuestro Señor Jesucristo, presente en todos los Sagrarios del mundo, en reparación de los ultrajes con los que Él es ofendido. Por los méritos infinitos del Sagrado Corazón de Jesús y del Inmaculado Corazón de María, te pido la conversión de los pecadores.

Consagración del hogar

Beata Concepción Cabrera de Armida

Madre nuestra, con toda la ternura de nuestro corazón te acogemos hoy como Reina y Señora, Soberana y Madre de esta casa y ante todo lo que contiene, personas que en ella viven y aún las cosas inanimadas.

Recibe las llaves como Señora y Dueña, y concédenos la felicidad de ser tus hijos, para servirte y amarte con toda el alma.

Te prometemos que no haremos nada de importancia sin consultarlo contigo; y todo lo que hagamos, lo haremos procurando imitarte, uniendo nuestro corazón al tuyo y nuestras intenciones a las tuyas.

En esta casa ocuparás Tú el primer puesto. Acuérdate, ¡oh Esposa del Espíritu Santo!, que somos tuyos y que de hoy en adelante, y más que nunca, serás nuestra amorosa Madre.

Madre nuestra, bendícenos y ámanos cada día más y alcánzanos del Espíritu Santo sus gracias y dones. Amén.

Alianza de la Comunidad Amor Crucificado

Padre Celestial, movido por Tu amor y Tu gracia,
en unión con la Santísima Virgen María, Madre mía,
y la familia del Amor Crucificado,
Yo, (nombre), resuelvo negarme a mí mismo, tomar mi Cruz cada día y seguir a Jesús, Amor Crucificado.

A través de las manos inmaculadas de María, recibe mi sangre,
unida a la Preciosa Sangre de Jesús,
como sacrificio de amor por Ti, por Tus sacerdotes, familias,
por los corazones más endurecidos y por la salvación del mundo.
Transforma mi corazón en Tu cáliz vivo,
para así convertirme en Tu compañero de amor.

Inspirado por la Bta. Conchita y nuestros santos patronos,
me ofrezco como víctima unida a Jesús, Víctima del amor.
Entrego sin reservas mi corazón, voluntad, planes, deseos, sacrificios, sufrimientos, alegrías, oraciones, obras, cada pensamiento y acción, uniéndolo todo al sacrificio de amor de Cristo en la Cruz, para que ya no viva yo, sino que Cristo, Amor Crucificado, viva en mí.

Me entrego al Espíritu Santo y me comprometo a estar atento a sus inspiraciones y movimientos en mi alma, para obtener un conocimiento más profundo de Cristo y de mí mismo, para aprender de Él el amor, ternura, misericordia, humildad, docilidad, obediencia, pureza, silencio, servicio y todas las virtudes.

Prometo total asentimiento y obediencia

a toda la enseñanza de la Iglesia Católica
y atesorar la Eucaristía, la Palabra, la reconciliación
y todo lo que el Señor provee para nuestra santificación.

Entro en alianza de amor
con mis hermanos y hermanas de la Comunidad Amor
Crucificado y me comprometo a su forma de vida.
Mis palabras y acciones han de reflejar mi amor por todos,
para así ayudarnos unos a otros vivir el Camino de Unión
y ser testigos ante el mundo.

Todo para la gloria de Dios y la renovación de la Iglesia a través
de un nuevo Pentecostés.

Cada movimiento de mi alma debe clamar con Cristo:
«Súfrelo todo Conmigo, no siendo ya dos, sino *Uno,* en Mi
sacrificio de amor» Amén.

LETANÍAS DE LA HUMILDAD

Rafael Cardenal Merry del Val (1865-1930)

Jesús manso y humilde de Corazón, ... Óyeme.
Del deseo de ser lisonjeado (o estimado)
—Líbrame Jesús *(se repite)*
Del deseo de ser alabado,
Del deseo de ser honrado,
Del deseo de ser aplaudido,
Del deseo de ser preferido a otros,
Del deseo de ser consultado,
Del deseo de ser aceptado,
Del temor de ser humillado,
Del temor de ser despreciado,
Del temor de ser reprendido,
Del temor de ser calumniado,
Del temor de ser olvidado,
Del temor de ser puesto en ridículo,
Del temor de ser injuriado,
Del temor de ser juzgado con malicia,

Que otros sean más estimados que yo,
—Jesús dame la gracia de desearlo *(se repite)*
Que otros crezcan en la opinión del mundo y yo me eclipse,
Que otros sean alabados y de mí no se haga caso,
Que otros sean empleados en cargos y a mí se me juzgue inútil,
Que otros sean preferidos a mí en todo,
Que los demás sean más santos que yo con tal que yo sea todo lo santo que pueda,

ORACIÓN

Oh Jesús que, siendo Dios, te humillaste hasta la muerte, y muerte de Cruz, para ser ejemplo perenne que confunda nuestro orgullo y amor propio. Concédenos la gracia de aprender y practicar tu ejemplo, para que humillándonos como corresponde a nuestra miseria aquí en la tierra, podamos ser ensalzados hasta gozar eternamente de ti en el cielo. Amén.

Coronilla de la unidad en la Sangre de Jesús y las lágrimas de María

Comunidad Amor Crucificado

Usando las cuentas del rosario, comenzamos:
Credo, Padre Nuestro, Ave María

En cada década, en vez del «Padre Nuestro»:
Jesús, Víctima de amor, Amor Crucificado
—por Tu Preciosa Sangre y las lágrimas de Tu madre, haznos *Uno*.

En cada cuenta del «Ave María»:
Con Tu Preciosa Sangre y las lágrimas de Tu madre,
—purifica nuestros corazones y haznos *Uno*.

Para terminar: 3 veces.
Súfrelo todo Conmigo, no siendo ya dos, sino *Uno*
en Mi sacrificio de amor.

1 Salve

JESÚS TIENE SED DE TI

Él dijo:
«Cuando yo sea levantado de la tierra,
atraeré a todos hacia Mí» (*Jn* 12, 32)

¡Contempla a Nuestro Señor en la Cruz
y permite que te atraiga!

Los miembros de la Comunidad Amor Crucificado estamos orando para que *El Camino Sencillo de Unión con Dios* te ayude a entrar y ser consumido en el fuego de Su amor.

Para más información sobre la comunidad Amor Crucificado, obtener este libro o descargarlo gratis, visita nuestro sitio web:

www.AmorCrucificado.com
Inglés: www.LoveCrucified.com

Made in United States
Orlando, FL
08 April 2024